Bon courage,

ma grande !

MG

L’affaire Dreyfus

Dans la même collection

Ouvrages établis à partir de la revue **L'Histoire**

76	Études sur la France de 1939 à nos jours
87	La Grèce ancienne, *présentation par Claude Mossé*
100	Les Croisades, *présentation par Robert Delort*
128	Les Années trente. De la crise à la guerre *introduction de Michel Winock*
140	Amour et Sexualité en Occident *introduction de Georges Duby*
149	L'Allemagne de Hitler, 1933-1945 *introduction de François Bédarida*
163	14-18 : Mourir pour la patrie *introduction d'Antoine Prost*
170	Initiation à l'Orient ancien. De Sumer à la Bible *présenté par Jean Bottéro*
178	L'Algérie des Français *présentation par Charles-Robert Ageron*
185	Moines et Religieux au Moyen Age *présentation par Jacques Berlioz*
187	Le Temps de la guerre froide. Du rideau de fer à l'effondrement du communisme *présentation par Michel Winock*
197	La Droite depuis 1789. Les hommes, les idées, les réseaux *présentation par Michel Winock*
231	L'Égypte ancienne *présentation par Pierre Grandet*
235	La France de la Monarchie absolue. 1610-1715 *introduction et bibliographie commentée de Joël Cornette*
241	Puissance et faiblesses de la France industrielle. XIXe-XXe siècles *présentation par Jacques Marseille*

L'HISTOIRE

L'affaire Dreyfus

Présentation
par Michel Winock

Éditions du Seuil

Le présent volume
reprend le numéro spécial de L'Histoire *intitulé*
« L'affaire Dreyfus. Vérité et mensonges »
(n° 173, janvier 1994)

ISBN 2-02-032848-8

Introduction

Michel Winock

Le 15 octobre 1894, le capitaine Alfred Dreyfus est arrêté et incarcéré à la prison du Cherche-Midi pour espionnage. Deux mois plus tard, son procès commence à huis clos devant le premier Conseil de guerre de Paris. Le 22 décembre, Dreyfus, reconnu coupable à l'unanimité des sept juges, est condamné à la déportation à vie dans une enceinte fortifiée. Le 5 janvier, il subit l'épreuve humiliante de la dégradation dans la cour de l'École militaire à Paris. Seize jours plus tard il est embarqué pour la Guyane. En avril, il sera détenu à l'île du Diable au large de Cayenne.

A ce moment-là, il n'y a pas encore d'affaire Dreyfus. La presse et les partis sont unanimes dans la réprobation. Jean Jaurès proteste même à la Chambre des députés contre la modération de la peine due, selon lui, au rang d'officier du coupable : une justice de classe ! Seule, la famille d'Alfred Dreyfus – Lucie son épouse et Mathieu son frère – est convaincue de l'erreur judiciaire. Décidé à faire la lumière, Mathieu engage un journaliste écrivain, Bernard Lazare, à rassembler la documentation propre à établir l'innocence de son frère. Il en résultera deux mémoires, *Une erreur judiciaire. La vérité sur l'affaire Dreyfus*, en novembre 1896, suivi un an plus tard d'une nouvelle édition, *Une erreur judiciaire. L'affaire Dreyfus*, chez Stock.

Parallèlement, le nouveau chef du Bureau des renseignements depuis le 1er juillet 1895, le lieutenant-colonel Georges Picquart, découvre que le bordereau qui fut à l'origine de la condamnation de Dreyfus est de la même écriture que celle du commandant Esterhazy. Sa découverte vaut à Picquart d'être éloigné de Paris, pour être affecté finalement en Tunisie. Toutefois, lors d'un congé à Paris, il révèle à son ami l'avocat Louis Leblois l'innocence de Dreyfus et la culpabilité d'Esterhazy.

La recherche de Bernard Lazare et la découverte du commandant Picquart aboutissent aux oreilles d'Auguste Scheurer-Kestner, vice-président du Sénat. Le 13 novembre 1897, *Le Temps* publie une lettre de celui-ci affirmant l'innocence de Dreyfus. Et *Le Figaro*, le 25, un article de Zola qui se conclut par ces mots : « La vérité est en marche, et rien ne l'arrêtera. » C'est alors que l'Affaire commence vraiment, qu'elle devient une bataille que deux événements dramatisent coup sur coup : le 11 janvier 1898, l'acquittement par le tribunal du commandant Esterhazy, sous les vivats de la foule ; le 13 janvier suivant, la Lettre ouverte d'Émile Zola au président de la République : « J'accuse… » Pendant deux ans, la France est déchirée par le cas Dreyfus, sur lequel se greffent toutes les passions de l'heure. La révision du procès sera obtenue par les « dreyfusards », lorsque seront démontrées les irrégularités flagrantes du jugement de 1894 ; un second procès se tient à Rennes en septembre 1899. Dreyfus est de nouveau reconnu coupable d'« intelligences avec l'ennemi », avec – bizarrement – des « circonstances atténuantes » ; il est condamné, cette fois, à dix ans de détention par cinq voix contre deux. Il lui faudra la grâce du président de la République Émile Loubet pour recouvrer la liberté. Ce n'est qu'en 1906 qu'un arrêt de la Cour de cassation annulera définitivement le verdict de Rennes, permettant à Dreyfus de réincorporer l'armée comme chef d'escadron, alors que Picquart deviendra général et ministre de la Guerre dans le cabinet de Georges Clemenceau.

Cette histoire, émaillée d'épisodes rocambolesques, exacerbée par les haines politiques, scandée tout au long par des polémiques et des duels, opérant un reclassement des salons mondains, a donné lieu à une littérature profuse, de la part des témoins, des journalistes, des idéologues, des historiens… Elle a affecté profondément la mémoire collective, marqué un tournant dans l'histoire de la France, fait émerger les « intellectuels », s'affirmant un des grands événements catalyseurs de notre conscience politique.

Cet ouvrage reprend les articles d'un numéro spécial de *L'Histoire* publié à l'occasion du centenaire du premier procès Dreyfus. Il se présente en trois parties :

1. Les faits. L'affaire Dreyfus est d'abord une affaire militaire. On ne peut la comprendre sans savoir la place qu'occupe l'armée dans la société et dans l'opinion en France depuis la défaite de 1870-1871. « Y penser toujours, n'en parler jamais » : ainsi parlait Gambetta de la Revanche, qui fut pendant vingt ans, selon Charles Maurras, la « reine de la France ». C'est dans le contexte de la tension franco-allemande qu'il faut replacer cette affaire d'espionnage, à un moment où les ennemis potentiels s'acharnent, de part et d'autre, à déceler l'état des forces ennemies.

L'armée française est en pleine mutation. Elle a d'abord éprouvé les contraintes de la républicanisation. Ses cadres, dont beaucoup appartiennent encore à l'aristocratie et au catholicisme antirépublicain, se défient des nouveaux venus, et notamment de ceux qui deviennent officiers grâce à leurs compétences intellectuelles et techniques. Dans l'artillerie particulièrement. Alfred Dreyfus est l'un d'eux. Un Juif, un polytechnicien qui est arrivé par les concours. Ses origines alsaciennes devraient plaider en sa faveur : n'est-il pas de ceux qui, après le traité de Francfort et la perte de l'Alsace-Lorraine, ont choisi la France ? Au contraire, ses voyages à Mulhouse où il a de la famille l'exposent à la suspicion. Mais quelles seraient ses motivations ? L'argent ? Il n'en manque pas. Dreyfus serait-il une victime de l'antisémitisme des militaires ? « Le juif symbolise fortement l'arrivée d'hommes nouveaux, sans la légitimité du sang versé et de l'enracinement terrien[1]. »

Une hypothèse, qui a fait quelque bruit, a été avancée par Jean Doise : l'affaire Dreyfus ne serait qu'une diversion à l'adresse des Allemands pendant que les Français mettent au point le fameux canon de 75. Hypothèse qui donne à Esterhazy un nouveau rôle : auteur du bordereau, il serait l'agent qui « intoxique » l'ennemi. En somme, une affaire d'espionnage sans espion, sans traître, rien qu'un leurre. Hypothèse fragile, sans preuve, peut-être contradictoire, mais qui a le mérite de nous faire sentir la complexité de l'Affaire, ses zones d'ombre, et l'imaginaire interprétatif qu'elle a déclenché.

2. Les batailles d'opinion. L'affaire Dreyfus a d'abord été la lutte d'une poignée d'hommes résolus à faire triompher la vérité contre tout le monde : les juges du capitaine, la presse, les parlementaires… Leur premier succès a été, dans les derniers mois de 1897, de convaincre un cercle d'hommes politiques, de journalistes, d'écrivains, qui ont élargi leurs rangs peu à peu, jusqu'à la signature des premières listes de pétitions en faveur de la révision du procès de 1894. La mi-janvier 1898 est un temps fort dans la mobilisation de ces « révisionnistes » : le « J'accuse… » de Zola précède de 24 heures la publication des pétitions (il y en aura deux). Clemenceau trouve un mot pour désigner les signataires : il applaudit ces « intellectuels » (*L'Aurore*, 23 janvier 1898). Certains d'entre eux n'ont pas encore la certitude de l'innocence de Dreyfus, ils ont celle de l'irrégularité du procès. Ainsi Émile Duclaux, directeur de l'Institut Pasteur : « Dès le premier abord, dit-il, le procès qui se jugea dans des circonstances aussi peu favorables à l'œuvre de justice m'est suspect. Mais je m'aperçois encore que, depuis lors, on ne nous a donné aucune preuve de la culpabilité, aucun argument certain, et je me dis, sans même savoir si M. Scheurer-Kestner a des dossiers ou n'en a pas, sans vouloir examiner aucune des pièces que M. Zola peut avoir, je me dis qu'en principe un jugement rendu dans une période si peu calme, après une telle campagne de presse, sans que rien soit venu le corroborer depuis, un tel jugement est peut-être irrégulier, ou faux, ou coupable. Il ne satisfait pas à mon désir de justice et de vérité. » (*Le Temps*, 18 janvier 1898.)

Cette volonté de savoir et ce sursaut contre l'injustice (ou les mauvaises façons de la justice militaire) constituent le fond de la démarche de ceux qu'on appelle « dreyfusards » par dérision. « Dreyfusards », « révisionnistes », « intellectuels », ces mots sont synonymes pour un temps, mêlés dans la désapprobation de ceux qui refusent de mettre en doute « la chose jugée » et d'affaiblir l'armée en suspectant l'un de ses conseils de guerre. Les anti-intellectuels sont eux-mêmes des hommes de lettres, académiciens, publicistes, éditorialistes. Maurice Barrès se fait leur porte-parole. Il aura bientôt ce mot inexpiable : « Que Dreyfus est capable de trahir, je le conclus de sa race. Qu'il a trahi, je le sais parce que j'ai lu les pages de Mercier et de Roget qui sont de magnifiques travaux. » Antidreyfusards, nationalistes, mettant au-dessus de tout la cohésion sociale et la défense nationale, beaucoup, comme Barrès, versent aussi dans l'antisémitisme.

L'affaire Dreyfus est aussi un moment douloureux de l'histoire des Juifs en France. Il serait erroné de réduire la crise à l'affrontement simple entre anti- et philosémites. Certains antidreyfusards, comme Ferdinand Brunetière, ont rejeté explicitement l'antisémitisme[2]. Certains dreyfusards, à commencer par le commandant Picquart, n'étaient pas indemnes d'antisémitisme. Reste que les ennemis les plus farouches de Dreyfus, les adversaires les plus tenaces de la révision, ont manifesté une passion antijuive, que les Drumont, les Rochefort, les Guérin, n'ont cessé d'attiser dans leurs feuilles populaires. Reste que le « nationalisme intégral » de Charles Maurras né de l'Affaire lestera jusqu'au bout l'Action française d'un programme d'antisémitisme, auquel la Révolution nationale de Pétain finira par accorder droit de cité.

Deyfusards et antidreyfusards se sont donné des institutions plus ou moins durables : la Ligue des Droits de l'homme, à l'origine de laquelle on trouve l'ancien ministre Ludovic Trarieux, et qui est fondée en juin 1898 ; la Ligue de la Patrie française, présidée par Jules Lemaitre, et qui tient sa première réunion en janvier 1899.

La bataille n'en resta pas au face-à-face des intellectuels. Elle devint, dans un second temps, politique. Le suicide du colonel Henry, qui avait forgé les faux du dossier d'accusation contre Dreyfus, déclenche un début de retournement de l'opinion, enclenche le processus qui conduit à la révision, tout en provoquant la levée de boucliers des antidreyfusards. L'agitation nationaliste devient une agitation de rue menaçant de son programme subversif la République parlementaire. Tant et si bien que se forme le 22 juin 1899, sous la direction de Waldeck-Rousseau un gouvernement de « défense républicaine » décidé à mettre un terme aux fauteurs de troubles. Une accusation de complot contre la sûreté de l'État est retenue contre quelques meneurs nationalistes, dont Paul Déroulède, animateur de la Ligue des Patriotes, qui est condamné à six années de bannissement.

L'affaire politique prépara la constitution du Bloc des Gauches, regroupant radicaux, socialistes et modérés qui avaient suivi Waldeck-Rousseau. Vainqueur aux élections de 1902, le « Bloc » devait, à travers le ministère Combes, mener le combat contre le catholicisme politique, compromis dans l'antidreyfusisme, puis contre le catholicisme tout court : interdiction d'enseigner aux Congrégations, rupture des relations diplomatiques avec le Vatican, le tout consommé par une loi de haute portée : la Séparation des Églises et de l'État, devenue une charte fondamentale de la vie politique française.

3. Les résonances de l'affaire Dreyfus dans l'espace et dans le temps. Sur le coup, l'Affaire a passionné tous les pays, faisant une mauvaise réputation à la France. Au temps du combisme, un certain nombre de dreyfusards, à commencer par Charles Péguy, se sont dressés contre la trahison d'une « mystique » au profit d'une vile « politique ». L'événement passé, l'Affaire a pris l'aspect d'une épopée lumineuse, d'un pur combat de justice et de droit ; elle est devenue un mythe fondateur, renforçant la base éthique du régime républicain. Le roman, le cinéma, plus tard la télévision, y ont ajouté leur puissance d'évocation. Dans le même temps, les vaincus de l'affaire Dreyfus n'ont jamais renoncé à leur interprétation, le plus souvent entachée d'antisémitisme. Charles Maurras, patron de l'Action française, soutien indéfectible du maréchal Pétain sous Vichy, s'écriera au terme du procès qui le condamnait à la prison en 1945 : « C'est la revanche de Dreyfus ! » Référence positive, référence clé pour les intellectuels de gauche, l'Affaire est demeurée dans l'imaginaire de l'extrême droite le pandemonium des trahisons françaises.

Alfred Dreyfus, devenu lieutenant-colonel et officier de la Légion d'honneur, est mort le 12 juillet 1935. Deux jours plus tard, se tenait le grand rassemblement du Front populaire, dans un stade-vélodrome près de Paris. Jean Guéhenno témoigne :

« C'était le matin du 14, à ces Assises pour la paix et la liberté qui se tinrent à Buffalo. Le président de la Ligue des Droits de l'homme, Victor Basch, parlait. Il disait les raisons qu'avait eues la Ligue qu'il présidait de prendre part à ces Assises, à cette fête. Il rappelait les combats livrés par la Ligue pour les Droits de l'homme, pour la justice, l'affaire Dreyfus. Dans l'instant même, on enterrait (et cela ferait croire que certains hommes ont vraiment leur destin qui règle comme il faut les péripéties de leur vie et jusqu'à la minute de leur mort pour que leur existence ait toute sa valeur) au cimetière Montmartre le colonel, le « capitaine » Dreyfus. Alors, soudain, d'elle-même et d'un seul mouvement, toute la foule qui peuplait l'immense amphithéâtre se leva, et, dans un silence qui saisissait le cœur, chacun pensa à ce mort [...]. Il n'est pas un de nous qui, à la limite des larmes, n'ait senti qu'il se faisait dans ce moment, d'une génération à l'autre, comme une transmission, une tradition de la justice[3]. »

Notes

1. Voir Jérôme Hélie, « L'arche sainte fracturée », *in* Pierre Birnbaum (dir.), *La France de l'affaire Dreyfus*, Gallimard, 1994, p. 231.

2. Voir Antoine Compagnon, *Connaissez-vous Brunetière ?*, Le Seuil, 1997.

3. Jean Guéhenno, *Entre l'avenir et le passé*, Grasset, 1979, p. 275.

Un drame en cinq actes

La condamnation de Dreyfus

1894

6 OCTOBRE : le Service de renseignements français, dit « Section de statistique », dirigé par le lieutenant-colonel Sandherr, attribue au capitaine Alfred Dreyfus, stagiaire à l'état-major général, la paternité d'une lettre adressée à l'attaché militaire à l'ambassade d'Allemagne à Paris, Maximilien von Schwarzkoppen, et annonçant l'envoi de documents militaires. Cette lettre sera appelée le bordereau.

15 OCTOBRE : Dreyfus est arrêté sur l'ordre du général Mercier, ministre de la Guerre, et écroué à la prison du Cherche-Midi.

31 OCTOBRE : alors que le commandant du Paty de Clam, chargé de l'instruction préliminaire, remet son rapport au ministre de la Guerre sans avoir pu arracher le moindre aveu au prisonnier, l'agence Havas annonce la détention d'un officier français pour espionnage. *Le Soir* est le premier à révéler son nom : Alfred Dreyfus.

1er NOVEMBRE : *La Libre Parole* publie un long article où on lit notamment : « L'affaire sera étouffée parce que cet officier est Juif. »

2 NOVEMBRE : Mercier, qui a lu le rapport bâclé de du Paty de Clam, exposé l'affaire en Conseil des ministres et obtenu que l'information soit ordonnée, transmet l'ordre au gouverneur de Paris, le général Saussier.

7 NOVEMBRE : ouverture de l'instruction judiciaire contre Dreyfus confiée au commandant en retraite Bexon d'Ormescheville, rapporteur près le premier conseil de guerre de Paris.

28 NOVEMBRE : *Le Figaro* publie une interview de Mercier qui parle de preuves criantes contre Dreyfus. Un démenti officieux de ces propos est publié dans le journal du soir *Le Temps* : le ministre, y est-il dit, ne peut préjuger d'une cause soumise à la justice militaire. *Le Figaro* du lendemain confirme les propos du ministre sans que celui-ci réagisse.

3 DÉCEMBRE : Ormescheville remet son rapport au ministre, qui le fait parvenir au général Saussier. Celui-ci, par ordre en date du 4 décembre, convoque le premier conseil de guerre de Paris pour le 19 décembre, alors que les charges contre Dreyfus sont rien moins qu'établies. La seule base d'accusation, l'écriture du bordereau, n'a pas mis d'accord les cinq experts commis.

19 DÉCEMBRE : ouverture du procès. Le commissaire du gouvernement, le commandant Brisset, demande le huis clos. Dreyfus est assisté par maître Demange.

21 DÉCEMBRE : le commandant Henry, du Service de renseignements, déclare à l'audience qu'une personne « honorable » avait affirmé en mars 1894, et répété en juin, qu'il y avait un traître à l'état-major ; « Le traître, le voici ! » s'écrie-t-il en désignant Dreyfus. Parmi les experts, qui succèdent à Henry à la barre, Bertillon fait une démonstration incompréhensible tendant à prouver que Dreyfus a contrefait sa propre écriture.

22 DÉCEMBRE : après une plaidoirie de trois heures de maître Demange, les sept juges se retirent pour délibérer. Ils prennent alors connaissance d'un dossier secret, comprenant de nouvelles pièces, les unes fausses, les autres mal datées, la plus significative étant une lettre adressée à l'attaché militaire allemand Schwarzkoppen par l'attaché militaire italien Alessandro Panizzardi parlant de « Ce canaille de

D... », lequel lui aurait vendu douze cartes à grande échelle, dites plans directeurs, des fortifications de Nice. Après les affirmations de Mercier à la presse en novembre, ces semblants de documents, authentifiés par le ministre et le chef du Service des renseignements, emportent la conviction des juges qui, à l'unanimité, déclarent Dreyfus coupable. Celui-ci est condamné à la déportation perpétuelle dans une enceinte fortifiée – en toute illégalité, puisque le Code de justice militaire impose que les inculpations sur lesquelles un accusé va être appelé à se défendre doivent lui être communiquées trois jours au moins avant la mise en jugement. Cette fois, l'accusé et son défenseur sont restés dans l'ignorance du dossier secret.

24 DÉCEMBRE : Jean Jaurès déclare à la Chambre : « Le maréchal Bazaine, convaincu de trahison, a été condamné à mort, mais n'a pas été fusillé. Le capitaine Dreyfus, convaincu de trahison par un jugement unanime, n'a pas été condamné à mort. Et, en face de ces jugements, le pays voit que l'on fusille, sans grâce et sans pitié, de simples soldats coupables d'une minute d'égarement ou de violence. » La discussion qui suit s'envenimant entre Jaurès et le ministre des Travaux publics Louis Barthou, un duel (sans suite) aura lieu entre les deux hommes le lendemain, jour de Noël.

25 DÉCEMBRE : Clemenceau, dans *La Justice*, définit ainsi Dreyfus : « Rien qu'une âme immonde, un cœur abject ! »

31 DÉCEMBRE : le pourvoi en révision, mal motivé, est rejeté.

1895

5 JANVIER : Dreyfus est solennellement dégradé dans la grande cour de l'École militaire. Le condamné proteste de son innocence. Il est transféré à la prison de la Santé, d'où il partira le 17 janvier à destination de l'île de Ré. Le 18, en transit à La Rochelle, il subit les clameurs et les violences de la foule. Embarqué le 21 février pour la Guyane, il y parvient le 21 mars, après une terrible traversée dans une cage de fer. Il est transféré en avril à l'île du Diable, au large de Cayenne.

Naissance d'un parti dreyfusard

17 JANVIER : Félix Faure est élu président de la République, après la démission de Casimir-Perier.

FÉVRIER (fin) : Mathieu Dreyfus, le frère d'Alfred, fournit au journaliste Bernard Lazare une première documentation en vue d'innocenter le capitaine.

1er JUILLET : le lieutenant-colonel Georges Picquart est nommé chef du Bureau des renseignements, prenant la succession de Sandherr atteint par un début de paralysie générale.

1896

MARS (fin) : une carte-télégramme (le « petit bleu ») adressée par Schwarzkoppen au commandant français Esterhazy est saisie par le Service de statistique. Esterhazy est désormais soumis à une étroite surveillance.

JUILLET : Picquart, en rouvrant le « dossier secret » constitué contre Dreyfus pour le procès de 1894, constate la similitude de l'écriture du bordereau avec celle d'Esterhazy. Après une enquête personnelle, l'erreur judiciaire lui apparaît clairement au mois d'août. Il va tenter d'en convaincre ses supérieurs, les généraux de Boisdeffre et Gonse, mais en vain.

3 SEPTEMBRE : la presse reprend une information publiée la veille par le journal anglais *Daily Chronicle*, et selon laquelle Dreyfus se serait échappé du bagne. La rumeur avait été lancée par Mathieu afin d'attirer de nouveau l'attention sur le cas Dreyfus. De fait, quelques doutes sont alors exprimés dans la presse sur la validité du procès.

14 SEPTEMBRE : *L'Éclair* (daté du 15), désireux d'empêcher « qu'une seule conscience accorde au traître les bénéfices du doute », révèle, « par devoir patriotique », le « document exceptionnel » du dossier qui a accablé Dreyfus. Il s'agit d'une lettre chiffrée, entre l'ambassade d'Italie et l'ambassade d'Allemagne de Paris, qui contiendrait cette phrase : « Décidément cet animal de Dreyfus devient trop exigeant. » Le « D. » de la note secrète « Ce canaille de D… » avait été transformé par le journal en « Dreyfus ». En fait, en révélant l'existence du dossier secret, *L'Éclair* venait de démontrer que Dreyfus avait été jugé et condamné en pleine illégalité.

16 SEPTEMBRE : Lucie Dreyfus, la femme du capitaine, adresse à la Chambre des députés une pétition pour réclamer justice.

2 NOVEMBRE : Henry remet au général Gonse une pièce prétendument saisie à l'ambassade d'Allemagne : une lettre de l'attaché italien Panizzardi à Schwarzkoppen accablant Dreyfus en toutes lettres. Il s'agit du « faux Henry » dont l'inauthenticité sera découverte en août 1898.

6 NOVEMBRE : Bernard Lazare publie sa brochure *Une erreur judiciaire. La vérité sur l'affaire Dreyfus*, imprimée à Bruxelles pour déjouer une saisie éventuelle, et envoyée sous pli fermé à des destinataires choisis. La presse y fait écho sévèrement et, le 18, le député Castelin demande, à la tribune de la Chambre, des poursuites contre Bernard Lazare ; mais le gouvernement y renonce.

10 NOVEMBRE : *Le Matin* publie un fac-similé du bordereau, dont la photographie lui a été vendue par Teyssonnières, l'un des experts commis en 1894.

16 NOVEMBRE : Picquart, devenu un témoin gênant, est éloigné de Paris par le général Gonse. Il est d'abord envoyé en inspection dans l'Est de la France, puis affecté au 4ᵉ tirailleurs en Tunisie.

NOVEMBRE : démarches de Bernard Lazare auprès d'Auguste Scheurer-Kestner, vice-président du Sénat, et d'Émile Zola. Mais ses arguments ne convainquent pas encore complètement ceux qui deviendront des champions du dreyfusisme.

1897

MAI : une lettre insolente d'Henry, son ancien subordonné au Service de renseignements, finit par convaincre Picquart qu'une machination est ourdie contre lui, afin d'étouffer toute révélation de sa part sur Dreyfus.

JUIN : en congé à Paris, Picquart révèle à son ami d'enfance, l'avocat Louis Leblois, Alsacien comme lui, l'innocence de Dreyfus et la culpabilité d'Esterhazy, tout en exigeant de lui qu'il garde le secret.

13 JUILLET : Leblois rend visite à Scheurer-Kestner et lui révèle le secret de Picquart, en lui demandant une discrétion absolue.

OCTOBRE : le commandant Henry, voulant déjouer les efforts de Scheurer-Kestner, qui a annoncé son intention de faire campagne en faveur de la révision du procès de Dreyfus, fait prévenir Esterhazy du danger par des lettres anonymes signées « Espérance » et des rendez-vous secrets.

29 OCTOBRE : le président de la République Félix Faure reçoit Scheurer-Kestner, qui lui expose sa conviction sur l'innocence de Dreyfus.

30 OCTOBRE : Scheurer-Kestner, déjeunant avec le général Billot, ministre de la Guerre, lui révèle ses découvertes sur l'innocence de Dreyfus et la culpabilité d'Esterhazy. Le lendemain, mise au courant, la presse de droite se déchaîne contre le vice-président du Sénat. Henry, de son côté, met au point avec Esterhazy et du Paty de Clam de faux télégrammes signés « Speranza » et « Blanche » adressés à Picquart, afin de perdre celui-ci comme auteur du « petit bleu », initialement attribué à Schwarzkoppen.

12 NOVEMBRE : mise en vente du deuxième mémoire de Bernard Lazare, *Une erreur judiciaire. L'affaire Dreyfus*, chez Stock. À peu près à la même date, le coulissier M. de Castro reconnaît l'écriture du bordereau comme étant celle d'Esterhazy, dont il possède plusieurs lettres. Averti, Mathieu Dreyfus communique la nouvelle à Scheurer-Kestner, qui savait déjà la vérité par Leblois.

13 NOVEMBRE : *Le Temps* publie une lettre de Scheurer-Kestner affirmant l'innocence de Dreyfus, et révélant que le vrai coupable est connu, sans préciser son nom.

15 NOVEMBRE : Mathieu Dreyfus adresse au ministre de la Guerre, le général Billot, une plainte contre le commandant Esterhazy, qu'il accuse formellement d'être l'auteur du bordereau.

17 NOVEMBRE : le général Saussier, sur l'ordre du ministre de la Guerre, fait ouvrir une enquête sur Esterhazy, dont il confie la responsabilité au général de Pellieux.

20 NOVEMBRE : Pellieux, téléguidé par Boisdeffre, Gonse et le Service de renseignements, conclut ainsi son rapport : « En mon âme et conscience, Esterhazy me semble hors de cause. [...] Picquart paraît coupable... »

25 NOVEMBRE : l'article que publie Zola dans *Le Figaro* : « M. Scheurer-Kestner » se conclut par ces mots : « La vérité est en marche, et rien ne l'arrêtera. »

26 NOVEMBRE : retour de Picquart à Paris sur ordre de ses chefs. Des papiers sont saisis chez lui.

28 NOVEMBRE : *Le Figaro* publie une lettre d'Esterhazy à l'une de ses anciennes maîtresses, Mme de Boulancy, transmise par l'avocat de celle-ci à Scheurer-Kestner, qui l'avait montrée à Pellieux sans provoquer son intérêt. Or Esterhazy y affirmait qu'il ferait « tuer cent mille Français avec plaisir ». *Le Figaro* publie cette missive incendiaire en même temps qu'une partie de cette correspondance. Grosse émotion publique.

29 NOVEMBRE : Georges Clemenceau qui, depuis le début du mois, a commencé sa campagne révisionniste, pose la question : « Qui ? » dans *L'Aurore* : « Qui donc protège M. le commandant Esterhazy contre les curiosités légitimes du juge ? »

1er DÉCEMBRE : second article dreyfusard de Zola : « Le Syndicat », publié dans *Le Figaro*. Le dernier : la direction du journal, étant l'objet d'une campagne de désabonnements, le prie d'arrêter.

4 DÉCEMBRE : la seconde enquête de Pellieux, achevée le 2 décembre, devait conduire à un non-lieu en faveur d'Esterhazy. Cependant, la campagne dreyfusarde pousse le gouvernement à traduire Esterhazy devant le conseil de guerre de Paris. À la Chambre, le président du Conseil, Jules Méline, réaffirme : « Il n'y a pas d'affaire Dreyfus ! » ; et le général Billot : « Pour moi, en mon âme et conscience, comme chef de l'armée, je considère le jugement comme bien rendu et M. Dreyfus comme coupable. »

1898

1er JANVIER : article de Clemenceau dans *L'Aurore* : « On va poursuivre Esterhazy, puisqu'on ne peut faire autrement, mais seulement sur les faits accessoires révélés par le colonel Picquart. Le bordereau ne sera pas retenu. Il n'en sera pas dit un mot, le gouvernement ayant trouvé trois experts pour déclarer que l'écriture qu'Esterhazy reconnaissait comme sienne n'est pas de sa main. »

4 JANVIER : maître Leblois dépose une plainte en faux au nom de Picquart, au sujet des télégrammes qu'il a reçus et qui s'attachaient à le compromettre.

10-11 JANVIER : procès à huis clos d'Esterhazy, qui est acquitté. La foule lui fait un triomphe.

12 JANVIER : article de Clemenceau : « Est-ce fini ? Je ne crois pas. Il faut maintenant que le gouvernement, pour rester fidèle à ce uhlan *[Esterhazy]*, poursuive le “syndicat”, le fameux syndicat coupable d’avoir des doutes sur Esterhazy. Et s’il n’a pas le courage de le faire, je veux croire que les hommes qui ont pris cette affaire en main ne s’arrêteront pas à mi-chemin. À eux de traîner Billot et son huis clos à la barre de l’opinion publique, devant un jury de citoyens français. »

13 JANVIER : Picquart est puni de soixante jours d’arrêt de forteresse en attendant que la commission d’enquête ait statué sur son compte. Au Sénat, pour le renouvellement du bureau, Scheurer-Kestner n’est pas réélu à la vice-présidence.

De « J’accuse » au procès Zola

Le même jour, *L’Aurore* publie la Lettre ouverte d’Émile Zola au président de la République, pour laquelle Clemenceau a trouvé un titre fulgurant : « J’accuse ». À la suite d’une interpellation d’Albert de Mun, la Chambre décide des poursuites contre Zola par 312 voix contre 122. Dans les jours qui suivent la publication de « J’accuse », de nombreuses manifestations ont lieu à travers la France en faveur de l’armée, contre Zola, et contre les Juifs. Graves violences antisémites en Algérie.

15 JANVIER : publication d’une première liste de savants, d’écrivains et d’universitaires, favorables à la révision du procès de Dreyfus. Dans un article du 23 janvier, Clemenceau lancera un nouveau substantif : « N’est-ce pas un signe, tous ces intellectuels, venus de tous les coins de l’horizon, qui se groupent sur une idée et s’y tiennent inébranlables ? »

18 JANVIER : le général Billot dépose une plainte contre Zola. Elle porte sur la phrase de l’article : « J’accuse » le conseil de guerre d’avoir « commis le crime juridique d’acquitter sciemment un coupable *[Esterhazy]*. »

19 JANVIER : le groupe socialiste à la Chambre publie un manifeste, inspiré par Jules Guesde et Édouard Vaillant, qui renvoie dos à dos les « deux fractions bourgeoises rivales » : « Prolétaires, ne vous enrôlez dans aucun des clans de cette guerre civile bourgeoise ! » Jaurès, acquis à la cause dreyfusarde par Lucien Herr, le bibliothécaire de l'École normale supérieure, n'en a pas moins signé ce manifeste.

20 JANVIER : réplique de Clemenceau dans *L'Aurore* : « Les socialistes viennent de produire un manifeste où tout se trouve, hors le cri de justice et de solidarité humaine, au-dessus des groupements politiques d'un jour. Quand le droit d'un seul est lésé, c'est le droit de tous qui est menacé. »

21 JANVIER : sous la plume de Maurice Charnay, *Le Parti ouvrier*, organe de la fraction socialiste révolutionnaire de Jean Allemane, réprimande les députés socialistes sur leur manifeste.

22 JANVIER : tout en disant admirer « la hardiesse de Zola », Jaurès écrit dans *La Petite République* : « Il ne peut isoler son acte du milieu social où il se produit. Or, derrière lui, derrière son initiative hardie et noble, toute la bande suspecte des écumeurs juifs marche sournoise et avide, attendant de lui je ne sais quelle réhabilitation indirecte, propice à de nouveaux méfaits. »

7 FÉVRIER : ouverture du procès Émile Zola devant les assises de la Seine, au Palais de justice de Paris. Maître Fernand Labori et maître Albert Clemenceau défendent l'écrivain. Le tribunal est présidé par Delegorgue qui va s'efforcer d'isoler le cas Zola du cas Dreyfus, et se rendra célèbre par son refrain : « La question ne sera pas posée. »

17 FÉVRIER : à la dixième audience, le général de Pellieux est amené à évoquer des pièces secrètes (le faux Henry), accablantes pour Dreyfus.

23 FÉVRIER : Zola est condamné à un an de prison et à trois mille francs d'amende (le maximum).

25 FÉVRIER : Clemenceau écrit dans *L'Aurore* : « Chacun sait en France aujourd'hui que la loi a été outrageusement violée au détriment d'un accusé dans un simulacre de procès. »

26 FÉVRIER : Picquart est mis en position de réforme.

5 MARS : Picquart se bat en duel avec Henry et le blesse deux fois au bras. Le même jour, Picquart refuse avec mépris de réunir des témoins contre Esterhazy.

2 AVRIL : la Cour de cassation, auprès de laquelle Zola s'est pourvu, casse l'arrêt de la cour d'assises pour vice de forme : c'était au conseil de guerre et non au ministre qu'il appartenait d'assigner Zola.

10 AVRIL : agression à coups de pierre contre Zola à Médan.

8-22 MAI : élections législatives. L'affaire Dreyfus n'est pas au centre de la campagne, mais Jaurès est battu à Carmaux. A Alger, Édouard Drumont, soutenu par Max Régis, est élu. Un groupe antisémite pourra être composé à la Chambre des députés.

4 JUIN : première assemblée générale de la Ligue des Droits de l'homme, fondée par Ludovic Trarieux au début du mois de février.

28 JUIN : formation du ministère Henri Brisson ; Godefroy Cavaignac est nommé ministre de la Guerre.

7 JUILLET : le député de l'Aisne Castelin interpelle à la Chambre sur l'affaire Dreyfus. Cavaignac, décidé à en finir avec les révisionnistes, produit à la tribune trois documents secrets, qu'il juge écrasants pour le condamné, notamment la pièce « Ce canaille de D… » et le faux Henry accusant nommément Dreyfus, daté de 1896. Le ministre parle aussi des aveux qu'aurait faits Dreyfus le jour de sa dégradation au capitaine de gendarmerie Lebrun-Renault. La Chambre vote l'affichage du discours par 572 voix.

8 JUILLET : le colonel Picquart, dans *Le Temps*, offre au président du Conseil de prouver en justice que le « faux Henry » est une pièce fabriquée. Picquart sera emprisonné le 13 juillet, une information ayant été ouverte contre lui et Leblois pour divulgation de documents secrets intéressant la défense nationale. Picquart restera onze mois en prison.

18 JUILLET : ouverture du second procès Zola devant les Assises de Seine-et-Oise à Versailles. L'écrivain est de nouveau condamné à un an de prison et à 3 000 francs d'amende. Il part en exil pour Londres.

10 AOÛT : Jaurès commence dans *La Petite République* une série d'articles, « Les Preuves » : « Il n'est plus possible de douter aujourd'hui que dans le procès Dreyfus une illégalité violente ait été commise. »

12 AOÛT : à la suite d'une plainte de Picquart contre les auteurs inconnus des fausses lettres et télégrammes destinés à le compromettre, le juge Bertulus avait conclu le 28 juillet à des poursuites contre Esterhazy ; les chambres des mises en accusation rendent un non-lieu en faveur d'Esterhazy.

13 AOÛT : le capitaine Cuignet, attaché au cabinet de Cavaignac, met au jour le truquage du « faux Henry » : le document était composé de deux papiers collés ensemble. La différence d'origine était perceptible par transparence, à la lumière d'une lampe.

30 AOÛT : le lieutenant-colonel Henry, dans le cabinet du ministre de la Guerre, se reconnaît l'auteur de la lettre en date d'octobre 1896 où Dreyfus est nommé. Arrêté, conduit au Mont-Valérien, il est retrouvé mort le lendemain, la gorge tranchée avec son rasoir.

3 SEPTEMBRE : Cavaignac démissionne ; il est remplacé par le général Zurlinden.

Révision du procès Dreyfus

Lucie Dreyfus demande au garde des Sceaux de saisir la Cour de cassation d'un pourvoi en révision contre le jugement du 22 décembre 1894.

4 SEPTEMBRE : Esterhazy fuit en Belgique, puis en Angleterre, après avoir été mis à la réforme le 31 août.

5-6 SEPTEMBRE : Charles Maurras fait l'éloge d'Henry dans *La Gazette de France*, quotidien catholique et royaliste : « Ce serviteur héroïque des grands intérêts de l'État, ce grand homme d'honneur. »

12 SEPTEMBRE : du Paty de Clam est mis en non-activité. Affrontement en Conseil des ministres entre Brisson et Zurlinden, adversaire de la révision. Le ministre de la Guerre démissionne ; il est remplacé le 17 par le général Chanoine.

21 SEPTEMBRE : procès Picquart et Leblois devant la 8e chambre correctionnelle. Renvoi. Picquart est écroué au Cherche-Midi.

26 SEPTEMBRE : la presse rend compte d'un meeting antidreyfusard au cours duquel Déroulède s'est violemment écrié : « Vos chapeaux sont des képis. […] Si la grande Révolution était là, Clemenceau serait des premiers conduits à l'échafaud. […] Les Jaurès et les Reinach pactisent avec la Triple Alliance. […] Si Dreyfus rentre en France, il sera écharpé. »

27 SEPTEMBRE : le garde des Sceaux demande la révision du jugement de 1894.

11 OCTOBRE : Jaurès publie son recueil d'articles, « Les Preuves », aux éditions de *La Petite République* : « À cette heure, il nous suffit d'avertir une fois de plus les citoyens pour qu'ils ne permettent pas que le colonel Picquart soit jugé dans l'ombre. Qu'on l'accuse en plein jour ; nous ne demandons pas autre chose et nous avons la certitude que l'infamie de ses accusateurs éclatera. Plus de huis clos ! »

25 OCTOBRE : démission du général Chanoine, suivie de la démission du cabinet Brisson. Manifestation antisémite place de la Concorde : cent cinquante arrestations.

27-28-29 OCTOBRE : la demande de révision du procès Dreyfus est examinée par la Cour de cassation et déclarée recevable.

31 OCTOBRE : présentation du ministère Dupuy, Charles de Freycinet est nommé ministre de la Guerre.

23 NOVEMBRE : le catholique Paul Viollet intervient dans *Le Temps* en faveur de Dreyfus. Quelques jours plus tard, l'abbé Pichot publie une brochure sur *La Conscience chrétienne et l'Affaire*, sous la forme d'une lettre à *La Croix*, quotidien catholique, antidreyfusard et antisémite : il y condamne l'antisémitisme comme une violation de l'Évangile. L'abbé Pichot doit cesser son enseignement au collège catholique de Felletin, après l'intervention de l'évêque de Limoges. Albert de Monaco nommera Pichot dans l'une des trois cures de la principauté.

14 DÉCEMBRE : *La Libre Parole* publie la première liste de la souscription ouverte pour permettre à la veuve du lieutenant-colonel Henry de poursuivre le député Joseph Reinach, accusé d'avoir sali la mémoire de son époux à travers une série d'articles publiés dans *Le Siècle*. Il y aura ainsi dix-huit listes, chaque obole étant assortie de propos favorables à l'armée et hostiles à Reinach et aux Juifs.
L'année suivante, l'antidreyfusard Pierre Quillard publiera cette liste méthodiquement classée, *Le Monument Henry*, chez Stock, le grand éditeur dreyfusard.

31 DÉCEMBRE : fondation de la Ligue de la patrie française. Le poète François Coppée en est le président d'honneur, et l'écrivain Jules Lemaitre le président. Parmi les membres du Comité directeur on trouve les noms de Maurice Barrès, Ferdinand Brunetière, Godefroy Cavaignac, Vincent d'Indy, Frédéric Mistral, Gabriel Syveton…

1899

16 FÉVRIER : mort de Félix Faure, président de la République, adversaire de la révision.

18 FÉVRIER : élection d'Émile Loubet à la présidence de la République, au premier tour. Jules Guérin et ses bandes antisémites, la « Jeunesse royaliste », les ligueurs de Paul Déroulède, manifestent au retour de Loubet de Versailles à Paris. Un tract désigne Loubet comme « l'élu des Juifs ».

23 FÉVRIER : obsèques nationales de Félix Faure. Déroulède tente un putsch, en essayant d'entraîner les troupes du général Roget sur l'Élysée.

1er MARS : la Chambre vote une loi de dessaisissement par laquelle la Chambre criminelle n'est plus en charge de la demande de révision, l'arrêt devant être rendu par la Cour de cassation toutes chambres réunies.

5 MAI : Freycinet démissionne ; Camille Krantz le remplace.

31 MAI : Déroulède est acquitté par la cour d'assises, après avoir déclaré : « Citoyens jurés, si vous voulez que je recommence, acquittez-moi. »

3 JUIN : arrêt de révision : Dreyfus est renvoyé devant le conseil de guerre de Rennes.

4 JUIN : Le président Émile Loubet est l'objet d'une agression aux courses d'Auteuil : il est frappé d'un coup de canne par le baron de Christiani.

5 JUIN : retour de Zola en France. Il publie dans *L'Aurore* « Justice » : « Je rentre puisque la vérité éclate, puisque la justice est rendue. »

11 JUIN : puissante manifestation républicaine à Longchamp.

13 JUIN : un non-lieu est rendu sur les faits reprochés à Picquart et à maître Leblois.

22 JUIN : formation du ministère Waldeck-Rousseau, avec le général de Galliffet à la Guerre et le socialiste Alexandre Millerand à l'Industrie.

1er JUILLET : retour de Dreyfus en France.

18 JUILLET : *Le Matin* publie un article d'Esterhazy, dans lequel celui-ci se déclare l'auteur du bordereau : il l'aurait écrit sur l'ordre de ses chefs pour prouver la culpabilité de Dreyfus, sur laquelle ils n'avaient qu'une certitude morale.

8 AOÛT : ouverture du second procès Dreyfus au lycée de Rennes.

10 AOÛT : Waldeck-Rousseau fait procéder à l'arrestation des principaux meneurs du mouvement antidreyfusard, tels Déroulède ou Guérin.

12 AOÛT : début de l'épisode du « Fort Chabrol » : Guérin s'enferme avec ses partisans dans l'immeuble du Grand Occident, rue Chabrol. La police fait le blocus.

14 AOÛT : maître Labori, qui défend Dreyfus avec maître Demange, est blessé d'un coup de pistolet tiré par un inconnu dans la rue.

9 SEPTEMBRE : cinq jurés sur sept réitèrent le jugement de 1894, Dreyfus étant reconnu « coupable d'intelligences avec l'ennemi, avec circonstances atténuantes » ; il est condamné à dix ans de détention.

19 SEPTEMBRE : sur la demande de Waldeck-Rousseau, et avec l'appui de la famille Dreyfus, Loubet signe la grâce d'Alfred Dreyfus.

Dans la matinée, mort de Scheurer-Kestner, l'un des premiers dreyfusards.

19 NOVEMBRE : grand défilé républicain à Paris, à l'occasion de l'inauguration place de la Nation du *Triomphe de la république* du sculpteur Jules Dalou.

La victoire des dreyfusards

1900

4 JANVIER : après huit semaines d'audiences, le Sénat, qui a été constitué en Haute Cour, prononce son verdict. L'accusation de complot est retenue contre Déroulède, Buffet, Lur-Saluces (contumace) et Guérin, qui sont condamnés à six ans de bannissement. Jules Guérin, reconnu coupable de plusieurs infractions connexes, est condamné à dix ans de détention.

28 JANVIER : élections municipales. Victoire de la droite et succès nationaliste à Paris, dont la municipalité était jusqu'alors détenue par une majorité de radicaux et de socialistes.

15 AVRIL : ouverture de l'Exposition universelle à Paris.

14 DÉCEMBRE : loi d'amnistie pour tous les faits relatifs à l'Affaire (dont bénéficient notamment Zola et Picquart).

1902

27 AVRIL-11 MAI : victoire du Bloc des gauches aux élections législatives.

5 OCTOBRE : funérailles d'Émile Zola, mort asphyxié accidentellement. Oraison funèbre par Anatole France.

1904

5 MARS : la Cour de cassation, à la suite de nouvelles découvertes dans le dossier Dreyfus, déclare recevable la nouvelle demande en révision introduite par Dreyfus lui-même.

1906

12 JUILLET : la Cour de cassation casse sans renvoi le verdict de Rennes. Dreyfus est réhabilité.

13 JUILLET : Dreyfus est réintégré dans l'armée comme chef d'escadron et élevé à la dignité d'officier de la Légion d'honneur, Picquart comme général de brigade.

25 OCTOBRE : constitution du ministère Clemenceau ; Picquart est nommé ministre de la Guerre.

1908

4 JUIN : transfert des cendres d'Émile Zola au Panthéon. Au cours de la cérémonie, Grégori tire deux coups de revolver sur Dreyfus et le blesse au bras.
Le 11 septembre, il sera acquitté par la cour d'assises de la Seine.

1935

11 JUILLET : mort du lieutenant-colonel Alfred Dreyfus.

Portraits

Lucie Dreyfus

Originaire d'une riche famille juive, Lucie Hadamard épouse Alfred Dreyfus le 21 avril 1890. Elle lui donne, en 1891 et 1893, deux enfants, un garçon et une fille. Lorsque son mari est arrêté, le 15 octobre 1894, elle a à peine vingt-cinq ans. Tenue éloignée de lui pendant toute la durée de l'Affaire – elle n'est pas autorisée à le revoir avant le procès, pas plus qu'à lui rendre visite à l'île du Diable –, elle apporte au capitaine un grand soutien moral. Les deux époux s'écrivent en effet presque quotidiennement. Certes, les lettres que reçoit Alfred Dreyfus ont été réécrites, conformément au règlement qui interdit qu'il soit tenu au courant de l'évolution de son affaire ; elles lui permettent cependant de ne pas perdre courage durant ses quatre années de déportation. Le 16 septembre 1896, le lendemain de la publication par *L'Éclair* de la pièce « Ce canaille de D. », révélant l'existence d'un dossier secret, Lucie Dreyfus adresse une pétition, rédigée par maître Demange, au président de la Chambre des députés pour demander justice. Publiée dans les journaux, cette pétition contribue à relancer l'Affaire. La jeune femme doit cependant attendre encore deux ans avant de pouvoir déposer une requête officielle à la commission de révision contre le jugement de décembre 1894 ; sa demande est déclarée recevable par la Cour de cassation en octobre. Le 1er juillet 1899, Lucie Dreyfus retrouve enfin son mari de retour de l'île du Diable.

Après l'Affaire, les époux ne se quitteront plus. Alfred Dreyfus publiera leur correspondance dans *Cinq années de ma vie* (1901). Durant les dix ans où elle survivra à son mari, mort en 1935, Lucie se consacrera à sa famille et aux œuvres juives.

Mathieu Dreyfus

De deux ans plus âgé qu'Alfred, il avait dû renoncer à la carrière militaire après son échec à Polytechnique et s'était résigné à diriger les affaires familiales dans l'industrie textile. Lorsque Alfred Dreyfus est arrêté, Mathieu entreprend immédiatement de prouver l'innocence de son frère, mais ses premières démarches restent vaines face à l'hystérie de la campagne antijuive menée par la presse. Il frappe à toutes les portes : chez les journalistes, chez le vice-président du Sénat Scheurer-Kestner, et même chez un cousin du ministre de la Guerre… En janvier 1895, Mathieu se décide à recourir à l'hypnotisme ; Léonie, la voyante, lui aurait révélé qu'un dossier secret avait servi à condamner Alfred Dreyfus – dossier dont l'existence sera officieusement confirmée à la famille au mois de février par le président de la République Félix Faure.

Mathieu Dreyfus a, tout au long de l'Affaire, misé sur l'opinion publique. C'est pourquoi, en ce même mois de février 1895, il demande à l'écrivain juif Bernard Lazare de rédiger un texte dénonçant la condamnation de Dreyfus – Mathieu retardera finalement la publication de ce texte jusqu'en novembre 1896. C'est dans le même esprit que, en août 1896, il fait croire à l'évasion de son frère, par le biais de la presse britannique, et que, dans les années suivantes, il envoie aux journaux tous les éléments du procès – le bordereau, les procès-verbaux des audiences, etc. – dès qu'il en a connaissance.

En fait, les maigres documents dont dispose Mathieu Dreyfus ne pèsent pas lourd face à l'obstination de l'état-major ; son action durant toute l'Affaire n'en est pas moins déterminante : jamais il ne cesse de se battre et de chercher des alliés à la cause dreyfusarde. Ses *Souvenirs*, écrits à chaud entre 1899 et 1906 – mais qu'il refusera de publier de son vivant –, constituent un témoignage précieux sur les événements. Mathieu Dreyfus disparaîtra cinq ans avant son frère, en octobre 1930.

Ferdinand Walsin Esterhazy

Il entre dans l'armée en 1870, à la Légion étrangère, et, en 1877, rejoint, avec le grade de capitaine, le service de renseignements. Irritable, mythomane – il s'invente une descendance, des relations, des duels, etc. –, ce grand malade (il est tuberculeux) se montre surtout très avide de luxe. Sa vie n'est faite que d'intrigues destinées à lui procurer de l'argent : en 1886, il épouse une femme fortunée ; il multiplie les maîtresses influentes ; d'un côté il offre ses services à *La Libre Parole* de Drumont, de l'autre il demande de l'argent au baron de Rothschild… En juillet 1894, à court d'idées et de ressources, il ne lui reste plus qu'à vendre à l'ambassade d'Allemagne à Paris des renseignements concernant l'armement français. C'est fin septembre qu'il écrit le bordereau, responsable de la condamnation de Dreyfus.

Esterhazy est averti en octobre 1897 par le général Gonse, le colonel Henry et le commandant du Paty de Clam qu'il risque d'être arrêté à la suite des découvertes du colonel Picquart. Se sachant soutenu par le ministère de la Guerre, il déclare alors à qui veut l'entendre qu'il est victime d'un complot. D'ailleurs, par deux fois, le général de Pellieux, chargé d'enquêter à son sujet, le déclare innocent. Lorsqu'en janvier 1898 son procès – à huis clos – se conclut par l'acquittement, la foule le porte en triomphe.

Mais Esterhazy s'était aussi compromis avec le colonel Henry en envoyant, en 1897, de faux télégrammes au colonel Picquart afin de le compromettre. En août 1898, la chance tourne et il est mis en position de réforme. Il fuit alors en Angleterre d'où il envoie, un an plus tard, juste avant le procès en révision de Dreyfus, un article au *Matin* dans lequel il déclare être l'auteur du bordereau, qu'il prétend avoir écrit sous les ordres du lieutenant-colonel Sandherr, chef du service de renseignements.

Après cet éclat, Esterhazy refusera de revenir en France. Il vendra ses confidences à qui voudra bien les lui acheter et, en 1923, mourra en vieil aristocrate, sous le nom du comte Jean de Voilemont. L'« énigme Esterhazy » – c'est le titre d'un ouvrage d'Henri Guillemin – demeure : pourquoi le capitaine a-t-il bénéficié d'une protection constante de la part des autorités militaires françaises s'il était un véritable espion ? Pour l'expliquer, on a brodé un certain nombre d'hypothèses plus ou moins rocambolesques. Jean Doise *(p. 83-91)* nous offre une nouvelle interprétation : Esterhazy n'était pas un « traître » mais un agent des renseignements français utilisé dans une « intox » aux fins de détourner le regard des Allemands sur la mise au point du nouveau canon français, le célèbre 75.

Hubert Joseph Henry

Ce fils de cultivateurs s'était distingué par son héroïsme durant la guerre de 1870. Il entra définitivement au service de renseignements en 1893. Sa ruse et son courage en firent très rapidement un excellent agent, tout dévoué à son chef, le lieutenant-colonel Sandherr.

Tout au long de l'Affaire, le commandant Henry reste persuadé de la culpabilité de Dreyfus. C'est lui qui, au procès de 1894, reconnaît solennellement Dreyfus comme traître. Cependant, face à la contre-attaque des dreyfusards, ce témoignage n'est bientôt plus suffisant. En octobre 1896, craignant de voir remis en cause le verdict du premier procès, Henry fabrique donc une lettre que l'attaché militaire italien Panizzardi aurait envoyée à son collègue allemand Schwarzkoppen, désignant nommément Dreyfus comme traître. C'est le « faux Henry ». L'année suivante, c'est pour compromettre le colonel Picquart comme auteur du « petit bleu » qu'il lui adresse, avec la complicité d'Esterhazy et du commandant du Paty de Clam, de faux télégrammes.

Mais, le 13 août 1898, Cavaignac, ministre de la Guerre, décèle l'inauthenticité de la première pièce fabriquée par Henry. Celui-ci avoue son crime le 30 août. Il est envoyé au Mont-Valérien où, le jour suivant, il se tranche la gorge.

Au lendemain de sa mort, Henry est présenté comme un héros par Charles Maurras et, en décembre 1898, Édouard Drumont ouvre une souscription dans *La Libre Parole* en faveur de la veuve du colonel, pour permettre à celle-ci de poursuivre Joseph Reinach, accusé d'avoir entaché la mémoire de son mari en l'accusant, dans une série d'articles du *Siècle*, d'être le complice d'Esterhazy. C'est un triomphe : en moins d'un mois, il y aura vingt-cinq mille souscriptions, qui apporteront cent trente et un mille francs.

Bernard Lazare

Ce Nîmois, originaire d'une famille juive bien assimilée, s'était lancé très tôt dans le journalisme. Auteur de nombreuses œuvres littéraires, telles que *Le Miroir des légendes* ou *Les Porteurs de torche*, fondateur, avec quelques amis, d'une revue, *Les Entretiens politiques et littéraires*, où étaient publiés de jeunes écrivains d'avant-garde, collaborateur de plusieurs quotidiens, comme *L'Écho de Paris* et *Le Journal*, Bernard Lazare avait, en quelques années, conquis une légitimité intellectuelle. Il s'était en outre fait remarquer pour son soutien aux penseurs révolutionnaires et aux anarchistes et avait, en 1894, publié un essai sur *L'Antisémitisme, son histoire et ses causes*.

C'est à la fin de 1894 que Mathieu Dreyfus rend visite au jeune journaliste – il a à peine trente ans – pour lui demander son aide. Malgré le peu de documents dont il dispose, Bernard Lazare a, dès le printemps 1895, rédigé une première esquisse de son mémoire pour Alfred Dreyfus. Mais, le frère du condamné lui demandant d'ajourner sa publication, le journaliste décide de se jeter lui-même dans la bataille. À partir de mai 1896, il publie ainsi une série d'articles contre Drumont dans *Le Voltaire*. En juin, les deux hommes se battent en duel, sans résultat.

Bernard Lazare se présente désormais comme le premier défenseur des Juifs. Tout en déplorant la passivité de ces derniers, il tente de persuader journalistes et députés de l'innocence de Dreyfus. Finalement, le 6 novembre 1896, il publie à Bruxelles sa brochure *Une erreur judiciaire. La vérité sur l'affaire Dreyfus*, où il cite le texte complet du bordereau et dénonce la pièce secrète « Ce canaille de D. ». Tirée à trois mille exemplaires et envoyée aux journalistes et à de nombreuses personnalités, la publication suscite une grande émotion à l'état-major. En novembre 1897, une nouvelle version est publiée chez Stock. À partir de cette date, Mathieu Dreyfus demande à Bernard Lazare de s'effacer dans la défense de son frère, la cause de ce dernier étant désormais défendue par des notables républicains qui trouvent l'écrivain « anarchiste » un peu embarrassant.

Le journaliste mourra d'un cancer en septembre 1903, dans l'indifférence à peu près générale.

Armand du Paty de Clam

Cet officier cultivé et ambitieux s'intéresse tout particulièrement à la graphologie ; c'est donc à lui que fait appel le service des renseignements lorsqu'il s'agit, au début du mois d'octobre 1894, de comparer l'écriture du bordereau à celle de Dreyfus. Pour du Paty de Clam, aucun doute n'est possible : c'est bien le capitaine juif qui a écrit le document accusateur.

Le colonel – alors commandant – est chargé de l'instruction préliminaire. Il organise, en collaboration avec le ministère de la Guerre, les moindres détails de l'arrestation de Dreyfus, prévue pour le 15 octobre ; même le texte de la dictée qui doit confondre le coupable est minutieusement préparé. Le 18 octobre, les interrogatoires commencent. Durant quinze jours, du Paty de Clam fait subir une vraie torture morale au prisonnier. Il vient tous les jours, parfois très tard dans la soirée, et l'interroge pendant plusieurs heures. Il lui fait faire des dictées, parfois dix à la suite, que Dreyfus doit écrire assis, couché, debout, de la main droite, de la main gauche… Il l'accable de questions sur sa vie privée, fait des allusions voilées au bordereau, sans toutefois jamais le lui montrer. Finalement, le colonel rédige un rapport bâclé, dont il élimine tous les éléments qui pourraient contredire l'accusation. C'est sur ce rapport que l'information est ordonnée contre Dreyfus, début novembre.

Or, après avoir tenu ce rôle déterminant, du Paty de Clam se laisse totalement dépasser par l'Affaire. Certes, c'est lui qui fournit, lors du procès, le dossier secret permettant l'accusation de Dreyfus ; c'est lui encore qui, en 1897, écrit, avec le général Gonse et le commandant Henry, la lettre qui prévient Esterhazy de sa prochaine mise en accusation ; c'est lui enfin qui, la même année, fabrique, avec Henry et Esterhazy, de faux télégrammes destinés à compromettre le colonel Picquart. Il n'empêche : le premier procès de Dreyfus passé, du Paty de Clam redevient un simple officier. Au point que lorsque l'Affaire prend un nouveau tournant, en août 1898, il apparaît comme une victime commode pour l'état-major compromis : le 31 mai 1899, du Paty de Clam est arrêté et, en novembre 1900, mis en retraite d'office.

Après l'Affaire, il essaiera de se faire oublier, jusqu'à la Première Guerre mondiale où, blessé plusieurs fois, il sera cité à l'ordre du mérite de l'armée. Il mourra en décembre 1916, des suites de ses blessures.

Georges Picquart

D'origine alsacienne, il était sorti cinquième de Saint-Cyr et second de l'École d'état-major. Intelligent, travailleur, le colonel est nommé le 1er juillet 1895 à la tête de la Section de statistique, en remplacement du colonel Sandherr qui souffrait de paralysie générale.

Lorsque Dreyfus est condamné, il ne met pas un instant en doute la culpabilité du capitaine. Cependant, en mars 1896, après avoir découvert le « petit bleu », il entreprend de refaire lui-même l'enquête. Dès le mois d'août 1896, Picquart fait part à ses chefs, les généraux de Boisdeffre et Gonse, de sa découverte : le capitaine Esterhazy est le véritable auteur du bordereau. Devenu un témoin gênant, il est en novembre envoyé dans l'Est de la France, puis en Tunisie. Cependant, en juin 1897, il parvient à rencontrer son ami d'enfance, l'avocat Louis Leblois, à qui il révèle que c'est Esterhazy qui est coupable, et non pas Dreyfus, tout en lui interdisant de communiquer cette information à qui que ce soit.

À partir de ce moment, le colonel Picquart ne cesse plus d'être en butte à l'hostilité de ses chefs, qui tentent de le neutraliser. En 1897, Henry, Esterhazy et du Paty de Clam fabriquent de faux télégrammes afin de le faire passer pour coupable de la fabrication du « petit bleu ». En février 1898, il est mis en position de réforme et, en mars, il se bat en duel avec Henry, qu'il blesse deux fois au bras. En juillet enfin, alors qu'il déclare au *Temps* qu'il est prêt à prouver que Dreyfus est innocent, il est arrêté pour divulgation de documents secrets intéressant la Défense nationale. Ce n'est qu'en juin de l'année suivante qu'un non-lieu est prononcé en sa faveur, la procédure de révision étant entamée.

Le colonel Picquart sera finalement nommé général, en 1906, le lendemain de la réhabilitation de Dreyfus. Il sera ministre de la Guerre dans le cabinet Clemenceau (1906-1909) et mourra en 1914.

Joseph Reinach

Frère de deux savants, Salomon, archéologue et philologue, et Théodore, numismate et historien, et neveu du baron de Reinach, qui sera impliqué dans le scandale de Panama (1891), il se lança très tôt dans la politique. Allié de Gambetta lors de l'établissement de la IIIe République, Reinach devint son chef de cabinet sous le Grand Ministère (1881-1882). À la mort du dirigeant républicain, en 1882, il le remplaça à la tête de *La République française*.

Dès le début de l'affaire Dreyfus, Joseph Reinach s'engage pour la défense du capitaine. En 1894, il intervient auprès du président de la République Félix Faure pour que le conseil de guerre n'ait pas lieu à huis clos. De même, lorsque Scheurer-Kestner se lance dans la bataille, fin 1897, Reinach joint son action à celle du vice-président du Sénat. Partout il défend la cause de Dreyfus : à la Chambre des députés, dans les colonnes du *Siècle*, dans les réunions de la Ligue des Droits de l'homme, etc. Élu député à Digne en 1889 et 1893, il perd même son siège en 1898 pour avoir dénoncé dans *Le Siècle* le « faux Henry ». C'est alors qu'il entreprend son *Histoire de l'affaire Dreyfus* en sept tomes, qu'il publie entre 1901 et 1911.

Réélu à Digne en 1906, il se fera après l'Affaire l'apôtre de l'abolition de la peine de mort. Il mourra en 1921.

Auguste Scheurer-Kestner

Ce chimiste et industriel alsacien rejoignit la politique sous le Second Empire, aux côtés des républicains. Élu député du Haut-Rhin en 1871, il s'opposa à l'annexion de l'Alsace-Lorraine puis se représenta, en juillet, dans le département de la Seine. Proche collaborateur de Gambetta, il fut le directeur politique de son journal, *La République française*. En 1875, il était élu sénateur inamovible dans les rangs de l'Union républicaine.

C'est le 13 juillet 1897 que maître Leblois le convainc de l'innocence de Dreyfus. Il décide immédiatement de faire campagne en faveur de la révision du procès et, en octobre-novembre, rencontre le président de la République Félix Faure, le ministre de la Guerre, le général Billot, et le président du Conseil, Jules Méline. Devant leur réserve, il décide de publier le 14 novembre 1897 une lettre dans *Le Temps* annonçant que de nouveaux faits étaient intervenus, prouvant l'innocence de Dreyfus. La lettre du sénateur, célèbre pour son intégrité, a un énorme retentissement. Dès le lendemain, Mathieu Dreyfus accuse publiquement Esterhazy d'être l'auteur du bordereau. En janvier 1898 cependant, Scheurer-Kestner n'est pas réélu à la vice-présidence du Sénat. Il n'en continue pas moins de mener sa campagne en faveur de Dreyfus, convainquant notamment Clemenceau et Zola de l'innocence du capitaine. Il meurt accidentellement le 19 septembre 1899, le jour où Alfred Dreyfus est gracié par le président Émile Loubet.

Lexique

BORDEREAU : ce document manuscrit est au cœur de l'affaire judiciaire. Sans cesse cité par les acteurs du drame, il est la pièce sur laquelle Dreyfus fut condamné. Cette liste de renseignements (frein hydraulique du canon de 120, troupes de couverture, formation de l'artillerie, manuel de tir et situation de Madagascar), promise par l'auteur, était adressée à l'attaché militaire de l'ambassade d'Allemagne à Paris, Maximilien von Schwarzkoppen. Le 26 septembre 1894, le commandant Henry, attaché au service de renseignements, en prit connaissance et le communiqua à son supérieur, le lieutenant-colonel Sandherr. Le bordereau circula dans les bureaux de l'état-major, jusqu'à ce que, au mois d'octobre, le colonel Fabre et son adjoint, le lieutenant-colonel d'Aboville, aient découvert une similitude d'écriture entre le bordereau et un officier stagiaire de l'état-major : le capitaine Dreyfus.

CONSEIL DE GUERRE : l'Affaire est rythmée par la tenue de trois conseils de guerre ; celui qui s'ouvrit à Paris le 19 décembre 1894 et s'acheva le 22 décembre par la condamnation de Dreyfus ; celui qui se tint les 10 et 11 janvier 1898, et aboutit à l'acquittement d'Esterhazy ; celui, enfin, qui eut lieu à Rennes du 8 août au 9 septembre 1899, et se termina par une nouvelle condamnation de Dreyfus – cette fois à dix années de détention – aussitôt annulée par la grâce présidentielle. Les deux premiers conseils furent tenus à huis clos. Chaque conseil était composé de sept juges militaires.

« CE CANAILLE DE D. » : c'est le nom de l'une des plus fameuses pièces du dossier communiqué en secret aux membres du jury qui condamna Dreyfus en décembre 1894.

Elle fut révélée à l'opinion par *L'Éclair*, qui la publia le 15 novembre 1896. Cette lettre, signée « Alexandrine » (nom de code de l'attaché militaire italien Alessandro Panizzardi) et adressée à Schwarzkoppen, comprenait la phrase suivante : « Ci-joint douze plans que ce canaille de D. m'a remis pour vous. » Cette « preuve » de la culpabilité de Dreyfus put paraître accablante à certains. Le « D » se révéla ultérieurement être l'initiale d'un certain Dubois, un employé du ministère qui vendait les plans directeurs dix francs pièce.

« FAUX HENRY » : cette expression désigne le document qui apparut le plus convaincant pour établir la culpabilité de Dreyfus. Il fut fabriqué par le commandant Henry. Il s'agissait d'une lettre de l'attaché militaire italien adressée à Schwarzkoppen en octobre 1896 : « Mon cher ami, j'ai lu qu'un député va interpeller sur Dreyfus. Si on demande à Rome nouvelles explications, je dirai que jamais j'avais des relations avec ce Juif. » Henry reconnut sa forfaiture le 30 août 1898 et se suicida quelques jours plus tard.

« FAUX WEYLER » : c'est ainsi qu'était désignée une lettre qui, adressée à Dreyfus à l'île du Diable – et signée Weyler –, fut saisie par le ministère des Colonies au début du mois de septembre 1896. On pouvait y lire, écrit à l'encre sympathique : « Faire connaître le mot et où se trouvaient les documents. » Cette lettre fut sans doute rédigée par l'état-major pour compromettre Dreyfus ; son auteur ne fut cependant jamais retrouvé (le colonel du Paty de Clam initialement accusé fut finalement innocenté). Les antidreyfusards accusèrent la famille Dreyfus d'avoir fabriqué ce faux grossier afin de relancer l'affaire.

FEMME VOILÉE : ce mystérieux personnage était fréquemment évoqué par Esterhazy pour contribuer à obscurcir une situation qui, au fur et à mesure que l'Affaire avançait, le désignait de plus en plus comme l'auteur du bordereau. Cette « femme du monde très élégante et très fine », selon ses dires, le rencontrait régulièrement, tantôt près du cirque Fernando, tantôt sur l'esplanade des

Invalides, afin de l'avertir des derniers développements du complot que la famille Dreyfus aurait été en train de tramer contre lui.

FORGERIE : le dossier Dreyfus rassemblait une masse impressionnante de faux documents, inventés ou truqués. Ces « forgeries » visaient à accabler Dreyfus et à contourner toutes les insuffisances de preuves ou les contradictions que révélait la défense.

FORT CHABROL : Jules Guérin, agitateur antisémite et directeur de *L'Antijuif*, apprenant les poursuites engagées le 10 août 1899 contre les leaders nationalistes, s'enferma, avec une quinzaine de ses amis, au 51 rue de Chabrol, dans l'immeuble où il avait établi le siège de la Ligue antisémitique, devenue « Grand Occident de France ». Waldeck-Rousseau, président du Conseil, se refusant à faire donner l'assaut, se contenta de faire soutenir un blocus autour de la maison par la police. La reddition des assiégés eut lieu le 20 septembre 1899, après quarante jours de face à face. L'expression « faire un fort Chabrol » entra par la suite dans le langage courant.

ILE DU DIABLE : c'est là, sur la côte de Guyane, que Dreyfus fut condamné à la déportation perpétuelle. Les conditions de détention y étaient particulièrement rigoureuses. Des rumeurs d'évasion poussèrent les autorités à les durcir davantage et à faire élever deux cercles de palissade autour de la prison. Dreyfus, qui passa de longs moments enchaîné, fut très éprouvé par cette détention. Barrès lui-même dut le reconnaître lors du procès de Rennes.

INTELLECTUELS : ce mot, sous la forme de substantif, fait son apparition dans l'Affaire en janvier 1898. C'est Clemenceau qui lui donna son éclat dans un article de *L'Aurore* où il se félicitait de ce que des savants, des artistes et des universitaires avaient signé la pétition en faveur de la révision du procès Dreyfus. Dans sa réponse à Clemenceau, Maurice Barrès réutilisa le terme pour le fustiger : « Intellectuel : individu qui se persuade que la société doit se fonder sur la logique et qui méconnaît qu'elle repose en fait sur des nécessités antérieures et peut-être étrangères à la raison individuelle. »

MANIFESTE SOCIALISTE : le 19 janvier 1898, le groupe parlementaire socialiste rédigea un manifeste, inspiré par Jules Guesde et Édouard Vaillant, et auquel Jean Jaurès prêta son concours, qui renvoyait dos à dos « opportunistes et cléricaux », les « deux fractions bourgeoises rivales » : « Prolétaires, ne vous enrôlez dans aucun des clans de cette guerre civile bourgeoise ! » Les « allemanistes », puis Jaurès lui-même, entreront cependant dans la bataille dreyfusiste, contre l'avis des guesdistes.

« PETIT BLEU » : en mars 1896, Henry remit au capitaine Lauth, attaché lui aussi au Service de renseignements, un cornet de papiers déchirés recueillis chez Schwarzkoppen par la « voie ordinaire ». Lauth parvint à reconstituer une carte-lettre adressée au commandant Esterhazy et signée « C… ». Le texte en était assez anodin mais semblait révéler, aux yeux des dreyfusards, des liens entre Esterhazy et l'ambassade d'Allemagne. En 1897, Henry et Esterhazy fabriquèrent de faux télégrammes afin de faire passer Picquart pour l'auteur du « petit bleu » : il l'aurait fabriqué dans le but de compromettre Esterhazy.

« LES PREUVES » : le 7 août 1898, Jean Jaurès, candidat socialiste battu aux élections législatives de mai, commença à publier une série d'articles dans le quotidien socialiste *La Petite République*. Il tentait d'y démontrer l'innocence du capitaine grâce à une méthode rigoureuse d'examen des documents publiés, qui fit l'admiration de l'historien Gabriel Monod. Cette série d'articles fut rassemblée en un volume paru à la fin du mois de septembre sous le titre : *Les Preuves*.

RÉHABILITATION : la réhabilitation du capitaine Dreyfus s'est faite en plusieurs étapes. En octobre 1898, la demande de révision déposée par Lucie Dreyfus est déclarée recevable par la Cour de cassation. Par son arrêt du 3 juin 1899, celle-ci renvoie Dreyfus devant le conseil de guerre de Rennes qui, le 9 septembre, déclare de nouveau Dreyfus coupable et le condamne à dix ans de détention. Le 19 septembre cependant, à la demande du président du Conseil Waldeck-Rousseau, le président de la République, Émile Loubet, signe la grâce de Dreyfus. En mars 1904 enfin, la Cour de cassation, à la suite de la découverte d'autres faux introduits dans le dossier secret lors du premier procès Dreyfus, ordonne un supplément d'enquête et, le 12 juillet, casse le verdict de Rennes. Le lendemain, Alfred Dreyfus, réhabilité, réintègre l'armée comme chef d'escadron. Le 20 juillet, il reçoit les insignes de la Légion d'honneur dans la cour de l'École militaire, là même où, le 5 janvier 1895, il avait été dégradé.

RÉVISIONNISTES : ce sont ceux qui, à partir de 1897, convaincus de l'innocence de Dreyfus, ou convaincus du caractère illégal de sa condamnation, se regroupèrent pour demander la révision du procès. Le terme est synonyme de « dreyfusards ».

SECTION DE STATISTIQUE : cet euphémisme désignait les services de renseignements, dirigés au moment de l'arrestation de Dreyfus par le lieutenant-colonel Sandherr.

SYNDICAT : terme sous lequel les adversaires de la révision – les antidreyfusards – désignaient l'ensemble des dreyfusards, qu'ils accusaient d'être soutenus par « l'or juif ». Émile Zola écrivit dans *Le Figaro* du 1er décembre 1897 un article intitulé « Syndicat », dans lequel il pourfendait les auteurs de la calomnie, avant de s'exclamer : « De ce syndicat, pour agir sur l'opinion, pour la guérir de la démence où la presse immonde l'a jetée, pour la ramener à sa fierté, à sa générosité séculaires, ah ! oui, j'en suis, et j'espère bien que tous les braves gens de France vont en être ! »

UHLAN : terme par lequel on désignait souvent le commandant Esterhazy, dont la famille était originaire de Hongrie, à la suite de la publication par *Le Figaro*, à la fin de novembre 1897, de certaines lettres écrites par lui à son ancienne maîtresse, Mme de Boulancy, et dans lesquelles il révélait sa nature de bravache et de sabreur, fort peu respectueux de la patrie française.

VOIE ORDINAIRE : c'est ainsi que l'on désignait le travail régulier de Mme Bastian, femme de ménage à l'ambassade d'Allemagne, rue de Lille à Paris, pour le compte du service de renseignements français. Au lieu de vider les corbeilles à papier dans la chaudière du chauffage central, Mme Bastian en rapportait le contenu, dissimulé dans son corset, au service de renseignements. C'est par cette voie que ce dernier aurait pris connaissance du bordereau.

1

Une affaire militaire

La conspiration des militaires

Maurice Vaïsse et Jean-François Boulanger

Lundi 15 octobre 1894, neuf heures du matin. Le capitaine Alfred Dreyfus se rend, comme d'habitude, au ministère de la Guerre. Alsacien d'origine, cet ancien élève de Polytechnique, admis à l'École de guerre à trente et un ans, effectue alors un stage à l'état-major de l'armée. Ce jour-là, il est convoqué au cabinet du chef de l'état-major, le général de Boisdeffre. L'ordre de mission lui prescrit d'être en « tenue bourgeoise ». Une consigne inhabituelle, mais il ne s'en inquiète pas.

Tout est pourtant déjà prêt pour procéder à son arrestation. La tenue qu'on lui a imposée et l'heure de la convocation ne doivent rien au hasard. Toutes deux garantissent la discrétion d'une opération dont le scénario a été mis au point deux jours auparavant. Et la veille, le dimanche 14 octobre, le commandant Forzinetti, directeur de la prison du Cherche-Midi à Paris, est averti que le lieutenant-colonel d'Aboville, mandaté par l'état-major, le contactera le lendemain matin, en réalité afin de préparer la détention de celui qui, à peu près au même moment, se présente au ministère de la Guerre.

En ce matin du 15 octobre 1894, l'opinion de l'état-major est en effet bien établie : Dreyfus est un traître. L'auteur de la lettre non signée et non datée, qui passera dans l'histoire sous le nom de « bordereau », c'est lui. Ce document, qui prouve que l'espionnage allemand a trouvé des appuis au sein même de l'armée française, a été récupéré par ce qu'on appelle « la voie ordinaire » : une femme de ménage de l'ambassade allemande, Mme Bastian, chargée par les services secrets français de récupérer le contenu des corbeilles à papier et de l'empaqueter dans des cornets qu'elle livrait ensuite dans la pénombre discrète de l'église Sainte-Clotilde. Considérée comme une analphabète par ses employeurs, cette femme qui savait l'allemand garda leur confiance jusqu'au procès de Rennes, en 1899.

C'est donc par cette « voie ordinaire » qu'à la fin du mois de septembre – vraisemblablement le 26 – arriva sur le bureau du général Mercier, ministre de la Guerre, le « bordereau », adressé à Maximilien von Schwarzkoppen, attaché militaire à l'ambassade d'Allemagne. Son auteur y annonce la communication de « quelques renseignements intéressants » concernant le frein hydraulique du canon de 120, le plan de mobilisation des troupes de couverture, les formations de manœuvre de l'artillerie, la préparation de l'expédition de Madagascar[1] et un projet de manuel de tir de l'artillerie de campagne. Que Dreyfus en soit l'auteur ne semble pas faire de doute pour tous ceux qui ont eu connaissance de ce texte, à la date du 15 octobre. Leur conviction est née de la nécessité de trouver rapidement un coupable, et aussi d'un antisémitisme diffus, dont le capitaine avait déjà été victime[2].

L'Affaire éclate dans une conjoncture diplomatique et militaire de guerre froide franco-allemande. Après les terribles épreuves de 1870-1871, la France prépare la Revanche et rénove son armée. En se rapprochant de la Russie, elle rompt son isolement diplomatique. L'état-major prévoit une ample mobilisation et il modernise l'armement, notamment dans le domaine de l'artillerie : on crée des obusiers de 120 et de 155 ; en grand secret, on met au point un canon à tir rapide, le 75. Et, partout en Europe, les services de renseignements s'efforcent d'obtenir le plus d'informations possible. Entre 1888 et 1894, six Français sont condamnés pour espionnage au profit de l'Allemagne. Le colonel Sandherr, chef du service de contre-espionnage français, sait que des secrets militaires arrivent toujours à Berlin. L'« espionnite » sévit.

Un homme, surtout, doit alors prouver son efficacité dans la lutte contre l'espionnage allemand : le général Mercier. Il est ministre de la Guerre depuis un peu moins d'un an. Appelé à cette fonction le 3 décembre 1893 par le président du Conseil Jean Casimir-Perier, il la conservera jusqu'au 15 janvier 1895. Sorti deuxième de Polytechnique, il a d'abord connu une carrière assez lente. Général de brigade en 1884, il n'obtient le commandement d'un corps d'armée qu'en 1893. On le dit pourtant intelligent et travailleur. Catholique, il est marié à une Anglaise, protestante. C'est à sa réputation de libéral, voire de républicain libre penseur, qu'il doit sa nomination à la tête du ministère. Une nomination bien accueillie dans les milieux militaires, où l'on est heureux que la direction politique des armées revienne à un homme du sérail et non à un politicien.

Peu au fait des joutes parlementaires, le général se tire néanmoins avec adresse des premières interpellations à la Chambre. Aussi, Charles Dupuy, succédant à Casimir-Perier le 30 mai 1894, le maintient-il à son poste. Mercier se croit désormais à l'abri des turbulences politiques. Cependant, les difficultés ne tardent pas à se présenter. Le ministre de la Guerre est bientôt moins heureux devant les députés. Il doit faire face à l'hostilité de journalistes nationalistes, tels Henri Rochefort ou Édouard Drumont. En outre, dans un contexte de tension entre le président de la République, Casimir-Perier, et le gouvernement[3], il prend l'initiative, sans en avertir le chef de l'État, de libérer par anticipation soixante mille hommes des classes 1891 et 1892.

Du coup, sa compétence est mise en doute. Il sait que la droite ne l'épargnera pas lors de la session parlementaire de l'automne 1894. Et voilà qu'une affaire d'espionnage éclate au sein même de son ministère. Il lui faut absolument prouver son efficacité pour prévenir et faire taire les critiques. « Je ne veux pas, *dit-il au ministre des Affaires étrangères Gabriel Hanotaux*, qu'on m'accuse d'avoir pactisé avec la trahison. »

Trouver un coupable est, d'autre part, devenu une nécessité d'autant plus impérieuse que cette affaire éclate au moment où l'on atteint « le point culminant du sentiment d'appréhension et de frustration qui régnait dans l'armée depuis deux décennies »[4]. Pour comprendre l'ampleur que prend l'épisode du « bordereau », il faut, en effet, tenir compte du complexe d'infériorité qui taraude l'armée française depuis la guerre de 1870 et qui, s'ajoutant à la faiblesse démographique du pays, crée un sentiment d'insécurité aux effets ravageurs.

La défaite ayant montré la faiblesse des Renseignements français, on s'est employé à les restructurer. Le deuxième bureau, section de statistique, s'est développé sous l'impulsion du général Boulanger, qui le confia au colonel Sandherr avec, notamment, la tâche de centraliser toutes les informations sur les étrangers résidant dans les zones frontalières, tels qu'ils avaient été dénombrés lors du recensement de 1886. Sandherr est resté en place après le départ de Boulanger. Étant donné ses difficultés à coopérer avec le ministère de l'Intérieur, il va mettre au point des mesures à prendre en cas de guerre, qui relevaient en principe des seuls militaires. C'est ainsi qu'il fut amené à établir les fameux carnets A et B contenant les noms des divers responsables syndicaux et politiques qu'il conviendrait de faire arrêter, en raison de leur pacifisme, dès le déclenchement du conflit. Le pouvoir civil donna sa caution à cette mesure en avril 1888. En 1892, Sandherr estimait à cent mille le nombre de personnes qu'il faudrait interner en cas de guerre. Et, depuis décembre 1893, il a, en la personne du général Mercier, un supérieur tout à fait favorable à ses projets. On diffuse alors des circulaires de mise en garde : « Il arrive souvent que des Allemands cachent leur nationalité et se disent Alsaciens, Lorrains, Luxembourgeois, Suisses, Belges, etc.[5]. » Un des informateurs du service de renseignements expédie au colonel Sandherr une « lettre d'Alsace » dénonçant le capitaine Dreyfus comme espion. On comprend que, dans ce contexte, les soupçons se portent presque naturellement sur un Juif alsacien.

Toutefois, les premières investigations, entamées dès le 27 septembre, ne donnent pas de résultats. La situation ne se débloque que lorsque le lieutenant-colonel d'Aboville, qui vient d'être nommé sous-chef du quatrième bureau (transport, ravitaillement, matériel), émet, le 6 octobre 1894, l'hypothèse que l'auteur du « bordereau » ne peut être qu'un officier stagiaire qui, passant d'un bureau à l'autre, a eu la possibilité de collecter les informations si diverses que mentionne le document, et de surcroît un artilleur, puisque c'est principalement cette arme qui est évoquée dans le message. Dès lors, l'éventail des coupables potentiels se limite à quatre ou cinq officiers. Parmi eux, un capitaine attire immédiatement la suspicion des enquêteurs : Alfred Dreyfus.

« J'aurais dû m'en douter ! » s'écrie Sandherr, lorsqu'on l'informe de la suspicion qui pèse sur Dreyfus. Le chef du quatrième bureau, le colonel Fabre, n'avait-il pas rédigé, sur la foi des indications fournies par ses subordonnés, une note très critique à l'égard du capitaine alsacien : « Officier incomplet, très intelligent, très doué, mais prétentieux et ne remplissant pas, du point de vue du caractère, de la conscience et de la manière de servir, les conditions nécessaires pour être employé à l'état-major de l'armée » ? Sandherr s'en souvient fort bien maintenant : ce Dreyfus-là, il l'a souvent vu rôder dans les bureaux et il était d'une curiosité excessive…

« Officier incomplet », Dreyfus l'était sans doute dans la société militaire de son époque. Dans une armée où les convictions cléricales étaient de plus en plus souvent le corollaire du nationalisme, le capitaine israélite paraissait atypique et son patriotisme suspect. Certes, jusqu'en 1890, l'antisémitisme avait été, semble-t-il, moins fréquent dans l'institution militaire que dans le reste de la société, ce qui avait encouragé un certain nombre de Juifs à embrasser la carrière des armes. Vers 1892, ils sont même surreprésentés dans le corps des officiers par rapport à leur nombre dans l'ensemble de la population française[6]. Et dans une ambiance générale où l'on dénombre des Juifs partout, une enquête de *La Libre Parole* prétend qu'ils « pullulent » dans l'armée.

Au-delà de l'antisémitisme, l'Affaire révèle bientôt une évolution politique de la droite vers le nationalisme, et de la gauche vers l'antimilitarisme ; ainsi qu'une évolution sociale de l'armée, de plus en plus séparée de la nation « par l'afflux *[dans ses cadres]* de membres de la vieille aristocratie nobiliaire et de la haute bourgeoisie bien-pensante »[7]. Mais tout autant que les attitudes sociales et religieuses des officiers, il semble que joue à fond l'esprit de corps d'hommes parfois connus pour leurs sympathies républicaines, qui se considèrent comme une élite (la création de l'École de guerre date de 1876) et défendent leurs privilèges. Pour une dizaine d'années, l'armée devient un enjeu central du débat politique. Et l'Affaire apparaît bien comme le « symbole » de cette division de la conscience française.

Malgré la fragilité des preuves matérielles, étayées toutefois par des dénonciations calomnieuses, Mercier tient donc son coupable, un coupable qui lui permettra, non seulement de prouver sa résolution face à l'espionnage allemand, mais aussi de réfuter les attaques de certains journaux de droite, *La Croix* ou *La Libre Parole*, l'accusant de couvrir les Juifs.

Les jours de liberté du capitaine Dreyfus sont désormais comptés. Le 10 octobre, Mercier informe le président de la République et le président du Conseil qu'il a découvert le coupable – il ne précise pas son identité et nul ne la lui demande. Le 11, il rencontre lors d'une brève réunion Charles Dupuy, président du Conseil, Guérin, garde des Sceaux, et Gabriel Hanotaux, ministre des Affaires étrangères. Redoutant des complications avec l'Allemagne, le Quai d'Orsay hésite à ébruiter l'affaire. Quant à Dupuy, il fait promettre au ministre de la Guerre de renoncer aux poursuites s'il ne parvient pas à mieux étayer son accusation. L'identité du suspect ne semble pas non plus intéresser les participants de ce petit conseil, à moins que la discrétion ne s'impose à ceux qui ne sont pas du sérail lorsqu'on évoque un problème interne à l'armée. En fait, la décision de Mercier n'a pas changé : il entend faire arrêter Dreyfus et poursuivre jusqu'au bout le « roi des traîtres ».

La minceur du dossier n'entrave pas la détermination de l'état-major. L'auteur du « bordereau » annonce son départ en manœuvres, alors que Dreyfus n'a participé à aucun exercice de ce genre ? Qu'importe ! Un voyage dans l'Est de la France au mois de juin fera l'affaire. Les conclusions du premier expert en écriture se révèlent négatives ? Qu'à cela ne tienne ! Mercier fait appel à un autre graphologue, Alphonse Bertillon.

Le 13 octobre, Mercier charge un officier attaché au troisième bureau (chargé en temps de paix de l'instruction et des écoles, et en temps de guerre des opérations), le commandant du Paty de Clam, de faire arrêter le suspect. C'est donc lui qui accueille le capitaine alsacien au ministère. Il lui annonce que le chef d'état-major général, le général de Boisdeffre, n'est pas encore arrivé et, prétextant une blessure au doigt, lui demande d'écrire, en attendant, une lettre à sa place. Le texte qu'il lui dicte reprend certains éléments du « bordereau ».

Plus qu'une épreuve graphologique, c'est une épreuve psychologique que du Paty impose à Dreyfus : il s'agit de tester ses réactions. D'abord, le commandant s'efforce de décontenancer le suspect en lui faisant remarquer qu'il tremble. Devant l'échec de cette tentative, il interrompt l'expérience et lui annonce qu'il l'arrête pour haute trahison. Dreyfus proteste, cependant qu'un pistolet, jusqu'alors dissimulé, apparaît soudain sur le bureau. Cette arme figurait dans le scénario imaginé par du Paty le samedi précédent : « Et s'il veut mourir ? », avait-il demandé au ministre, qui avait acquiescé, tandis que le commissaire de police Cochefert[8], seul civil présent à la réunion, estimait cette manière de régler la question conforme aux traditions militaires. Or Dreyfus réclame des éclaircissements : de quoi est-il accusé ? Il n'obtient aucune réponse et c'est totalement ignorant de ce qu'on lui reproche qu'il est emprisonné au Cherche-Midi.

En prison, l'interrogatoire de Dreyfus est précédé d'une période de mise en condition. Du 15 au 18 octobre, on le laisse se morfondre, seul, dans sa cellule. Puis, du Paty lui impose une série de tests graphologiques dans toutes les positions imaginables – et sans que l'officier soit mis au courant de ce qu'on lui reproche. Malgré un effondrement psychologique qui inquiète le directeur de la prison, Dreyfus ne concède aucun aveu.

Pendant ce temps, l'enquête suit son cours. On tente d'établir que Dreyfus est un habitué des cercles de jeux – sans succès, mais le bruit est lancé… On lui trouve quelques liaisons féminines, mais qui semblent avoir été interrompues après son mariage. L'étude du « bordereau » continue. Expert officieux et antisémite notoire, Alphonse Bertillon élabore la théorie de l'« autoforgerie », pour expliquer les différences existant entre l'écriture du « bordereau » et celle de Dreyfus : pour brouiller les pistes, le capitaine aurait en partie imité l'écriture de son frère Mathieu. Mais Bertillon n'étant pas habilité devant les tribunaux, il faut recourir à trois experts officiels, dont l'un conclura à l'innocence de Dreyfus. Au total, deux semaines d'enquête n'ont pas fait progresser les choses de manière décisive.

L'arrêt des poursuites n'est pas à exclure. Grâce à la discrétion qui a régné jusque-là, Mercier pourrait renoncer sans perdre la face. Or une campagne de presse va tout changer. C'est le premier tournant de l'Affaire.

Le 29 octobre 1894, le journal antisémite *La Libre Parole* annonce l'arrestation d'un espion au ministère de la Guerre et s'interroge sur les raisons du « silence absolu » de l'état-major à ce sujet. L'auteur de l'article a été informé par une lettre signée Henry – s'agit-il du commandant du même nom ? Ce n'est pas certain, même si beaucoup le pensent. Cette lettre annonçait l'arrestation de Dreyfus, « qui est en prison au Cherche-Midi. On dit qu'il est en voyage, mais c'est un mensonge parce qu'on veut étouffer l'affaire ». Les informations fournies par la presse se précisent les jours suivants. *La Patrie* du 31 octobre parle d'un « officier israélite ». Enfin, le 1er novembre, *La Libre Parole* titre : « Haute trahison. Arrestation de l'officier juif A. Dreyfus ».

C'est dans ce contexte, qui rend désormais très difficile tout retour en arrière, que se déroule la fin de l'enquête. Le 30 novembre, Dreyfus a enfin accès à une photographie du « bordereau ». Il peut maintenant répondre de façon précise et argumentée aux accusations dont il fait l'objet. Mais, dès le lendemain, du Paty de Clam lui annonce que l'enquête est terminée. Dreyfus n'a donc pas eu le temps d'organiser sa défense. En revanche, on lui fait savoir qu'une entrevue avec Mercier est envisageable s'il consent à passer aux aveux.

Désormais, la phase de l'information judiciaire peut commencer. Le général Mercier l'obtient aisément de ses collègues du gouvernement qui, pour certains, n'ont eu connaissance de l'Affaire qu'en lisant la presse. Il suffit au ministre de la Guerre d'exhiber une copie du « bordereau » pour emporter la décision du conseil de cabinet. L'information judiciaire est officiellement ouverte le 3 novembre. Du 14 au 29, le commandant d'Ormescheville, rapporteur près du premier conseil de guerre, dirige douze interrogatoires, dont trois portant sur les fréquentations féminines de Dreyfus.

Pendant ce temps, la presse nationaliste se répand en sarcasmes contre « le général en carton peint », « le Ramollot[9] de la guerre », autrement dit contre Mercier. Si ce dernier espérait renforcer sa position en arrêtant Dreyfus, force lui est de constater que, pour l'instant, il a obtenu l'effet inverse. Ses adversaires ne retiennent qu'une seule chose : s'il n'avait pas été aussi complaisant à l'égard des Juifs, rien ne serait arrivé. Édouard Drumont l'affirme haut et fort dans *La Libre Parole* : « Il y a près de quarante mille officiers dans l'armée ; le général Mercier choisit, pour lui confier les secrets de la Défense nationale, un cosmopolite-né. N'est-ce pas que ce Mercier est bien vil ? » À ces attaques, ajoutons celle de Judet, rédacteur en chef du *Petit Journal*, qui tire à un million d'exemplaires, ou de Henri Rochefort, qui écrit dans *L'Intransigeant* : « Si Mercier s'est tu pendant quinze jours, c'est que la juiverie lui a imposé silence. »

Le ministre de la Guerre tarde à trouver une parade à ces critiques virulentes. Le 17 novembre, il annonce, par l'intermédiaire du *Journal*, que l'instruction sera terminée d'ici dix jours. C'est insuffisant : la campagne de presse ne faiblit pas. Mercier franchit alors un pas supplémentaire et déclare, dans *Le Figaro* du 28 novembre, que la culpabilité de Dreyfus est « absolue, certaine ». L'avenir politique du ministre est dorénavant lié au sort du capitaine emprisonné. Quant au conseil de guerre, devant lequel Dreyfus est renvoyé le 4 décembre, il sait désormais qu'acquitter le prisonnier reviendrait à désavouer Mercier.

Les quinze jours qui précèdent la réunion du conseil de guerre voient, cependant, l'étau se desserrer quelque peu autour d'Alfred Dreyfus. Il est autorisé à écrire à sa femme. Son avocat, maître Demange, a enfin accès au dossier, plus d'un mois et demi après le début de l'Affaire. Cette période est aussi mise à profit par l'état-major pour parfaire le dossier dont dépend désormais la survie ministérielle du général Mercier. On s'efforce de collecter des pièces susceptibles d'étayer l'accusation. On retient notamment un billet, intercepté à l'ambassade d'Allemagne, qui mentionne « ce canaille de D. »[10], ainsi que deux rapports de l'inspecteur Guénée, policier attaché à la Section de statistique. Ces rapports consignent certains propos de l'attaché militaire adjoint auprès de l'ambassade d'Espagne, Val-Carlos, collaborateur régulier des services français. On les antidate et on y ajoute des phrases destinées à renforcer les thèses de l'accusation.

Quand s'ouvre le procès devant le conseil de guerre, le 19 décembre 1894, c'est un soulagement pour Dreyfus : « J'arrive enfin au terme de mes souffrances, au terme de mon martyre », affirme-t-il. Mathieu Dreyfus a pu voir le « bordereau » et il est persuadé que « sept officiers loyaux » ne pourront pas condamner son frère « sur un chiffon de papier, d'une origine suspecte, dont l'attribution est contestée ». C'est compter sans la volonté du ministère de mener le procès jusqu'au terme qu'il lui a assigné, à l'abri des regards indiscrets, grâce au huis clos. Il s'agit d'une « affaire de famille », intéressant les seuls militaires, et il n'est pas question de permettre à la défense d'utiliser le prétoire pour prendre à témoin l'opinion publique.

Maître Demange est conscient du danger. À sa demande, Waldeck-Rousseau intervient auprès du président de la République[11]. En vain : Casimir-Perier a en fait accepté, dès le début, que l'Affaire se déroule au sein de la société militaire, selon des règles fixées par elle. Ainsi, comme prévu, le commandant Brisset, commissaire du gouvernement, réclame le huis clos aussitôt après l'appel des témoins. Maître Demange tente alors une ultime parade : il entame la lecture de conclusions affirmant que Dreyfus n'est poursuivi qu'au vu d'une seule pièce dont l'authenticité est contestable. Il espère ainsi sortir de la confidentialité dans laquelle le tribunal va désormais siéger. Le colonel Maurel, président du conseil de guerre, l'interrompt et ordonne aux juges de se retirer pour délibérer sur la demande du commandant Brisset. De retour dans le prétoire, le président fait part de la décision du conseil : le huis clos est prononcé.

Trois jours durant, le tribunal entend les témoins, sans que la démonstration de la culpabilité de Dreyfus puisse être faite. Va-t-on vers l'acquittement ? Le commandant Picquart, qui suit le procès pour le ministère, ne l'exclut pas. L'audience traîne en longueur et Dreyfus surprend par son impassibilité. C'est alors que le commandant Henry se fait rappeler à la barre, après avoir soufflé aux juges la question qu'il faudrait lui poser : « Avez-vous été avisé de la présence d'un traître au deuxième bureau, au printemps ? » Son témoignage est empreint d'une théâtralité qui impressionne le tribunal. Sa conscience lui intime, dit-il, de ne rien cacher. Une personne honorable, qu'il ne peut nommer, l'a averti, au mois de mars, de la présence d'un traître au ministère de la Guerre. En juin, on lui a précisé que ce traître appartenait au deuxième bureau. Henry désigne alors Dreyfus d'un geste ample : « Le traître, le voici ! » Maître Demange proteste, exige de connaître le nom de l'informateur d'Henry, qui répond : « Il y a, dans la tête d'un officier, des secrets que son képi doit ignorer. »

Le président demande au témoin de confirmer son accusation sur l'honneur. Henry jure sur le crucifix accroché au mur. En prêtant serment sur un emblème religieux, qui a disparu des prétoires civils depuis le gouvernement de Jules Ferry, mais pas des tribunaux militaires, il donne aux membres du tribunal l'image d'un homme sincère. Après le réquisitoire du commandant Brisset, maître Demange plaide le 22 décembre. Il s'efforce de semer le doute dans l'esprit des juges en réfutant méthodiquement les arguments de l'accusation. Mais, comme l'observera plus tard Joseph Reinach, « ces jurés militaires sont plus simplistes que des civils, le doute seul ne les touche pas ». Peu familier de cette juridiction, maître Demange n'adapte pas sa défense aux circonstances. Il n'est pas non plus assez procédurier pour faire appliquer le règlement : la déposition d'Henry étant un « fait nouveau », les débats auraient dû être ajournés.

Lorsque les juges se retirent pour délibérer, commence un véritable huis clos. En effet, mandaté par Mercier, du Paty de Clam fait remettre au colonel Maurel un dossier secret, qui contient les pièces accumulées depuis quinze jours, assorties d'un commentaire concluant à la culpabilité de Dreyfus. La défense n'en a évidemment pas eu connaissance ; elle ne peut donc pas les réfuter.

Le verdict dissipe ses dernières illusions. Dreyfus est condamné à la dégradation et à la déportation à perpétuité. Bien peu y trouvent à redire. « Ils ont su évidemment des choses que j'ignore », estime Casimir-Perier, apparemment résigné à ce que le chef de l'État soit tenu à l'écart des secrets de l'armée, et qui va bientôt se démettre de ses fonctions. Maître Demange dépose un recours en révision. Il est rejeté le 31 décembre. Mercier, quant à lui, fait savoir une dernière fois à Dreyfus, par l'intermédiaire de du Paty de Clam, que des aveux pourraient lui valoir une amélioration de ses futures conditions de détention. Le capitaine répond par une lettre dans laquelle il affirme une nouvelle fois son innocence.

Il ne reste plus qu'à appliquer la sentence. La dégradation a lieu le samedi 5 janvier 1895. Elle se déroule dans la cour de l'École militaire. Chaque régiment de la place de Paris est représenté par deux détachements, l'un composé de soldats aguerris, en armes, l'autre de jeunes recrues, les mains nues. Tous ces hommes encadrent la cour, tandis que les élèves de l'École de guerre sont regroupés sur une terrasse. La « parade » doit contribuer à l'édification de tous.

Malgré le souhait de la presse antisémite, la population n'a pas été admise à cette cérémonie strictement militaire, sauf quelques privilégiés, diplomates ou journalistes. On n'a toutefois pas pu empêcher la foule de se masser derrière les grilles. Dreyfus est amené dans la cour. Il proteste de son innocence. La foule crie : « Mort aux Juifs ! » On procède à l'arrachage des insignes du capitaine. C'est un géant de la garde républicaine, l'adjudant Bouxin, qui a été choisi pour cette tâche. Sa haute taille accentue le caractère humiliant de la cérémonie. Lorsqu'il arrache le sabre des mains de Dreyfus pour le briser sur son genou, le capitaine n'est plus qu'un minuscule et méprisable paria.

On le fait ensuite défiler devant les troupes. Chassé de l'armée, « il n'a plus d'âge. Il n'a plus de nom. Il n'a plus de teint. Il est couleur traître », écrit Léon Daudet[12]. Il crie une nouvelle fois son innocence, notamment à l'adresse des journalistes – qui répondent en l'insultant. Certains officiers font de même. « C'est sa dernière promenade parmi les vivants », ajoute Léon Daudet. Pendant qu'on l'emmène vers la prison de la Santé, la cérémonie prend fin : « Les musiques militaires répandent de l'honneur et de la loyauté sur les espaces pour balayer les puanteurs de la trahison », commente Maurice Barrès. Le compte rendu militaire de la cérémonie, lui, donne à réfléchir : « Parade terminée, Dreyfus a protesté de son innocence et crié “Vive la France !”, pas d'autre incident. » L'un des spectateurs, correspondant d'un journal autrichien, un certain Theodor Herzl, en conclut que pour les Juifs l'assimilation est un leurre et que seule la création d'un État juif leur apportera dignité et sécurité.

La seconde partie de la sentence peut désormais être appliquée. Dreyfus doit être déporté en Nouvelle-Calédonie. Mais le châtiment ne semble pas assez dur à la presse antisémite, qui voudrait qu'on l'envoie en Guyane, car le climat y est « moins délicieux ». Le 5 janvier 1895, prétextant des risques d'évasion, le gouvernement décide de faire voter au Parlement une loi redonnant aux îles du Salut, situées au nord de Cayenne, le statut de lieu de déportation. Dreyfus quitte la prison de la Santé le 17 janvier. Fers aux pieds, dans un wagon destiné au transport des forçats, il est conduit à La Rochelle. Là, mal protégé par ses gardiens, il est emmené, sous les coups et les injures de la foule, à bord du bateau qui doit le transporter vers l'île de Ré, où il reste plus d'un mois, le temps que la loi autorisant sa déportation dans les îles du Salut soit votée – ce qui est fait, à main levée, le 31 janvier.

Conformément au règlement, sa femme est autorisée à lui rendre visite deux fois par semaine pendant une heure. Leur dernière entrevue a lieu le 21 février. Tandis que Lucie Dreyfus regagne Paris, le prisonnier est amené à bord du *Ville de Saint-Nazaire*, où il passe la nuit dans une cellule grillagée, par moins quatorze degrés. Le 22 février 1895, le bateau quitte l'île de Ré pour la Guyane. Dreyfus disparaît du monde des vivants.

Quant à Mercier, il n'est pas sauvé pour autant. En effet, pendant l'exécution de la sentence du tribunal militaire, les événements politiques se sont précipités. Casimir-Perier a démissionné le 15 janvier 1895. Fort de la popularité que lui a donnée l'affaire Dreyfus, que l'on croyait réglée définitivement, Mercier envisage de se porter candidat à la présidence de la République. Il laisse distribuer un texte invitant à voter pour lui : « En 1887, le Congrès a élu Sadi Carnot parce qu'il avait refusé de se prêter aux tripotages de Wilson ; en 1895, le Congrès doit élire celui qui a livré au conseil de guerre le traître Dreyfus[13]. »

Est-ce un nouveau Boulanger en puissance que les parlementaires refusèrent ? Toujours est-il que Mercier n'obtient que trois voix au premier tour. Le nouvel élu, Félix Faure, désigne comme président du Conseil Alexandre Ribot, qui décide de remplacer, au ministère de la guerre, Mercier par le général Zurlinden. Par la manière dont il avait exploité l'affaire Dreyfus, par ses ambitions politiques, Mercier – qui sera élu sénateur en janvier 1900 – s'était rendu insupportable au nouveau chef du gouvernement et à bon nombre de parlementaires. Seule la presse nationaliste voit dans son éviction la « revanche de Dreyfus »[14].

Même si Mercier n'en a pas tiré les bénéfices qu'il escomptait, l'Affaire semble bel et bien terminée. L'armée a châtié l'un des siens. Le « traître » a disparu et peu s'en sont émus. La presse unanime, de la gauche à la droite, a clamé sa satisfaction. Jaurès dénonce, dans *La Dépêche de Toulouse* du 26 décembre, « l'énorme pression juive » qui aurait sauvé Dreyfus du peloton d'exécution. Clemenceau, dans *La Justice* du 25 décembre, évoque « le cœur abject » du capitaine. Certes, le doute va se répandre peu à peu. Mais ce n'est que lorsque Zola publiera « J'accuse » dans *L'Aurore* du 13 janvier 1898 et contraindra la justice civile à le poursuivre, que cette affaire d'espionnage sortira du huis clos militaire pour devenir l'affaire Dreyfus.

Notes

1. Dès 1885, la France avait imposé son protectorat à la reine Ranavalona III. En 1894, les relations avec celle-ci se détériorent, en raison de la résistance qu'elle oppose aux exigences françaises. Une expédition militaire est alors envisagée. Elle aura lieu en 1895 et aboutira à l'annexion de l'île, votée par le Parlement le 6 août 1896.

2. En 1892, le directeur de l'École de guerre avait ainsi baissé la note de Dreyfus pour qu'il ne puisse pas entrer à l'état-major, censé compter trop de Juifs. Précaution vaine, puisque Dreyfus, classé neuvième sur quatre-vingt-un, entra bien dans le saint des saints.

3. Le ministre des Affaires étrangères, Gabriel Hanotaux, ne communiquait plus les dépêches au président de la République.

4. Cf. Allan Mitchell, « La mentalité xénophobe : le contre-espionnage en France et les racines de l'affaire Dreyfus », *Revue d'histoire moderne et contemporaine*, juil.-sept. 1982, p. 489.

5. *Note au sujet des mesures à prendre à la mobilisation contre les étrangers et les suspects*, décembre 1895, A.G. Vincennes, 7N674.

6. « Avant 1890, l'antisémitisme était peu répandu dans la société militaire. La proportion d'officiers juifs tendait à s'élever progressivement, passant de 2 à 10 %. Égale à la proportion de Juifs dans la population française avant 1870, elle devient supérieure vers 1892. Les autorités militaires ne semblent pas avoir entravé l'avancement des officiers juifs. » Cf. W. Serman. *Les Officiers français dans la nation*, Paris, Aubier, 1982, p. 101.

7. Cf. Raoul Girardet, *La Société militaire dans la France contemporaine, 1815-1939*, Paris, Plon, 1953.

8. Le commissaire de police Cochefert a été désigné par le préfet de police Lépine, à la demande de Mercier, pour assister les militaires dans leur enquête.

9. Nom irrévérencieux donné par les soldats aux officiers à l'esprit routinier et popularisé par l'ouvrage de Charles Leroy, *Le Colonel Ramollot.*

10. Ce billet évoque douze plans de Nice remis par « ce canaille de D. », qui serait en fait un employé nommé Dubois.

11. À la recherche d'un avocat, Mathieu Dreyfus était entré en contact avec Waldeck-Rousseau, avocat et homme politique. Celui-ci, tout en estimant ne pas pouvoir assurer personnellement la défense du capitaine, lui avait alors recommandé maître Demange.

12. *Le Figaro*, 6 janvier 1895.

13. Jules Grévy avait été contraint de démissionner de la présidence de la République à la suite des trafics d'influence auxquels se livrait son gendre, Wilson. Sadi Carnot, ministre des Finances, qui avait refusé une faveur à une compagnie recommandée par Wilson, est alors élu à la tête de l'État, le 3 décembre 1887.

14. *La Patrie*, 29 janvier 1895.

Le bordereau

« Sans nouvelles m'indiquant que vous désirez me voir, je vous adresse cependant, Monsieur, quelques renseignements intéressants :

« 1) une note sur le frein hydraulique du 120 et la manière dont s'est conduite cette pièce ;

« 2) une note sur les troupes de couverture (quelques modifications seront apportées par le nouveau plan) ;

« 3) une note sur une modification aux formations de l'artillerie ;

« 4) une note relative à Madagascar ;

« 5) le projet de manuel de tir de l'artillerie de campagne (14 mars 1894).

« Ce dernier document est extrêmement difficile à se procurer et je ne puis l'avoir à ma disposition que très peu de jours. Le ministère de la Guerre en a envoyé un nombre fixe dans les corps, et ces corps en sont responsables. Chaque officier détenteur doit remettre le sien après les manœuvres. Si donc vous voulez y prendre ce qui vous intéresse et le tenir à ma disposition après, je le prendrai. À moins que vous ne vouliez que je le fasse copier *in extenso* et ne vous en adresse la copie. »

« Je vais partir en manœuvres. »

« Ce canaille de D. »

« Mon cher ami, je regrette bien de ne pas vous avoir vu avant votre départ ; du reste je serai de retour dans huit jours. Ci-joint douze plans que ce canaille de D… m'a remis pour vous. Je lui ai dit que je n'avais pas l'intention de reprendre les relations. Il prétend qu'il y a eu un malentendu et qu'il fera tout son possible pour vous satisfaire. Il dit qu'il s'était mis en tête que vous aviez une mauvaise idée de lui. Je lui ai répondu qu'il était fou et que je ne croyais pas que vous voudriez reprendre les relations avec lui. Faites ce que vous voudrez ».

« Au revoir. Je suis pressé. Alexandrine. »

Une manipulation

Passages ajoutés aux rapports du commissaire Guénée :

« Dites bien de ma part à M. le commandant Henry, qui pourra le répéter au colonel *[Sandherr]*, qu'au ministère de la Guerre il y a lieu de redoubler de surveillance, car il résulte de ma dernière conversation avec le capitaine de Süsskind que les attachés allemands ont dans les bureaux de l'état-major de l'Armée un officier qui les renseigne admirablement. Cherchez, Guénée, si je connaissais le nom, je vous le dirais. »

(Ajout au rapport du 28 mars.)

« Quelqu'un du ministère de la Guerre, un attaché bien certainement, a prévenu les attachés militaires allemands. [...] Donc voilà encore une preuve que vous avez un ou plusieurs loups dans votre bergerie. [...] Cherchez, je ne saurais trop vous le répéter car je suis certain du fait. »

(Ajout au rapport du 30 mars.)

L'armée française était-elle antisémite ?

Pierre Birnbaum

Pour les plus hauts responsables de l'armée française, la chose ne fait aucun doute : Dreyfus est coupable. C'est la conviction des ministres de la Guerre qui se sont succédé tout au long de l'Affaire. Le général Mercier l'affirme : « Le capitaine Dreyfus a commis une trahison » ; le général Billot s'exclame à son tour : « En mon âme et conscience de soldat et chef de l'armée, Dreyfus est coupable, Dreyfus est un traître ! » ; plus tard, le général Cavaignac déclare : « Je demeure convaincu de la culpabilité de Dreyfus », tout comme le général Zurlinden qui avoue que « l'étude approfondie du dossier judiciaire de Dreyfus *[l'a]* convaincu de sa culpabilité » ; le général Chanoine enfin explique : « Respectueux de la chose jugée, j'ai le droit d'avoir mon opinion, elle est la même que celle de mes prédécesseurs. »

Bien plus tard, lors de la Seconde Guerre mondiale, les généraux Godfroy ou Weygand refuseront de croire en l'innocence du capitaine. À ce niveau de la hiérarchie militaire, seul ou presque le futur maréchal Lyautey doute, dès 1895, de sa culpabilité : « Ce qui ajoute à notre scepticisme, *écrit-il*, c'est qu'il nous semble discerner là une pression de la soi-disant opinion ou plutôt de la rue, de la tourbe… Elle hurle à la mort contre ce Juif, parce qu'il est Juif et qu'aujourd'hui l'antisémitisme tient la corde[1]. » Mais, responsables de la pérennité de l'Arche sainte, soucieux de préserver sa légitimité, la plupart des hauts officiers renforcent, par leur immense prestige, la combativité du camp antidreyfusard et justifient par là même la mobilisation nationaliste et antisémite contre une république jugée trop tiède.

Faut-il pour autant conclure à un antisémitisme foncier des militaires ? L'armée a-t-elle souscrit, en masse et sans réserve, aux thèses de Drumont selon lesquelles les Juifs représentaient pour elle une menace ? Dès le 3 novembre 1894, *La Libre Parole* considère en effet que « les Juifs comme Dreyfus ne sont probablement que des espions en sous-ordre qui travaillent pour les financiers juifs : ils sont les rouages d'un vaste complot » ; et le journal de Drumont ajoute : « Au ministère de la Guerre, il *[Dreyfus]* était tenu à l'écart par ses camarades. Son type juif très accentué, qui lui donnait l'air d'un étranger déguisé en Français, était pour quelque chose dans cette aversion. » Quant au *Petit Journal*, il conclut qu'il faut « épurer l'armée, nous débarrasser de cette lèpre plus dangereuse que toutes les épidémies, que tous les fléaux, que tous les cataclysmes ».

Drumont, en réalité, stigmatise depuis longtemps la présence d'officiers juifs dans l'armée française. Dès 1892, *La Libre Parole* publiait une série d'articles incendiaires intitulée « Les Juifs dans l'armée » : « L'armée, *y était-il écrit*, a été soustraite à l'influence juive plus longtemps que le reste de la société contemporaine. Elle a dû cette immunité à son esprit traditionnel et à la nature même de sa mission. Que seraient venus faire les Youtres dans ses rangs ? Tirer des traites vaut mieux que tirer à la cible. […] Il existe chez l'immense majorité des militaires un sentiment de répulsion instinctive contre les fils d'Israël. […] À peine les Juifs ont-ils pris pied dans l'armée qu'ils ont cherché à acquérir de l'influence. Déjà maîtres de la finance, de l'administration, dictant des arrêts aux tribunaux, ils seront définitivement les maîtres de la France le jour où ils commanderont à l'armée. Rothschild se fera communiquer les plans de mobilisation […] on pense bien dans quel but[2] ! » Et le journal s'en prenait nominativement à plusieurs officiers juifs issus de Polytechnique, comme les Cahen ou les… Dreyfus !

Cette virulente campagne de presse suscite assez rapidement une réaction de la part des officiers juifs. Le 29 mai 1892, *La Libre Parole* publie à la une une lettre que le capitaine de dragons Crémieu-Foa adresse à Édouard Drumont : « En insultant les trois cents officiers français de l'armée active qui appartiennent au culte israélite, vous m'insultez personnellement. Je vous somme de cesser cette campagne odieuse et je vous avertis que si vous ne prenez pas ma lettre en considération, je vous demanderai une réparation par les armes. » Dans le même numéro, Drumont réplique : « Si les officiers juifs de l'armée française sont blessés par nos articles, que le sort désigne parmi eux le nombre qu'ils voudront de délégués et nous leur opposerons un nombre égal d'épées françaises. Quant à vous, si, en tant que Juif, vous me provoquez, vous me trouverez à votre disposition. »

L'affrontement est inévitable : Crémieu-Foa se bat d'abord en duel avec Édouard Drumont, le 1er juin 1892 (à ses côtés, comme témoin, se tient… le commandant Ferdinand Esterhazy !). Il affronte ensuite, le 20 juin, Paul de Lamase, auteur des articles incriminés et rédacteur adjoint à *La Libre Parole*. Ce combat se déroule dans des conditions très dangereuses par rapport aux fréquents duels de l'époque : quatre coups à vingt-cinq pas. Cependant, aucun des deux adversaires n'est gravement blessé. Le marquis de Morès, qui appartient également à la rédaction de *La Libre Parole*, défie à son tour le capitaine Crémieu-Foa : la rencontre doit avoir lieu le lendemain. Comme le supérieur de Crémieu-Foa lui interdit de se battre à nouveau, lui imposant de demeurer à la caserne, son second, le capitaine Armand Mayer, un polytechnicien né en Lorraine, inspecteur des études à l'École polytechnique, vient annoncer cette décision à Morès, qui le provoque alors en duel. Maître d'escrime, le capitaine Mayer est affaibli car il souffre d'un bras. Le marquis de Morès lui perfore le poumon ; Mayer meurt presque aussitôt.

L'émotion est immense. La presse se montre largement hostile à l'égard de Morès, *Les Débats* regrettant le « retour de ces haines que l'on croyait assoupies pour toujours », *Le Siècle* condamnant « les résultats de la campagne antipatriotique de Drumont et de Morès pour réveiller les guerres religieuses ». Pour *L'Estafette*, « il faut que l'armée soit à l'abri des aventuriers de la basse presse. […] La France est atteinte au cœur. C'en est fait de ce pays ». Pour *Le Temps*, « il est inouï qu'on en vienne à soulever dans la presse des questions de race ou de religion, à diviser les membres de la famille française en deux camps ennemis ». Et *Le Radical* proteste « contre un retour aux guerres de religion ».

À la Chambre, le député Camille Dreyfus qui, deux ans auparavant, a lui-même affronté au pistolet le marquis de Morès, s'écrie : « Je viens vous demander, monsieur le ministre de la Guerre, s'il y a dans l'armée française deux sortes d'épées : l'épée que portent nos camarades de l'armée active et l'épée que nous porterons avec fierté le jour où la patrie fera appel à nous ; est-elle française ou est-elle autre chose ? » Freycinet, ministre de la Guerre, répond : « Messieurs, dans l'armée, nous ne connaissons ni israélites, ni protestants, ni catholiques *[applaudissements]* ; nous ne connaissons que des officiers français *[nouveaux applaudissements]*. Je dirai donc à ces officiers qui se sont crus atteints par des polémiques que nous réprouvons profondément *[applaudissements]*, par ces appels à des passions d'un autre âge *[très bien ! Très bien !]* ; à des préjugés dont la Révolution française a fait depuis longtemps justice, je leur dirai : vous ne pouvez pas être atteints par ces sortes d'injures collectives qui ne visent ni votre bravoure militaire ni votre honnêteté privée. Mettez-vous au-dessus de ces attaques, car vous êtes soutenus par le gouvernement, par les Chambres, par l'opinion publique tout entière. » Et le général Saussier, gouverneur de Paris, « recommande à tous les officiers sous ses ordres le calme et le sang-froid, persuadés qu'ils doivent être que l'indignation publique fera infailliblement échouer toutes les tentatives insensées et criminelles qui auraient pour but de rompre le grand faisceau des forces vives de la patrie ».

Signe de cette solidarité de l'armée vis-à-vis de Mayer : les funérailles de l'officier sont grandioses. Les honneurs militaires lui sont rendus par une compagnie d'infanterie et un peloton d'élèves de l'École polytechnique, où un deuil de huit jours a été décrété. Une foule immense se rassemble au cimetière du Montparnasse : certains journaux l'évaluent à cent mille personnes – elle est sans doute beaucoup moins importante. Des couronnes sont déposées au nom des grands journaux : *Le Radical, Le Matin, L'Écho de Paris, Le National, La République française, La Nation*, etc. Les cordons du poêle sont tenus par les deux majors de l'École polytechnique et les deux capitaines instructeurs. Les tambours battent aux champs, les clairons sonnent. Un grand nombre de députés, de sénateurs, d'officiers, et tous les élèves de l'École polytechnique sont présents. Quelque temps plus tard aura lieu le procès de Morès, où s'exprimera la même réprobation publique. Au cours des débats, l'avocat général déclare : « Vous avez tracé devant vous un filet de sang, arrêtez-vous là ; demain, la colère publique briserait vos presses et vos épées. » Après une plaidoirie de maître Edgar Demange, l'avocat qui, paradoxalement, sera au moment de l'Affaire le fidèle défenseur du capitaine Dreyfus, Morès est pourtant acquitté.

En cette même année 1892, le capitaine Crémieu-Foa trouve la mort au Dahomey, comme un autre officier juif, le lieutenant d'artillerie de marine Alphonse Valabrègue ; en juillet, le capitaine Oppenheim est tué au Tonkin. Une cérémonie en leur honneur a lieu à la synagogue de la rue de la Victoire en présence de nombreux compagnons d'armes : dans son discours, le grand rabbin Zadoc Kahn estime que « ce petit corps expéditionnaire d'Afrique est la noble et vivante image de cette grande armée, honneur et orgueil de la France ». Car les Juifs de France vénèrent depuis longtemps l'armée de la nation. Et à travers les grandes écoles comme Polytechnique ou Saint-Cyr, ils sont parvenus peu à peu, depuis l'avènement de la République et l'instauration de concours de recrutement, aux échelons les plus élevés du commandement[3].

Dans les années 1890, la proportion d'officiers juifs au sein de l'armée semble en effet rapidement s'élever. Souvent d'origine alsacienne ou lorraine, ils sont soucieux de témoigner de leur patriotisme exacerbé, le retour des provinces perdues lors de la guerre de 1870 étant à leurs yeux la tâche prioritaire et sacrée de la nation[4]. En 1890, huit d'entre eux entrent à Polytechnique et six à Saint-Cyr ; en 1891, huit accèdent à nouveau à Polytechnique et cinq à Saint-Cyr ; en 1892, neuf réussissent le concours de Polytechnique et cinq celui de Saint-Cyr, dont un certain Édouard Dreyfus. En 1893, il y a encore onze Juifs reçus à Polytechnique.

Cette remarquable présence d'officiers juifs au sein de l'armée se trouvera-t-elle contrariée par l'Affaire ? Apparemment pas : en septembre 1898, dix candidats juifs entrent à nouveau à Polytechnique ; en septembre 1899, après que la décision de gracier le capitaine Dreyfus a été enfin prise, ils seront encore neuf. Enfin, en février 1894, juste après la condamnation du capitaine, plusieurs élèves juifs sortent très normalement de l'École supérieure de guerre, devenant sans difficulté capitaines d'infanterie. De même, en octobre 1898, alors que la France vient de connaître une année de terrible violence antisémite, les candidats juifs sont nombreux à tenter de franchir le difficile concours de Polytechnique et neuf d'entre eux réussissent aussi à être admis à Saint-Cyr.

Tout au long de l'Affaire, d'ailleurs, les carrières de la plupart des officiers juifs paraissent se dérouler sans difficulté majeure : Sylvain Dreyfus, ancien élève de Polytechnique, nommé capitaine en 1891, affecté à l'état-major du génie en 1894, devient lieutenant-colonel en 1910 ; Émile Dreyfus est nommé, en 1896, lieutenant-colonel d'infanterie hors cadre ; Paul Dreyfus, polytechnicien passé par l'École de guerre devient, en 1892, capitaine affecté à l'état-major de la 32e division d'infanterie, au moment de la campagne de Drumont dirigée contre les officiers juifs : il accède au grade de chef d'escadron en 1897, de lieutenant-colonel en 1907 et de colonel en 1912, participant ensuite à la Première Guerre mondiale[5]. En janvier 1894, alors qu'a lieu la dégradation de Dreyfus, plusieurs officiers juifs sont promus lieutenant, capitaine ou chef de bataillon ; quelques mois plus tard, en novembre 1894, d'autres deviennent lieutenant-colonel ou même colonel, le colonel Samuel Naquet-Laroque ayant quant à lui été nommé général en juillet 1894. De même, à la fin de la terrible année 1898, un décret du ministère de la Guerre nomme plusieurs élèves juifs sortant de Polytechnique au grade de sous-lieutenant d'artillerie[6]. Durant cette période, les promotions d'officiers juifs aux différents grades de la Légion d'honneur ne paraissent pas, elles non plus, sérieusement entravées[7].

Dans un premier temps, l'armée semble donc immunisée contre les effets de la propagande antisémite. Ainsi, en janvier 1898, alors que les violences atteignent leur paroxysme dans de nombreuses villes de France, le capitaine Seligmann, affecté à Lille, au 1er régiment d'artillerie, meurt subitement d'une rupture d'anévrisme ; en présence du grand rabbin Émile Cahen, une cérémonie militaire est organisée, à laquelle participe une délégation des officiers de toutes les armes ayant à leur tête le commandant du bataillon : témoignage, encore une fois, de la solidarité liant entre eux tous les officiers de l'armée française, par-delà les pratiques religieuses.

Les choses ne sont pourtant pas si simples : en juin 1893, déjà, lorsque quelques Juifs candidats au concours de Saint-Cyr sortent de la salle d'examen, « une centaine d'étudiants groupés devant la porte les accueillent en criant "À bas les Juifs ! En Palestine !"[8] ». À la Chambre, un projet de loi déposé par le député Pontbriand et rejeté a cependant recueilli, en 1895, 173 suffrages ; il prévoyait que « pour être admis dans l'administration française, pour être admis comme officier dans l'armée de terre ou dans la marine, pour être admis à faire partie d'une assemblée élective, il faut être Français ou né de parents naturalisés Français depuis trois générations ».

En fait, la vague d'antisémitisme qui submerge la France lors de l'Affaire finit par briser la solidarité interne de l'armée. À tel point que, dans les premiers mois de l'année 1900, sept élèves juifs sortis de Polytechnique préfèrent donner leur démission « tant il était devenu manifeste que la carrière militaire ne pouvait leur réserver que des déceptions », d'autres officiers juifs souhaitant eux aussi rejoindre dans ce contexte dramatique la vie civile[9]. Les brimades se multiplient, entraînant par exemple la mort du cavalier Bernard. Comme le reconnaît un peu plus tard le général André, devenu ministre de la Guerre, dans son rapport officiel devant la Chambre, on fait passer, dans certains bataillons, un examen de conscience aux officiers juifs, à qui il arrive d'être mis en quarantaine tant qu'ils n'ont pas produit un certificat de baptême…

Le général André cite aussi le cas du capitaine Picard, affecté à Orléans, auquel un autre militaire a refusé de rendre son salut, en déclarant : « Je ne salue pas les Juifs », puis dont il a récusé les témoins, en affirmant : « Je ne me bats pas avec un Juif » ; Picard a ensuite été victime d'une campagne de diffamation mettant en cause sa « moralité »… André décrit enfin aux députés le cas du lieutenant Gluck, soupçonné, à tort, d'être Juif à cause de son nom, et qui se trouve mis en quarantaine, en accord avec le colonel de son régiment.

Le cas de la garnison de Grenoble est lui aussi riche d'enseignement : plusieurs officiers y décident de résilier leur abonnement au *Figaro*, jugé coupable d'engagement dreyfusard, et de s'abonner au contraire officiellement à *La Libre Parole*, afin d'apporter leur soutien à Drumont. Le 15 décembre 1897, ils font porter sur le registre du cercle militaire la mention suivante : « Étant donné l'ignoble campagne menée en faveur des Juifs et des traîtres par *Le Figaro*, les officiers soussignés demandent la suppression immédiate de cette feuille. » Le général Faure-Biguet, qui commande la place, s'adresse à son supérieur le général Zédé, gouverneur de Lyon, pour faire connaître qu'il « partage les sentiments d'indignation de la garnison de Grenoble » ; le général Zédé écrit à son tour au ministre de la Guerre et conclut : « Ces messieurs veulent rompre leur abonnement avec éclat. Je trouve qu'ils ont raison. » Sur place, le colonel Léon Francfort – dont le rapport administratif souligne qu'il est « impatient de la situation que lui crée parfois son origine israélite »[10] – est le seul à protester, mais ne parvient pas à se faire rendre justice par les armes. Un peu partout en France, à cette époque, dans les mess des officiers, l'antisémitisme s'affiche ; certains en viennent même à rêver d'une « Saint-Barthélemy des Juifs »[11].

On trouve aussi dans certains dossiers administratifs personnels des traces d'antisémitisme. En 1899, on peut ainsi lire dans le rapport de l'inspection générale concernant le commandant Bloch : « Fort intelligent, très laborieux, le commandant Bloch est apprécié par ceux qui l'emploient. En même temps que des qualités, il a les défauts de sa race. Il est assez commun, ne doute de rien et cherche trop à se faire valoir[12]. » Il faut donc bien admettre que la propagande de *La Libre Parole* a porté ; et, au-delà de la propagande, l'acharnement avec lequel le journal de Drumont a dénoncé nominativement, tout au long de l'Affaire, les officiers juifs – citant, dès le 2 novembre 1894, sept officiers du nom de Dreyfus dont cinq servent dans l'artillerie, ou encore, le 4 du même mois, les Bloch et les Cahen qui occupent des emplois de faveur dans les états-majors ou les écoles de formation militaire…

Un dernier exemple mérite d'être évoqué : celui du colonel Edmond Mayer. Né à Nancy, d'une vieille famille de l'Est de la France, fils d'un polytechnicien aux valeurs juives très traditionnelles, il est admis tout à la fois à l'École normale supérieure et à Polytechnique, et choisit cette dernière « pour la revanche »[13]. Notons déjà qu'en 1890 le général Mathieu, directeur de l'artillerie au ministère de la Guerre, a refusé de le nommer enseignant à Saint-Cyr « parce qu'il craignait d'être pris à partie par Édouard Drumont ». Mais surtout, en mai 1899, ce brillant officier est mis d'office à la retraite, pour avoir publié dans *Le Figaro* plusieurs articles dans lesquels il défendait Dreyfus. Comme il est aussi l'auteur d'articles critiques de stratégie militaire, le député Lasies l'accuse devant la Chambre de calomnier l'armée française, ce qui lui vaut sa mise en position de non-activité ; il faudra l'appui de la Ligue des Droits de l'homme et du citoyen pour qu'il soit réintégré dans l'armée. Sa carrière s'en ressent et c'est seulement en tant que colonel qu'il participera à la Première Guerre mondiale, où seront tués deux de ses fils.

Dernière – et terrible – preuve de cet embrigadement de l'armée sous la bannière de l'antisémitisme : son adhésion massive à la souscription que lança *La Libre Parole* en faveur de la veuve du colonel Henry. Cette adhésion est d'autant plus frappante que Freycinet, le ministre de la Guerre, a explicitement interdit aux membres des forces armées de contribuer à la souscription. Or, à parcourir les longues listes du « monument Henry », on constate que l'armée y occupe une place de choix, presque la première[14] : dans l'armée d'active, on trouve cinq généraux, neuf colonels et lieutenants-colonels, douze commandants, cinquante-quatre capitaines dont certains témoins du procès de Rennes, hostiles à Dreyfus, ainsi que le futur général Weygand, et soixante-cinq lieutenants.

Quant aux militaires de réserve, ils sont infiniment plus nombreux : trente généraux s'empressent d'envoyer de l'argent, dont le général Mercier lui-même, ancien ministre de la Guerre, ainsi que cinquante-six colonels et lieutenants-colonels, soixante-seize commandants, cent vingt-neuf capitaines, etc. Parmi ceux qui signent d'une simple initiale ou encore de leur grade, figurent encore dix généraux, quarante-trois colonels ou lieutenants-colonels, trente-sept commandants, deux cent quatre-vingt-treize capitaines ; suit une immense liste d'officiers et de sous-officiers, sans distinction de grade cette fois, regroupant plusieurs milliers de noms. Enfin, un nombre infini de simples soldats, certains s'intitulant « soldats du Christ », d'autres précisant leur qualité d'ancien combattant de batailles célèbres…

Le monument Henry compte aussi nombre de signataires se définissant comme « futur dragon », « futur cuirassier », ou « futur soldat de France », d'anciens polytechniciens – on y trouve « un polytechnicien contemporain de Dreyfus », « un polytechnicien de la promotion de Dreyfus », « un groupe de saint-cyriens », « un saint-cyrien antisémite » –, et de très nombreux candidats à Polytechnique ou à Saint-Cyr, qui indiquent cette seule qualité à l'appui de leur versement ; on constate aussi la large présence d'élèves d'écoles militaires. Notons enfin tous ceux qui signent en tant que père, frère, fils ou petit-fils, mère, sœur, fille d'officier – parfois en groupe, comme « les femmes d'officiers de la garnison de Magnac-Laval » –, voire en tant que serviteurs d'officiers, comme ces « deux métayers du capitaine Marchand »…

Au total, c'est bien une large partie de l'institution militaire qui rejette et stigmatise les Juifs à travers la souscription au monument Henry. Et ce sur un ton extrêmement virulent. Citons la lettre d'« un capitaine qui conseille à l'infâme Dreyfus de ne jamais rentrer en France », celle d'« un capitaine de l'Est qui fait des théories morales sur le Youpin à ses hommes », celle d'« un lieutenant d'artillerie qui voudrait voir tous les Youpins à la chaudière », celle d'« un officier pauvre qui donnerait une année de solde pour voir chasser à coups de pied dans le dos tous les Youpins de France », celle d'un officier de cavalerie qui s'exclame : « Sus aux Juifs ! Pour l'attaque, chargez ! Mort aux traîtres !

Vive la France aux Français ! », celle encore d'« un groupe d'officiers de hussards qui ne comprend pas qu'on accepte les Juifs dans les états-majors », celle d'« un officier de réserve profondément antidreyfusard ne demandant qu'à massacrer les sales Youpins », celle d'« un groupe d'officiers qui attendent impatiemment l'ordre d'essayer, sur les cent mille Juifs qui empoisonnent le pays, les nouveaux explosifs et les nouveaux canons », celle d'« un groupe d'officiers qui souhaitent l'extermination des Juifs », celle « d'un officier qui est d'avis de fusiller les chefs de la bande dreyfusarde et de chasser de France tous les Youtres », celle d'un « sous-officier qui veut contribuer à l'emplette du plus énergique des désinfectants pour assainir tous les endroits de France contaminés par la présence du chafouin Dreyfus, du crotale Picquart, du ouistiti Reinach, du putois Zola », celle d'« un groupe de sous-officiers d'un régiment du Sud-Ouest qui seraient heureux de tenir le manche du balai devant servir à balayer la Juiverie », celle enfin d'« un garde républicain connaissant très bien la cuisine, qui voudrait faire un pot-au-feu de Reinach pour empoisonner tous les Youpins et les Dreyfusards », etc.

C'est dans ce contexte d'extrême violence qu'ont pu apparaître et s'épanouir les ligues, ainsi que d'autres mouvements nationalistes antisémites dont l'Action française sera, quelques années plus tard, la fidèle héritière. Mais la république a su défendre ses institutions et combattre finalement ces mouvements factieux qui, à travers l'affaire Dreyfus et par-delà l'antisémitisme, ne cachent pas leur profond désir d'en finir avec elle. Assuré de sa force et de sa légitimité, le régime réhabilite finalement Dreyfus, en même temps qu'il se décide à mettre en pratique la séparation de l'Église et de l'État, marquant ainsi davantage les frontières d'un espace public ouvert à tous les citoyens. Pour un temps, et en dépit de péripéties passagères, de mouvements de flambée intense, la mobilisation nationaliste se dilue dans le vaste mouvement patriotique dirigé contre l'Allemagne.

Certes, Drumont continue, dans *La Libre Parole*, à dénoncer les officiers juifs : il constatera avec amertume, en 1905, que le nouveau général Mardochée Valabrègue, directeur de l'École supérieure de guerre, « est le cousin de

Dreyfus »[15] et se demandera encore, en janvier 1913, « de quel côté de la frontière serait Dreyfus en cas de coup de torchon ». Mais la fin de l'Affaire a mis un terme au délire antisémite qui avait secoué l'armée. Et la Première Guerre mondiale, où combattra Alfred Dreyfus, nommé lieutenant-colonel et noté comme un « excellent officier supérieur », aux côtés de son fils, le lieutenant Pierre Dreyfus, verra se renouer les liens de solidarité entre l'armée française et ses officiers juifs.

Notes

1. Cité dans *« Dreyfusards ! »*, textes présentés par Robert Gauthier, Paris, Gallimard, « Archives », 1965, p. 47.

2. *La Libre Parole*, 23 mai 1892.

3. Sous le Second Empire, nombre d'entre eux sont devenus colonels, mais aucun n'a été nommé général : le lieutenant-colonel Abraham Lévy ne se verra pas attribuer ce grade, tandis que le lieutenant-colonel Léopold Sée, qui refusait de se rendre à la messe, ne put obtenir la promotion au grade de colonel – mais, dès 1870, c'est lui qui devint le premier général de brigade juif de l'armée française.

4. Nombre d'officiers juifs, tels les colonels Gabriel Brisac, Jules Moch ou Isidore Ausher, les capitaines Abraham Samuel, Léon Francfort ou Victor Mannheim, ont combattu en 1870. Plus tard, ils participeront au choc de la Première Guerre mondiale, durant laquelle plusieurs d'entre eux deviendront généraux : c'est le cas de Jules Heymann, Georges Alexandre, Lucien Lévy, Gédéon Geismar ou Camille Lévi.

5. En 1896, toutefois, Paul Dreyfus a demandé et obtenu par décision ministérielle son changement de patronyme : il est devenu Paul Deslurens ; mais ce cas reste exceptionnel. Les renseignements sur ces trois officiers nommés Dreyfus sont extraits de leurs dossiers personnels, Vincennes, Service historique des armées.

6. Ces promotions ne doivent cependant pas cacher que l'on assiste aussi à des retards de carrière, un certain nombre de promotions élevées, tel l'accès au grade de général, se produisant seulement à partir de 1905, quand l'Affaire est quasiment terminée.

7. *L'Univers israélite*, 16 janvier 1894, 16 janvier 1895, 9 septembre 1898. *Archives israélites*, 1er novembre 1894.

8. *L'Univers israélite*, 16 juin 1893.

9. *L'Univers israélite*, 16 février 1900. Notons aussi que, dès le début de l'année 1895, un neveu du capitaine Dreyfus, qui

préparait son admission à Polytechnique, préfère interrompre ses études (*L'Univers israélite*, 1er février 1895). Voir Philippe Landau, *L'Opinion juive et l'affaire Dreyfus*, Albin Michel, 1995.

10. Sur cet incident, cf. Pierre Birnbaum, *Les Fous de la République. Histoire des Juifs d'État, de Gambetta à Vichy*, Paris, Fayard, 1992, p. 428.

11. Cf. William Serman, *Les Officiers français dans la nation, 1848-1914*, Paris, Aubier, 1982, p. 108.

12. Service historique des Armées, Vincennes, 3e Série, 582, dossier Bloch.

13. Ami de Joffre et de Foch, Edmond Mayer sera, dans l'entre-deux-guerres, l'un des théoriciens militaires les plus respectés du général de Gaulle.

14. Les militaires sortis du rang et non diplômés y occupent à eux seuls, comme le souligne Pierre Quillard, « plus de la dixième partie du volume » (*Le Monument Henry*, Paris, Stock, 1899, p. 6). Stephen Wilson estime quant à lui qu'ils forment même près d'un tiers des souscripteurs (« Le Monument Henry. La structure de l'antisémitisme en France. 1898-1899 », *Annales* n° 2). Faut-il voir là la trace d'un ressentiment « social » à l'égard des élèves des grandes écoles ?

15. Cf. *La Libre Parole* des 16 juillet 1903, 1er février 1905, 29 septembre 1907.

L'hypothèse des services secrets

Jean Doise

L'affaire Dreyfus garde encore aujourd'hui son mystère. S'il est établi que le capitaine juif condamné en 1894, gracié en 1899, et finalement réhabilité en 1906, est innocent, et s'il ne fait plus de doute pour personne – hormis quelques antidreyfusards aveuglés par la passion – que le bordereau accusateur a été écrit par le commandant Esterhazy, il demeure que celui-ci a joui, comme le rappelle son récent biographe Marcel Thomas, d'un « incompréhensible » soutien de la part de l'armée : « Comment ne pas [...] s'étonner de voir tant d'officiers supérieurs ou généraux lui prodiguer vingt années durant les éloges les plus flatteurs. [...] On ne peut croire qu'ils aient été tous aveugles, ou stupides[1] ! »

L'impunité de celui qui passe pour un traître dans presque tous les livres d'histoire a évidemment intrigué. Des esprits ingénieux, notamment Henri Guillemin dans *L'Énigme Esterhazy*[2], ont bâti des hypothèses, subodoré des complicités inconnues, imaginé derrière le personnage, pittoresque mais limité, un bras protecteur beaucoup plus long. Or Esterhazy, entre mille mensonges, nous a mis lui-même sur une piste : il ne serait pas coupable de trahison mais aurait simplement travaillé pour le Service de renseignements français, bref il aurait contribué à une intoxication – une « intox », comme on dit dans les romans d'espionnage.

Le contenu même du bordereau devrait à cet égard retenir notre attention : il n'est strictement d'aucun intérêt pour les Allemands. On y parle en effet du canon de 120, alors que les Français sont en train de préparer le canon à tir rapide, le fameux 75, l'arme qui assura la victoire des forces françaises lors de la bataille de la Marne en septembre 1914. Or les Renseignements français – ce que, sans aucun doute,

Esterhazy lui-même ignorait – veulent persuader l'ennemi potentiel que l'artillerie française mise sur le 120, afin de mieux dissimuler les travaux sur le 75.

Mais Dreyfus, dans cette histoire ?

Il a été l'innocente victime d'une machination très complexe. Ce polytechnicien originaire de Mulhouse, capitaine à l'École de pyrotechnie à Bourges, sorti de l'École supérieure de guerre en octobre 1892, avait dû à son excellent rang d'entreprendre une série de stages dans les bureaux de l'état-major général. Il est ainsi successivement passé au premier bureau (personnel et mobilisation), au quatrième bureau (transports), au deuxième bureau (armées étrangères) et au troisième bureau (opérations). Parallèlement à ces stages, il effectue des séjours dans la troupe : lorsqu'il est arrêté le lundi 15 octobre 1894, et incarcéré à la prison militaire du Cherche-Midi, il sert au 39e d'infanterie.

Le seul document qu'on ait pu utiliser pour alléguer la trahison était une lettre manuscrite, non signée et non datée (le bordereau), censée avoir été retrouvée dans la corbeille à papier de l'attaché militaire à l'ambassade d'Allemagne, Maximilien von Schwarzkoppen, par une femme de ménage alsacienne, Marie Bastian, qui « faisait » certaines des corbeilles à papier de l'ambassade pour le compte du Service secret français.

Ce bordereau est rapidement attribué au capitaine Dreyfus, parce que ce dernier a été dénoncé comme espion par une lettre venue d'Alsace, adressée au lieutenant-colonel Sandherr, chef du Service des renseignements (appelé pudiquement Section de statistique), sans doute par son beau-frère, un Suisse, M. Oehler, résidant à Francfort. La plupart des historiens de l'Affaire ignorent cette lettre – qui n'a jamais été retrouvée –, à quelques exceptions près, comme Armand Charpentier dans *Les Côtés mystérieux de l'affaire Dreyfus* (1937).

Néanmoins, son existence est prouvée car plusieurs allusions y sont faites au cours de la procédure[3]. Mais on ne pouvait pas en faire état devant un tribunal français sans avouer publiquement qu'il y avait des espions français en Alsace allemande. Sandherr crut alors habile de déplacer la scène à Paris, en chargeant Dreyfus, non pas à l'occasion de son voyage en Alsace fin 1893, motivé par la mort de son père, où il aurait pu trahir, mais en lui attribuant l'envoi du bordereau à Schwarzkoppen. On faisait ainsi coup double : punir un présumé traître et accréditer l'importance dudit bordereau, dont la finalité restait de détourner l'attention des Allemands de la préparation du canon de 75.

Notons cette coïncidence : c'est le 8 octobre 1894 que le général Mercier, ministre de la Guerre, préside le conseil supérieur de la guerre auquel assiste le gouverneur de Paris, le général Saussier, le général chef d'état-major général de Boisdeffre et un aréopage de généraux. Ce jour-là, le conseil prend acte de la poursuite active des recherches sur le canon à tir rapide, dit de 75 C, pour lequel il restait à finir de mettre au point le système de frein conçu par les ingénieurs français de l'atelier d'artillerie de Puteaux. C'est huit jours après que Dreyfus est arrêté et accusé de renseigner les Allemands sur le canon de 120 : pour abuser l'ennemi, on lui montait une comédie.

Comme il est de règle dans une « intox », le même message est transmis de plusieurs côtés à la fois, au cas où le bordereau ne tomberait pas entre les mains de Schwarzkoppen[4]. Tout d'abord, deux notes rédigées en 1894 correspondant aux deux premiers points du bordereau – sur le 120 et les formations d'artillerie – sont remises en main propre à l'attaché militaire allemand par le commandant Esterhazy. Or les brouillons de ces deux notes seront retrouvés en 1903 dans un coffre du Service des renseignements par le capitaine Targe, chargé d'une enquête par le général André : ils étaient de la plume de deux officiers qui faisaient partie, en 1894, de l'équipe de Sandherr, Henry et Lauth.

Selon les récits d'Émile Rimailho, lieutenant-colonel en retraite[5], une autre mystification fut, durant l'été 1895, infligée à l'attaché militaire d'une ambassade à Paris dont « on » savait qu'il renseignait les Allemands, et que nous ne voulons pas désigner ici, pour des raisons diplomatiques. C'est ainsi que le bruit courut que le nouveau canon français ferait des tirs d'essai à Fontainebleau pendant les mois d'été. L'attaché en question loua donc une villa de vacances sur la route du polygone. On le laissa s'installer ; ce qui permit à un cortège d'agents de police en civil et en tenue, sabre Z au côté, et d'artilleurs à cheval, de passer sous ses fenêtres, puis d'y repasser, dans l'ordre inverse, entourant une pièce d'artillerie bâchée. Au bout de quelques jours, par un effet de la légendaire légèreté française, cette même pièce d'artillerie passait débâchée : elle n'avait évidemment que peu de rapports avec le 75 C… Signalons aussi un numéro du supplément illustré du *Petit Journal* où figure une image hautement fantaisiste de « notre nouveau canon », à moitié dissimulé par la botte d'un prétendu conférencier…

L'homme clé de toute l'opération était le général Deloye, polytechnicien, directeur de l'artillerie. C'est lui qui donne les ordres nécessaires aux techniciens de Puteaux et de Bourges, où est construit le 75. C'est lui également qui répartit les tâches entre les brigades d'artillerie qui se voient confier le matériel nouveau pour des expériences pratiques. Il est enfin tout à fait au courant – pour les avoir organisés avec l'autorisation de Freycinet et du président de la République – des tours de passe-passe budgétaires par lesquels les travaux du 75 furent camouflés[6]. En avril 1898 étaient ainsi achevées cinquante-cinq batteries à quatre pièces, soit deux cent vingt tubes. On allait encore en construire vingt fois plus.

Arrivé à ce point de notre analyse, nous pouvons déjà tirer une première conclusion : l'« intox » est extrêmement complexe parce qu'elle a plusieurs niveaux ; elle se présente donc comme un écheveau. Au départ, les choses sont assez simples. C'est l'« intox » selon Sandherr : Dreyfus a été dénoncé, et, en tant que chef du Service des renseignements, il veut le punir mais il ne peut faire état de la lettre d'Alsace qui aurait éveillé l'attention de l'Allemagne sur l'intensité de l'espionnage français dans les « provinces perdues ». Sandherr fait donc dicter à Esterhazy par son adjoint, Henry – qui connaît celui-ci depuis son passage à la Section de statistique à la fin des années 1870 –, un texte, le bordereau, destiné à abuser les Allemands, qui fait état du canon de 120 mais surtout pas du canon de 75.

À ce moment-là, le général Mercier, apprenant qu'il y aurait un traître dans le saint des saints, redoute que celui-ci n'ait à son actif des fuites concernant le 75. Comme le ministre ne peut pas interroger directement Dreyfus sans mentionner le canon de 75, il le fait enfermer au secret, à la prison du Cherche-Midi, puis en Guyane. Il passe la consigne à son successeur, le général Zurlinden, lequel, à ce qu'on peut supposer, puisque l'Affaire semble terminée, n'en informe pas son propre successeur dans le ministère Léon Bourgeois (1er novembre 1895-29 avril 1896), le civil Cavaignac. Mais avec le général Billot, nommé à la Guerre dans le cabinet Méline (29 avril 1896-28 juin 1898), les militaires tiennent à nouveau le ministère et Billot fait un extraordinaire numéro de silence dont Anatole France s'est abondamment moqué dans *L'Ile des pingouins*.

Le théâtre s'anime toutefois lorsque Picquart remplace Sandherr au Service des renseignements. Henry ne le met pas au courant de l'« intox ». Sorti du rang, quelque peu dépassé par sa fonction, celui-ci rêve en fait de succéder à Picquart avec qui il s'entend mal, ou plutôt qu'il ne comprend pas, les deux hommes appartenant à des cultures trop différentes. Or Picquart découvre la supercherie : Esterhazy est l'auteur du bordereau. Ce qu'il ignore, c'est qu'Esterhazy a agi sur ordre de Sandherr : que si Dreyfus est innocent, Esterhazy l'est aussi ; qu'il n'y a, dans l'affaire, aucun traître…

S'il y avait eu un traître, il serait allé directement à l'ambassade allemande rapporter que les Français avaient découvert le canon à tir rapide. Il n'en est rien : ce n'est que bien plus tard, en 1900-1901, que les Allemands se rendront compte du retard qu'ils ont pris dans ce domaine, un retard qu'ils n'auront pas comblé en 1914. Picquart, malgré toutes ses qualités et sa vive intelligence, se trompe donc totalement, comme le général Gonse, sous-chef de l'état-major général, essaie de le lui faire comprendre. Gonse a eu le tort de ne pas être plus explicite, mais il ne savait pas tout. L'Affaire est en effet devenue si complexe que personne n'en domine toutes les composantes.

Autre indice d'importance : quand l'affaire Dreyfus est relancée par la presse, en septembre 1896, tout se passe comme si ce nouveau rebondissement servait de camouflage à la sortie du 75. L'Affaire ressurgit quand le quotidien *L'Éclair*, qui comptait parmi ses pigistes un employé civil du Service de renseignements – *L'Éclair* et *Le Petit Journal* sortaient les nouvelles que les services secrets voulaient rendre publiques –, publia, le 14 septembre 1896, un article révélant un certain nombre de faits exacts, et jusque-là inconnus, relatifs au conseil de guerre de décembre 1894, notamment l'existence d'un dossier secret non communiqué à l'accusé et à son avocat, qui avait emporté l'adhésion des juges militaires. Le surlendemain, Lucie Dreyfus demandait aux Chambres la révision du procès de son mari pour vice de procédure.

À partir de là, les coups de théâtre se succèdent : le journaliste Bernard Lazare fait imprimer à Bruxelles, le 6 novembre, une brochure où il affirme que Dreyfus est victime d'une erreur judiciaire. Le 10 du même mois, *Le Matin* publie une photographie du bordereau, qu'un des experts lui a vendue. Désormais, la presse française – et spécialement parisienne – revient inlassablement sur le sujet. Dans ce tumulte, le canon de 75 est mis au point, et donné aux troupes, aux batteries à cheval pour commencer, puis à toute l'artillerie de campagne. *L'Almanach du drapeau* de 1900 publie d'ailleurs sur le canon une notice assez longue et exacte. Mais les Allemands ne réagirent que lorsque le 75 fut utilisé lors de l'expédition internationale de Chine, d'août 1900[7].

Dreyfus a donc servi de leurre aux artilleurs français – ou plutôt aux quelques artilleurs français qui agissaient activement autour du nouveau canon. Il n'a pas communiqué de secrets militaires aux Allemands, tout simplement parce que la solution technique du frein à petite course (celui du 120), que dévoile le bordereau en des termes fort vagues, était sans valeur. Il a fait les frais d'une erreur judiciaire, et aussi d'une manœuvre de manipulation entre services secrets. Ce qui a compliqué les choses, c'est que l'« intox » avait deux strates, au moins : pour Sandherr, il s'agissait de fabriquer un faux document, le bordereau, à la fois pour boucler Dreyfus soupçonné d'avoir trahi à Mulhouse, et pour abuser les Allemands ; pour Mercier, il fallait enfermer Dreyfus, pour qu'il n'ait pas la possibilité de parler du nouveau canon.

Les conseils de guerre successifs ont condamné Dreyfus pour assurer le succès de cette manœuvre d'intoxication, mais tout le monde était dupé : les membres du Service de renseignements, qui accusaient Dreyfus d'une trahison qu'il n'avait pas commise, et le prenaient à tort pour un espion à cause de la dénonciation venue d'Alsace ; le général Mercier, persuadé du danger que pouvait représenter Dreyfus pour le secret des travaux du 75 ; le lieutenant-colonel Picquart, qui prit Esterhazy pour un vrai coupable... En fait, chacun ne connaît qu'un des éléments de la vérité. Esterhazy lui-même, qui, une fois en Angleterre, expliquera avoir été utilisé par Sandherr et Henry, déclarera ne rien savoir du canon de 75. Pour compliquer encore les choses, l'Affaire devint politique, toutes les passions idéologiques s'en mêlèrent, l'antisémitisme y apportant son venin.

Tout s'éclaire, nous semble-t-il, si nous considérons que les deux séries d'événements – l'arrestation et la condamnation de Dreyfus, en octobre et décembre 1894, et l'élaboration du canon de 75 à l'établissement d'artillerie de Puteaux, qui s'étend de la conception de la pièce à sa mise en service, de la fin de 1892 à 1898 – sont liées. Et que ce qui passe pour une médiocre affaire d'espionnage, dont la figure centrale serait un Esterhazy décavé et de moralité douteuse, devenue une affaire nationale par l'accusation portée à tort sur un innocent, a été à l'origine une affaire d'intoxication dont la réussite fut indéniable mais aux dépens du malheureux Dreyfus.

Notes

1. M. Thomas. *Esterhazy ou l'envers de l'affaire Dreyfus.* Vernal Philippe Lebaud, 1989, p. 167.

2. Paris, Gallimard, 1962.

3. C'est ainsi qu'au procès Zola, devant la cour d'assises de la Seine, en février 1898, le lieutenant-colonel Henry déclare : « *[Le colonel Sandherr]* m'a fait voir une lettre en me faisant jurer de n'en jamais parler. J'ai juré. » *Le Procès Zola.* t. I, Paris, Stock, 1898, p. 376.

4. Cf. Michel de Lombarès, *L'Affaire Dreyfus, la clé du mystère*, Paris, Laffont, 1970.

5. Émile Rimailho, polytechnicien sorti dans l'artillerie, prend le 5 janvier 1895 ses fonctions d'adjoint au capitaine Sainte-Claire Deville, lui-même arrivé à l'atelier d'artillerie de Puteaux le 12 décembre 1894 en remplacement du lieutenant-colonel Deport pour la mise au point du 75.

6. Le projet de loi de finances du 21 décembre 1897 autorisait l'ouverture d'un compte de trésorerie alimenté par des obligations à court terme gagées sur le produit de la vente future de terrains militaires. Les fonds serviraient à la construction d'une nouvelle enceinte qui devait englober les communes de la proche banlieue de Paris ; on n'en fit rien, mais l'argent était disponible pour financer la construction du 75.

7. En juin 1900, les Boxers (secte chinoise qui combattait l'influence occidentale grandissante en Chine) assassinèrent le ministre allemand à Pékin et assiégèrent les légations occidentales. Celles-ci ne furent dégagées que par l'intervention d'un corps expéditionnaire international, qui entra à Pékin en août 1900. Le 75 fut employé dans les opérations qui suivirent.

« Nier c'est avouer »

Le général Panther, chef de l'état-major général, qui a une nette ressemblance avec Boisdeffre, rend compte du procès du Juif Pyrot au général Greatauk :

« – Par bonheur, *dit-il*, les juges avaient une certitude, car il n'y a pas de preuves.

« – Des preuves, murmura Greatauk, des preuves, qu'est-ce que cela prouve ? Il n'y a qu'une preuve certaine, les aveux du coupable. Pyrot a-t-il avoué ?

« – Non, mon général

« – Il avouera : il le doit, Panther, il faut l'y résoudre ; dites-lui que c'est son intérêt. Promettez-lui que s'il avoue il obtiendra des faveurs, une réduction de peine, sa grâce ; promettez-lui que s'il avoue, on reconnaîtra son innocence ; on le décorera… Mais dites-moi, Panther, est-ce qu'il n'a pas déjà avoué ? Il y a des aveux tacites ; le silence est un aveu.

« – Mais, mon général, il ne se tait pas ; il crie comme un putois qu'il est innocent.

« – Panther, les aveux d'un coupable résultent parfois de la véhémence de ses dénégations. Nier désespérément, c'est avouer.

(Anatole France, *L'Ile des pingouins*,
livre IV, Les temps modernes », chapitre II.)

La vie privée d'Alfred Dreyfus

Joseph Davy

La cause de l'innocent châtié prend toujours un caractère religieux : il faut que la victime, pour mériter la compassion et l'exigence de justice des foules, prenne si possible les traits d'une figure angélique, ou à tout le moins d'un humain au-dessus de tout soupçon. L'imagerie d'Épinal, au propre et au figuré, a bien fonctionné en faveur de l'héroïsation d'Alfred Dreyfus. Quand ses lettres, expédiées depuis l'île du Diable à sa femme Lucie, ont été publiées, tant de dignité, tant d'affection, tant de tenue exprimées, ont forcé – à juste titre – le respect. Le comportement même de Lucie durant toute l'Affaire, sa discrète ténacité, son sang-froid, la confiance qu'elle n'a cessé de garder et en son mari et en la justice de son pays, tout chez elle inspira l'admiration.

La vérité néanmoins n'est pas divisible. Si l'on comprend qu'on fasse de Dreyfus un juste en face d'ennemis haineux qui le traînent dans la boue et qui réclament sa mort, il ne servirait de rien que nous tombions nous-mêmes aujourd'hui dans le roman à l'eau de rose. Dreyfus n'était pas aimé de ses camarades, on le vit à leurs diverses dépositions. L'expliquer par l'antisémitisme est trop commode : le capitaine n'était pas le seul officier juif de l'armée française, et on ne sache pas qu'ils étaient tous mal aimés. On peut toujours dire que lui était hautain, peu liant, pisse-froid : les dreyfusards eux-mêmes n'ont pas toujours été vraiment enchantés par l'homme. Mais la vie privée de Dreyfus pourrait nous en apprendre davantage.

Prenons, pour en savoir plus, le compte rendu sténographique de la révision de son procès, en octobre 1898[1]. On peut y lire le rapport d'instruction préliminaire de du Paty de Clam et le rapport officiel du commandant Ormescheville. Il apparaît dans l'un et l'autre que « la conduite privée du capitaine Dreyfus est loin d'être exemplaire ». Avant son mariage, Dreyfus compte un certain nombre d'aventures avec des femmes mariées. Il est même mêlé à une affaire scabreuse, concernant « une femme Dida », mariée, fort riche, « qui a la réputation de payer ses amants et qui, à la fin de 1890, fut assassinée à Ville-d'Avray par Wladimiroff. Le capitaine Dreyfus, qui était alors à l'École de guerre et qui venait de se marier, fut cité comme témoin dans cette scandaleuse affaire, jugée par la cour d'assises de Versailles, le 25 janvier 1891 ».

Le rapport poursuit : « Pendant son séjour à Bourges, il a pour maîtresse une femme mariée ; il en a une autre à Paris, également mariée et qu'il y rencontre quand il y vient. En dehors de ces relations avouées par le capitaine Dreyfus, parce qu'il n'a pu les nier, il était, avant son mariage, ce qu'on peut appeler un coureur de femmes, il nous l'a d'ailleurs déclaré au cours de son interrogatoire. Depuis son mariage, a-t-il changé ses habitudes à cet égard ? Nous ne le croyons pas, car il nous a déclaré avoir arrêté la femme Y… dans la rue, en 1893, et avoir fait la connaissance de la femme Z… au concours hippique, en 1894. La première de ces femmes est Autrichienne, parle très bien plusieurs langues, surtout l'allemand ; elle a un frère officier au service de l'Autriche, un autre est ingénieur ; elle reçoit des officiers ; c'est une femme galante, quoique déjà âgée, le commandant Gendron nous l'a déclaré. La femme Y… figure, en outre, depuis plusieurs années, sur la liste des personnes suspectes d'espionnage. Le capitaine Dreyfus lui a indiqué sa qualité, l'emploi qu'il occupait, lui a écrit et fait des visites et finalement s'est retiré parce qu'elle ne lui avait pas paru catholique *[sic]* ; ensuite il l'a traitée de sale espionne ; et, après son arrestation, son esprit est hanté par l'idée qu'elle l'a trahi. »

Le rapport s'étend ensuite sur le cas de la femme Z…, d'une lettre d'elle à Dreyfus qui se termine par : « À la vie, à la mort ! »

On peut imaginer le trouble de Dreyfus, une fois enfermé au Cherche-Midi. Il ne comprend rien à son arrestation, mais il s'est sans doute demandé si, par mégarde, il n'aurait pas fait telle ou telle confidence sur l'oreiller qui aurait pu être transmise à « l'ennemi potentiel ». Il jure de son innocence, mais avoue ses liaisons « sentimentales », peut-être dangereuses. À la Cour de cassation, le conseiller rapporteur, évoquant ces liaisons, passe très vite : « Pour les deux femmes qu'il a connues en 1893 et 1894, on ne relève que quelques visites ou entrevues, auxquelles Dreyfus aurait lui-même mis fin. »

À l'armée, un coureur de jupons n'a pas mauvaise presse. Mais celui-ci était riche. Il avait hérité de son père, industriel de Mulhouse, la somme coquette de deux cent trente-cinq mille francs, auxquels s'ajoutent les bénéfices qu'il tire de la filature familiale, sans parler de sa solde. Dans le langage dru des militaires, il faisait l'envie de tous les peigne-culs qui l'entouraient, en se « payant » les femmes qu'il voulait. En se mariant, il devient encore plus riche, car Lucie Hadamard, son épouse, fille d'un négociant en diamants, apporte une belle dot au ménage, lequel dispose désormais de vingt-cinq à trente mille francs de revenu[2].

Ajoutons à cette richesse qui fait des envieux le fait que le frère aîné d'Alfred, Jacques Dreyfus, est resté en Alsace pour faire tourner l'entreprise familiale. Alfred Dreyfus a opté en 1872 pour la nationalité française comme son père, mais « il résulte de ses déclarations à l'interrogatoire qu'il pouvait se rendre en Alsace en cachette, à peu près quand il le voulait, et que les autorités allemandes fermaient les yeux sur sa présence. Cette faculté de voyager clandestinement qu'avait le capitaine Dreyfus contraste beaucoup avec les difficultés qu'éprouvaient à la même époque et de tout temps les officiers ayant à se rendre en Alsace pour obtenir des autorisations ou des passeports des autorités allemandes[3]. »

Dans tout cela, rien qui puisse expliquer les mobiles d'une « trahison », comme le dit nettement le conseiller rapporteur. En revanche, ces faits – la richesse de Dreyfus, ses succès féminins, ses voyages plus ou moins autorisés en Alsace, terre du Reich – sont autant d'éléments qui peuvent expliquer, sinon excuser, la suspicion des uns, la jalousie des autres, l'hostilité de bon nombre, à quoi s'ajouteraient, on s'en doute, les préjugés antisémites.

Le capitaine Alfred Dreyfus n'était pas un saint. C'était un officier profondément patriote – on a souvent dit, par plaisanterie, que si l'accusé n'avait pas été lui-même il n'eût certes pas été dreyfusard – ; c'était un homme courageux, aimé des siens et aimant les siens, mais, aussi, un homme comme un autre. Le malheur transfigure les individus. Il est certain qu'Alfred Dreyfus, en 1899, au procès de Rennes, après quatre ans et demi de déportation dans une enceinte fortifiée, n'était plus le même qu'en octobre 1894, au moment de son arrestation. La souffrance de l'injustice tue les êtres ou les transforme en héros. C'est le martyre de l'île du Diable qui a fait de Dreyfus un héros.

Notes

1. *La Révision du procès Dreyfus à la Cour de cassation*, Paris, Éd. de l'Aurore, 1898.
2. *Ibid.*, p. 26.
3. *Ibid.*, p. 4.

La bataille des experts en écriture

Bertrand Joly

Dans sa partie strictement judiciaire, l'affaire Dreyfus tourne entièrement autour d'un court document écrit à la main, le fameux bordereau. Plus tard viennent s'y ajouter d'autres pièces non moins célèbres, comme le « petit bleu », le faux Henry, le faux Weyler, etc. Tout part cependant de cette question terriblement simple : le capitaine Dreyfus est-il oui ou non l'auteur du bordereau ? Pour y répondre, les dénégations du suspect imposent de recourir à des experts en écriture, en encre ou en papier, mais, comme chaque camp récuse au fur et à mesure les rapports qui lui sont défavorables et rétorque par de nouvelles expertises, l'Affaire fait une consommation effrayante de « spécialistes » plus ou moins sérieux. Car, rappelons-le, il n'existe aucune formation spécifique pour cette profession à l'autorité d'autant plus relative qu'un expert travaille ordinairement avec des collègues dont les conclusions peuvent être opposées aux siennes.

De 1894 à 1906, les diverses instances judiciaires en charge de l'affaire désignent officiellement une bonne quarantaine d'experts différents, chiffre qu'il faut sans doute doubler puisque certains interviennent jusqu'à quatre fois. Ce n'est d'ailleurs pas tout : aux experts officiels ayant prêté serment se joint une foule de bonnes volontés officieuses qui font connaître leurs conclusions par voie de presse ou de brochure. On peut donc distinguer six groupes d'experts : les experts officiels, c'est-à-dire agréés par la justice ; les chartistes ; les militaires ; les mathématiciens ; les étrangers ; les amateurs. Pour s'y reconnaître dans ce labyrinthe, la solution la plus simple est de suivre la chronologie de l'Affaire au gré des procédures, en commençant par l'enquête militaire qui précède et provoque l'arrestation de Dreyfus.

Le 4 octobre 1894, des photographies du bordereau sont distribuées aux chefs de service du ministère de la Guerre, et le général Deloye passe beaucoup de temps en comparaisons d'écritures infructueuses. Le 6, à la suite d'un raisonnement fort logique et totalement faux, les colonels Fabre et d'Aboville concluent que le rédacteur du bordereau est forcément un officier d'artillerie stagiaire ; pourquoi pas celui qui a été médiocrement noté au quatrième bureau, le capitaine Dreyfus ? Les deux officiers se procurent un spécimen de son écriture, la comparent à celle du bordereau et sont aussitôt frappés par la ressemblance.

Après plusieurs autres comparaisons concluantes, ils avertissent le général Gonse qui procède au même examen et, à son tour convaincu, en avertit le général de Boisdeffre. Tout l'après-midi du 6 se passe en comparaisons effectuées par divers officiers, évidemment sincères (mais sans doute antisémites) et dénués de toute expérience ; le 7 au matin, le commandant du Paty de Clam, qui se pique de graphologie, rédige une note affirmant que la ressemblance des deux écritures rend nécessaire une expertise légale. À ce stade, la conviction de plusieurs officiers de haut rang est faite ; elle ne repose que sur des similitudes relevées (et d'ailleurs parfaitement réelles) entre l'écriture du bordereau et celle du capitaine Dreyfus ; aucun expert officiel n'est encore intervenu.

Le 9, le ministre de la Guerre, le général Mercier, demande au garde des Sceaux Guérin de lui indiquer un expert en écritures. Eugène Guérin désigne Alfred Gobert, expert de la Banque de France, qui se met aussitôt au travail. Première anomalie : le général Gonse lui rend visite à deux reprises pendant son expertise. Le 13 octobre, Gobert remet un rapport négatif et Mercier réclame une seconde expertise. Le préfet de police Lépine suggère alors Alphonse Bertillon, chef du service de l'identité judiciaire. Cette fois, les choses sérieuses commencent.

Bertillon n'est nullement le crétin que les dreyfusards accableront de sarcasmes, mais il pousse la logique de son raisonnement jusqu'aux limites de la folie et perd souvent contact avec la réalité. Il reçoit le matériel le 13 octobre à neuf heures du matin ; à dix-neuf heures, il remet son rapport : les deux écritures sont identiques. Il émet cependant une réserve : le bordereau peut être l'œuvre d'un faussaire particulièrement doué.

Le rapport Gobert est aussitôt oublié et l'arrestation de Dreyfus décidée. Elle a lieu le 15 octobre. Le 20, Bertillon remet un second rapport, plus nourri et surtout plus affirmatif que le premier, où il expose une thèse qui va devenir célèbre, celle de l'autoforgerie : Dreyfus a rédigé le bordereau en imitant sa propre écriture mais en y glissant des dissemblances calculées avec la plus grande précision ; il a décalqué, collé, s'est servi de mots écrits par ses proches, il a calculé au millimètre près des décrochements et des déplacements, bref il a travaillé des heures entières pour écrire une vingtaine de lignes. Quand Mercier conduit Bertillon chez le président de la République pour le convaincre de la culpabilité de Dreyfus, Casimir-Perier comprend instantanément qu'il a affaire à un dément en plein délire.

Toutefois, si le système Bertillon est parfait pour les accusateurs, son auteur présente le grave inconvénient de ne pas être un expert agréé par la justice. Le 22 octobre, le préfet de police commet donc trois des experts près le tribunal de la Seine, Étienne Charavay, Eugène Pelletier et Pierre Teyssonnières, pour étudier le bordereau. En dix-huit jours, ce qui n'est pas encore l'affaire Dreyfus a déjà recruté cinq spécialistes, sans compter une foule d'amateurs parmi les officiers ; et déjà, grâce à Bertillon, on nage en pleine extravagance. Étienne Charavay est archiviste-paléographe et dirige une très célèbre maison d'autographes qui porte son nom ; son intégrité, comme celle d'Eugène Pelletier, ne peut être mise en doute ; en revanche, Pierre Teyssonnières offre beaucoup moins de garanties : il sera radié peu après du tableau des experts et vendra en 1896 à la presse son fac-similé du bordereau.

Les trois hommes prêtent serment séance tenante, et reçoivent, en même temps que les documents, la consigne formelle de garder le secret le plus absolu ; tous trois ignorent le nom de l'officier en cause. Le 25, Pelletier livre un rapport négatif, mais quatre jours plus tard, Charavay et Teyssonnières présentent des conclusions différentes : les deux écritures sont de la même main, mais celle du bordereau est déguisée. Par ailleurs, les recherches faites sur le papier ne donnent aucun résultat et, le 3 décembre, le commandant d'Ormescheville, rapporteur près le premier conseil de guerre, termine son enquête : il y a lieu de renvoyer Dreyfus devant un conseil de guerre. Les divergences entre experts et les élucubrations de Bertillon ne l'ont pas troublé.

Au procès qui suit, les trois experts viennent déposer, suivis, le 21 décembre, par Bertillon. Pour mieux se faire comprendre et renforcer sa thèse de l'autoforgerie, ce dernier a préparé un étonnant schéma, le fameux Redan : pour rédiger son document, Dreyfus a utilisé plusieurs écritures, dont la sienne et celle de son frère, en prévoyant toutes les attaques et accusations possibles ; son système constitue une sorte de « citadelle logique », une place forte dont Bertillon a tracé le plan et qu'il présente dans un jargon incompréhensible : « citadelle des rébus graphiques, arsenal de l'espion habituel, travaux des maculatures machinées à double face », etc. Le conseil ne comprend rien à cette démonstration, mais d'autres la prendront plus tard au sérieux.

Dans l'immédiat, la condamnation de Dreyfus doit sans doute beaucoup plus au dossier secret qu'au bordereau. Mais en publiant un fac-similé de ce dernier dans son numéro du 10 novembre 1896, *Le Matin* rend la parole aux experts. L'historien Gabriel Monod en donne une analyse favorable à Dreyfus mais restée inédite, et Bernard Lazare publie dans son second mémoire, *Une erreur judiciaire. L'affaire Dreyfus* (1897), dix expertises – dont huit sont l'œuvre de savants étrangers –, affirmant toutes que le bordereau n'est pas de la main de Dreyfus ; une majorité l'attribue à un faussaire.

Le 16 novembre 1897, Mathieu Dreyfus, en dénonçant Esterhazy, relance la machine judiciaire et par conséquent les expertises officielles. Trois experts sont nommés : Edmé Belhomme, Étienne Charavay et Pierre Varinard, déjà commis pour la « lettre du uhlan » (lettre dans laquelle Esterhazy rêvait de voir Paris mis au pillage par 100 000 soldats ivres) qu'ils ont jugée douteuse, ce qui rassure. Charavay, déjà expert en 1894, est remplacé par un autre chartiste, Couard, expert près le tribunal de Seine-et-Oise.

Le 26, les trois hommes rendent leurs conclusions : le bordereau est d'une écriture forgée, non naturelle ; son auteur n'est pas Esterhazy, dont l'écriture a peut-être été imitée. Au même moment, Alphonse Bertillon réaffirme la culpabilité de Dreyfus en assenant deux articles compliqués aux lecteurs de *La Revue scientifique*.

Les trois experts, sans doute sincères, ont à l'évidence subi la pression des militaires ; Belhomme est de plus à moitié gâteux et chez Couard, la vantardise et l'entêtement obscurcissent parfois l'intelligence. Dans « J'accuse », Zola accablera leur « rapport mensonger et frauduleux », et il aura certainement tort ; l'erreur des trois hommes, incontestable, résulte davantage de leur incapacité à résister à l'atmosphère insidieuse et partisane de l'instruction que d'une volonté délibérée de nuire et de mentir.

Le 21 janvier 1898, ils portent plainte pour diffamation contre Zola qui se met lui-même en quête d'experts nouveaux, offrant d'incontestables garanties de compétence et d'indépendance. Il s'adresse donc majoritairement à d'anciens élèves de l'École des chartes, et aux professeurs qui y enseignent, dont le directeur, Paul Meyer. Ceux-ci acceptent, non sans hésitation, et sous la réserve qu'au cas où leurs conclusions seraient défavorables à Dreyfus, ils les feraient néanmoins connaître.

L'interminable défilé des experts au procès Zola commence à la sixième audience, le 12 février 1898, avec Bertillon qui refuse de refaire sa démonstration : « Je n'ai pas confiance dans l'expertise en écriture », déclare-t-il, « quant à moi, j'ai des preuves convaincantes et démonstratives », preuves qu'il garde soigneusement pour lui malgré les sarcasmes de la défense. Lui succèdent, pendant quatre longues séances, les experts qui ont opéré depuis 1894 et qui tous restent sur leurs positions. Charavay fait cependant cette remarque de bon sens : « Jamais de ma vie je ne condamnerais sur une expertise en écriture. » Puis viennent les nouveaux experts, notamment les chartistes dont les conclusions sont toutes, avec les réserves d'usage, favorables à Dreyfus.

Cela provoque d'ailleurs un certain tumulte : en pleine audience, Couard qualifie Paul Meyer, son ancien professeur de langues romanes, d'ignorant et de « témoin d'occasion ». Mais il y a plus grave : les experts requis par Zola n'ont pas eu accès au bordereau et ont donc travaillé sur le fac-similé publié par *Le Matin* ; naturellement, les militaires affirment qu'il s'agit d'une reproduction médiocre, infidèle et inutilisable, ce qui provoque un vif échange entre Meyer et le général de Pellieux.

Surtout, le comte de Lasteyrie, professeur d'archéologie à l'École des chartes et député de la Corrèze, rappelle par voie de presse à ses « très savants confrères » qu'un bon chartiste travaille sur des originaux et que le recours à une copie suspecte est une faute professionnelle majeure; les « très savants confrères », ulcérés, lui rétorquent qu'ils n'ont cessé de réclamer l'original à l'audience, qu'ils ont formulé plusieurs fois les réserves nécessaires et enfin que les historiens, souvent contraints de se passer d'originaux, détruits ou égarés, pour se contenter de copies, obtiennent néanmoins de bons résultats. Au même moment, une pétition signée par une cinquantaine de chartistes et publiée dans la presse apporte à Lasteyrie un soutien qu'il juge lui-même intempestif.

Au total, les dépositions des experts tournent nettement à l'avantage de la défense et c'est l'une des raisons qui poussent le général de Pellieux à révéler, lors de l'audience du 17 février, l'existence d'un document écrasant pour Dreyfus. Il ignore qu'il s'agit d'un faux – le « faux Henry ».

De la fin du procès Zola (mars 1898) à la découverte du faux Henry (août 1898), l'Affaire marque un temps d'arrêt sur le plan judiciaire. Dans *Le Siècle*, Arthur Giry, l'un des chartistes experts au procès Zola, démolit méthodiquement le faux Henry et en démontre la fausseté. Cette performance a d'autant plus de mérite qu'on ne dispose à ce moment-là que de la teneur du document, lu imprudemment à la Chambre par le ministre de la Guerre, et non du document lui-même. Le suicide du faussaire vient presque aussitôt donner raison à Giry, relançant l'Affaire, et par conséquent les expertises.

Le 27 octobre 1898, la Cour de cassation ouvre son enquête ; elle désigne trois experts en papier et un expert en chimie pour l'encre, puis elle entend la plupart des experts du procès Zola, y compris l'ineffable Bertillon ; tous persistent dans leurs conclusions, à une exception près, Charavay, qui exprime ses doutes. Paul Meyer et ses confrères, qui disposent désormais des originaux, confirment qu'Esterhazy est l'auteur du bordereau. Mais, le 23 avril 1899, la Cour reçoit une lettre de Charavay abjurant ses erreurs anciennes et attribuant à son tour le bordereau à Esterhazy. Il semble qu'il ait subi l'influence de ses deux amis dreyfusards, Gabriel Monod et Anatole France ; pour l'état-major et la presse, il est clair que le « Syndicat » dreyfusard l'a acheté.

L'arrêt rendu le 1er juin 1899, qui casse le jugement de 1894, fait expressément référence aux expertises favorables à Dreyfus. Au procès de Rennes, on assiste derechef à l'interminable défilé des experts. Le conseil de guerre en subit seize de suite. Bertillon a été le deuxième appelé à la barre, juste après Gobert, et a pu, pour la troisième fois, faire sa démonstration – un exercice qui durera deux jours de suite (soit, avec les questions, un total de quatre-vingts pages imprimées de façon compacte dans l'édition Stock des débats) et qui se terminera sous les rires de l'assistance.

Par comparaison, les autres experts, qui se bornent à répéter leurs précédentes prestations, paraissent des modèles de concision. Au total, les seules différences tiennent à l'apparition de quelques nouveaux personnages dont le capitaine Valério et le commandant Corps, ardents défenseurs de Bertillon, et surtout aux sous-entendus venimeux sur Charavay dont le retournement est jugé « suspect ». Qu'a retenu le conseil de guerre de ces longues discussions quelque peu convenues ? Bien peu de choses, sans doute, si l'on en juge par le verdict final. Les professeurs de l'École des chartes ont même franchement déplu, à en croire l'envoyé spécial du Quai d'Orsay, le dreyfusard Maurice Paléologue : « Le conseil de guerre les écoute avec une attention scrupuleuse mais pleine de méfiance ; car il voit en eux surtout des “intellectuels”, ces pédants présomptueux qui se croient les aristocrates de l'esprit et qui ont tous perdu plus ou moins la mentalité nationale. »

À partir de 1904, la seconde révision du procès Dreyfus *(cf. chronologie, p. 15-32)* suscite tout autant le zèle des experts, mais la querelle se règle beaucoup plus par voie de presse ou au moyen de conférences et de brochures que dans le prétoire. Il est impossible de dresser ici la liste des articles et des fascicules publiés entre 1904 et 1907 par des bénévoles plus ou moins qualifiés et plus passionnés que sereins. Du côté antidreyfusard, le flambeau a été repris par l'Action française, qui donne aux polémiques d'experts une note d'agressivité et d'acharnement bien dans sa manière, en serrant les rangs autour du système Bertillon, sacré œuvre de génie. Teyssonnières rédige une brochure intitulée *Les Faits nouveaux*, sans doute parce qu'elle ne contient justement aucun fait nouveau.

Le 18 avril 1904, la Cour de cassation désigne trois experts : Appell, doyen de la faculté des sciences ; Darboux, secrétaire perpétuel de l'Académie des sciences, et Henri Poincaré, professeur à la Sorbonne, afin d'étudier les divers systèmes en présence. Les trois hommes travaillent soigneusement et entendent Bertillon, également reçu par la Cour ; leur rapport conclut à la fausseté de la construction de ce dernier, conclusion qui entraîne naturellement une nouvelle polémique avec l'Action française.

Le 12 juillet 1906, l'arrêt de la Cour de cassation qui innocente définitivement Dreyfus se fonde, en matière d'écritures, sur les dépositions des professeurs de l'École des chartes entendues en 1899, et sur l'expertise Appell-Darboux-Poincaré. En 1907 encore, l'Action française continuera à soutenir Bertillon, dans l'indifférence générale.

On peut finalement considérer cette longue bataille d'experts de deux manières. Certains s'étonneront qu'on ait dépensé tant d'énergie et tant de temps pour en arriver à cette évidence que le bordereau est de la main d'Esterhazy ; beaucoup de bruit pour rien, en somme, d'autant plus que le bordereau n'a, semble-t-il, joué qu'un rôle secondaire parmi les pièces à conviction. D'autres considéreront au contraire que ce combat devait être livré sans défaillance et que même l'évidence a besoin de preuves et de démonstrations.

L'archéologue de l'Affaire

Hervé Duchêne

Face aux campagnes menées contre Dreyfus par Édouard Drumont dans *La Libre Parole*, les trois frères Reinach eurent, selon Nelly Wilson, des attitudes très différentes : Théodore (1860-1929), historien et numismate, « préconisait le mépris du silence, comme étant la seule réponse digne[1] », Joseph (1856-1927), ancien secrétaire de Gambetta et futur auteur d'une monumentale *Histoire de l'affaire Dreyfus*, voulait combattre. Salomon, l'archéologue (1858-1932), « semble s'être situé entre les deux ».

Ancien membre de l'École d'Athènes et membre de l'Institut, il ne se contenta pourtant pas d'une position moyenne, qui aurait été conforme à sa situation de savant éloigné de l'arène politique et des combats militants. Historien de l'art et spécialiste des religions antiques, il s'engagea en faveur de Dreyfus avec une fougue égale à celle de son frère aîné. Dès l'automne 1896, la brochure de Bernard Lazare l'avait convaincu de l'innocence du capitaine et « il figurait parmi les premiers intellectuels à faire partie du syndicat moral[2] ». En publiant une pièce inédite du dossier transmis en novembre 1898 à la Cour de cassation qui délibérait sur la révision du procès Dreyfus, *Les Cahiers naturalistes* viennent de révéler un épisode insoupçonné où l'archéologie croise l'Affaire et où Salomon Reinach joue le premier rôle[3].

On savait déjà que, sous le pseudonyme de « l'archiviste »[4], le conservateur adjoint du musée de Saint-Germain s'était montré actif. Dans son livre *Drumont et Dreyfus*, il avait rassemblé trois études sur *La Libre Parole de 1894 à 1895*. Elles avaient d'abord été publiées dans *Le Siècle* en juin 1898 : l'une portait sur la genèse de l'Affaire, l'autre sur le procès Dreyfus ; le dernier essai dénonçait le mythe des aveux du capitaine Dreyfus, le jour de sa dégradation. L'objectif était de mettre à nu les mécanismes d'une propagande mensongère et ses contradictions. La méthode retenue était familière à l'helléniste : reconstituer une trame chronologique et procéder, en philologue scrupuleux, « par citations ». Il suffit « de s'en tenir aux faits incontestés, de conclure du connu à l'inconnu », affirme ailleurs Salomon Reinach. Conduite avec rigueur, la critique des documents démontre que Dreyfus n'est pas l'auteur du bordereau et assure la culpabilité d'Esterhazy.

En janvier 1898, Reinach collabora aux *Droits de l'homme*, le journal de la « *guérilla dreyfusiste* », selon le mot de Léon Blum. Au cours de ce mois qui fut celui de l'acquittement d'Esterhazy et du « J'accuse » de Zola, il y écrivit quatre articles. Le premier souligne la fragilité des « preuves probantes » ; le deuxième s'interroge sur « les dessous de l'instruction » ; le troisième dénonce « un maquillage », tandis que le dernier traite du « devoir ». Salomon Reinach ne s'en tint pas là : en février 1898, après le procès Zola, il rédigea une sorte de catéchisme dreyfusard, destiné à « ces gens qui voudraient bien comprendre, mais qui ne comprennent pas, soit parce qu'ils lisent des journaux qui mentent, soit parce qu'ils n'ont pas le temps de lire, à tête reposée, les journaux qui ne mentent pas ».

Or, la vérité, en septembre 1898, Salomon Reinach a la certitude de la connaître mieux que d'autres. Il en avertit son collègue et ami au musée de Saint-Germain, Alexandre Bertrand, qui communique ces nouvelles informations à la Cour de cassation. Composé à partir du témoignage de Reinach, un dossier est préparé pour les juges appelés à délibérer sur la révision du procès de 1894. Ces « notes confidentielles », qui furent communiquées au procureur général, retranscrivent les « conversations d'un archéologue avec un helléniste anglais », en clair, les entretiens que Salomon Reinach avait eus avec un érudit fortuné, Carlos Blacker.

Les deux hommes s'étaient rencontrés à Oxford en 1883, alors que Reinach était secrétaire particulier de Charles-Joseph Tissot, l'ambassadeur de France à Londres, et avaient sympathisé. Revenu à Paris, Reinach engagea une correspondance assidue avec Blacker. Dès l'hiver 1897, Blacker, qui séjournait en France et en Allemagne, commença à éclairer son ami sur les dessous de l'Affaire. Le 15 septembre 1898, Salomon Reinach confie à Alexandre Bertrand : « Cet homme sait tout, mais a quelque raison que j'ignore pour se taire » ; il espère néanmoins « en tirer quelque chose ». Dix jours plus tard, Blacker livre à son ami, non sans réticence, « quelques informations d'une haute importance ».

Blacker, en effet, est « très répandu dans le monde militaire et a été en particulier l'ami de Panizzardi », l'attaché militaire de l'ambassade d'Italie, lui-même intime de l'attaché militaire allemand, Schwarzkoppen[5]. Des discussions avec Blacker, au moment du procès Zola, il ressort que Panizzardi « n'a jamais connu Dreyfus et est convaincu, comme Schwarzkoppen, de son innocence ». Il est, par ailleurs, persuadé de la culpabilité d'Esterhazy.

Mais deux confidences surtout retiennent l'attention. Selon la première, le « petit bleu » ne serait pas arrivé au Service des renseignements français par la « voie ordinaire »[6]. « Il a été écrit par Schwarzkoppen d'une écriture déguisée un matin à son domicile privé. » Salomon Reinach ajoute : « Au moment où il allait le faire mettre à la poste, il a été appelé à l'ambassade d'Allemagne. Sortant de chez lui, il pensa mettre lui-même le « petit bleu » à la boîte et le mit dans son pardessus. Il l'y oublia et ne s'en souvint qu'en entrant à l'ambassade. Il donna alors le « petit bleu » au concierge de l'ambassade, congédié depuis, qui avait l'habitude d'apporter au bureau des renseignements français des papiers censés découverts dans la corbeille de l'ambassadeur d'Allemagne et qui, par la suite, devaient être déchirés soit par lui, soit par les officiers de service, et recollés après »[7].

La seconde information concerne une pièce du dossier secret, la fameuse lettre connue sous le nom de « Ce canaille de D. ». Instruit par Blacker, Salomon Reinach affirme qu'elle désigne « un entrepreneur civil » dont il a refusé de connaître le nom. Et il ajoute qu'à la demande de Tornielli, l'ambassadeur d'Italie, Panizzardi aurait rédigé, vers le mois de mars 1898, une note attestant que l'individu désigné par son initiale n'était pas Dreyfus, mais un civil. Ce texte aurait été transmis en mains propres par l'ambassadeur d'Italie au ministre français des Affaires étrangères. Il faut donc conclure qu'« Hanotaux *[le ministre des Affaires étrangères qui précéda Théophile Delcassé]* a évidemment commis un crime en n'informant pas Cavaignac *[le ministre de la Guerre]* de l'existence de cette note ».

On peut s'interroger sur le crédit qu'il faut accorder à ces renseignements confidentiels[8]. Ils ont, en tout cas, conforté les convictions de Salomon Reinach, qui reprendra la plume, en mai 1899, dans *Les Droits de l'homme*, pour clamer l'innocence de Picquart. Le procès de Rennes passé, la grâce de Dreyfus obtenue, l'amnistie enfin votée, Salomon Reinach engagera le combat pour la réhabilitation. Il écrira un mémoire de huit pages[9] à Mathieu Dreyfus pour le convaincre de continuer jusqu'au bout, de ne négliger aucun fait nouveau pour relancer l'affaire.

Plus tard, Salomon Reinach prendra part à la « bataille pour Glozel »[10] afin de briser « cette politique du silence » qu'il avait rencontrée après la condamnation d'Alfred Dreyfus. S'excusant de « parler d'une affaire à propos de l'autre qui est si petite en comparaison », il n'avait pas oublié qu'alors « même de très honnêtes gens refusaient d'écouter ceux qui en parlaient ».

Notes

1. Nelly Wilson, *Bernard Lazare*, Paris, Albin Michel, nouvelle éd. 1985, p. 12.

2. *Ibid.*

3. Conservé aux Archives nationales sous la cote BB19 95, ce document a été publié par Robert J. Maguire et France Beck dans *Les Cahiers naturalistes* d'octobre 1993. France Beck, aujourd'hui décédée, petite-nièce de Salomon Reinach, a attiré mon attention sur ce dossier et m'a généreusement ouvert sa bibliothèque et ses archives. Ce texte lui rend hommage.

4. Salomon Reinach aimait écrire sous d'autres noms que le sien. Il a reconnu celui de « l'archiviste » dans la *Bibliographie* de ses œuvres qu'il avait préparée de son vivant et qui parut aux Belles-Lettres, après sa mort, en 1936.

5. Les deux hommes auraient noué des relations homosexuelles dont témoigne leur abondante correspondance (cf. Jean-Denis Bredin, *L'Affaire*, p. 55-56).

6. C'est-à-dire par le canal de la femme de ménage de l'ambassade, Marie Bastian, qui recueillait pour le compte des services français les papiers des corbeilles *(cf. Maurice Vaïsse et Jean-François Boulanger, p. 51-64).*

7. Sur le concierge de l'ambassade, voir Mathieu Dreyfus. *L'Affaire telle que je l'ai vécue*, Paris, Grasset, 1978, p. 92.

8. On imagine les débats que ce témoignage fera naître, quand on sait par exemple combien les historiens de l'Affaire s'opposent aujourd'hui encore sur la question de savoir qui fut l'auteur de la lettre dite « Ce canaille de D. ». Pierre Miquel (*L'Affaire Dreyfus*, PUF, « Que sais-je ? », p. 29) soutient que, rédigée par Panizzardi, elle était destinée à Schwarzkoppen : J.-D. Bredin (*L'Affaire*, Julliard, 1983, p. 56) qu'elle fut adressée par Schwarzkoppen à Panizzardi.

9. Conservé à la Bibliothèque nationale dans le fonds des archives Mathieu Dreyfus.

10. Sur Glozel, voir *L'Histoire*, n° 166. Les citations qui suivent sont tirées des *Lettres de Salomon Reinach à Liane de Pougy*, publiées par Paul Bernard chez Plon en 1980.

Pourquoi Zola a écrit « J'accuse »

Henri Mitterand

Les premières interventions publiques d'Émile Zola en faveur d'Alfred Dreyfus datent de l'automne 1897, soit trois ans après la condamnation du capitaine, et plus de quinze mois après les découvertes du lieutenant-colonel Picquart *(cf. chronologie, p. 15-32).* On s'est parfois étonné de ce retard ; mais c'était faute de mesurer la lenteur de la contre-enquête conduite par les défenseurs de Dreyfus après le procès de décembre 1894, et de situer exactement les écrivains français de la fin du XIXe siècle dans l'histoire de l'antisémitisme et de l'antiracisme.

D'une certaine manière, Zola vient de loin. Ascendance vénitienne, officiers et ingénieurs, du côté du père ; beauceronne, rurale et artisanale, du côté de la mère. Les confrères les plus proches, Goncourt, Daudet, Huysmans, Maupassant, Céard, n'ont jamais caché leur hostilité ou leur méfiance méprisante à l'égard des Juifs. Zola connaissait leur position, mais il s'est tu. Préparant *L'Argent*, en 1890, il a été convaincu par les attaques d'Ernest Feydeau – *Mémoires d'un coulissier* – et d'Eugène Mirecourt – *La Bourse, ses abus et ses mystères* – de l'existence d'une « juiverie financière ». Eugène Fasquelle, son éditeur, ancien commis d'agent de change, William Busnach, adaptateur de *L'Assommoir* au théâtre et, lui aussi, ancien commis d'agent de change, Maxime Du Camp, l'ami de Flaubert, auteur des *Convulsions de Paris*, lui ont laissé entendre que la spéculation « est un métier de Juif », qu'« il y faut des aptitudes de race », et que « les cervelles françaises répugnent au côté abstrait des opérations ».

L'antisémitisme des petits porteurs et des commis d'agents de change est en effet un travers très répandu dès le Second Empire (1852-1870) ; les démêlés du Provençal Aristide Saccard avec le banquier Gundermann, dans *L'Argent*, en porteront la trace, sans que l'on sache exactement si Zola reprend à son compte les propos de ses informateurs. Le roman reste en effet ambigu à cet égard : le véritable escroc est Saccard ; Gundermann, quant à lui, apparaît comme une sorte de justicier.

Au surplus, Zola s'en est pris autrefois non pas aux Juifs, mais aux protestants, en raison de leur puritanisme. Son père avait été franc-maçon, lui-même avait bénéficié, dans sa jeunesse, de protections maçonnes ; il avait subi chez Hachette – où il était entré comme magasinier à vingt-deux ans – l'influence de la libre pensée ; tout cela ne pouvait que le détourner de l'intolérance et des exclusives propres à l'*establishment* bien-pensant.

En 1894, Zola semble avoir ignoré le procès du capitaine Dreyfus. Mais la campagne antisémite des années 1894-1896 menée par Édouard Drumont, l'auteur de *La France juive* (1886), dans *La Libre Parole*, l'a mis en alerte. Il avait sans doute admis, dix ans plus tôt, la thèse qui expliquait le krach de l'Union générale[1] par les manœuvres de la banque juive. Mais cette fois on va trop loin. Zola publie dans *Le Figaro* du 16 mai 1896 un article intitulé, de façon assez provocatrice en la circonstance, « Pour les Juifs ».

Il n'y est nullement question de Dreyfus – Mathieu Dreyfus ne commencera sa campagne publique en faveur de son frère qu'en novembre 1896. Mais à Drumont qui répète depuis quatre ans, et avec plus de violence encore depuis 1894, que les Juifs trahissent, que ce sont des spéculateurs, des rançonneurs, des exploiteurs sans patrie, Zola réplique par un haut-le-cœur, en première page du journal le plus « convenable » du pays : cette campagne « qu'on essaie de faire en France contre les Juifs » est une « monstruosité, [...] une chose en dehors de tout bon sens, de toute vérité et de toute justice, [...] qui nous ramènerait à des siècles en arrière » et qui « aboutirait à la pire des abominations ». Zola rompt ainsi, sans équivoque, avec le discours de certains de ses meilleurs amis et des amis de ses amis (un an plus tard, il tiendra les cordons du poêle avec Drumont, aux obsèques d'Alphonse Daudet) : « Là est ma continuelle stupeur, *écrit Zola*, qu'un tel retour de fanatisme, qu'une telle tentative de guerre religieuse, ait pu se produire à notre époque, dans notre grand Paris. [...] Rien ne serait plus bête, si rien n'était plus abominable. » « Notre grand Paris » verra et fera pire. La mise en garde de Zola n'en est que plus remarquable.

« J'accuse », publié près de deux ans plus tard, n'est donc pas un coup de tête imprévisible. En réalité, dès le moment où commencent à circuler les premiers échos des convictions du lieutenant-colonel Picquart *(cf. chronologie, p. 15-32)*, Zola a l'intuition qu'il y a quelque chose de suspect dans la condamnation du capitaine juif. Et c'est sans doute en raison de l'article « Pour les Juifs » que les défenseurs de Dreyfus et de Picquart se tourneront vers lui au cours de l'année 1897. À vrai dire, ils n'avaient pas beaucoup de choix, en un temps où les « intellectuels », terme créé à l'occasion, gardaient prudemment le silence, lorsqu'ils ne participaient pas au chœur orchestré par *La Libre Parole*.

Ainsi Zola n'était pas sans soupçon lorsqu'il rencontra à la fin de 1896 Bernard Lazare, qui venait de publier sa brochure *Une erreur judiciaire. La vérité sur l'affaire Dreyfus*, puis, le 13 novembre 1897, maître Leblois, l'avocat de Picquart, et Scheurer-Kestner, vice-président du Sénat. Ceux-ci le convainquirent non seulement de l'innocence de Dreyfus, mais aussi de la nécessité d'agir : il ne s'agissait pas seulement d'une infection morale empoisonnant l'esprit public, mais d'un déni de justice, mettant en péril et la vie d'un homme et l'honneur du pays. Le problème n'était plus d'enquêter ni de moraliser, mais de faire éclater la vérité et reculer les menteurs. « J'ignore ce que je ferai, mais je ferai sûrement quelque chose. Comment ne pas essayer d'empêcher cette iniquité[2] ! »

La partie ne s'annonçait pas facile. À l'automne 1897, les grands engagements dreyfusards étaient encore rares. Zola savait qu'il allait devoir s'attaquer à l'armée, à l'État, à la présidence de la République, au gouvernement, au Parlement, à l'Église catholique, à l'opinion publique. Comment ne pas redouter d'être broyé, ou de ne rencontrer qu'indifférence ? Mais il avait l'habitude... N'avait-il pas déjà livré bataille pour Édouard Manet en 1866[3], pour la République en 1870, pour Louis Desprez en 1885[4], contre la censure au temps de *Germinal* (1885) ? Aucun autre écrivain contemporain n'avait une pareille expérience de l'offensive idéologique et politique. S'il acceptait de parler, la défense de Dreyfus pouvait prendre l'avantage.

Zola engagea le combat le 25 novembre dans *Le Figaro*, avec un article intitulé « Scheurer-Kestner ». Il y prenait la défense du vice-président du Sénat contre « la marée d'invectives et menaces » dont celui-ci était assailli depuis qu'il avait demandé au gouvernement de réparer ce qu'il tenait pour une erreur judiciaire ; l'article s'achevait par la phrase devenue fameuse et prémonitoire : « La vérité est en marche et rien ne l'arrêtera. » Suivirent deux autres articles, « Le Syndicat », le 1er décembre, dénonçant les calomnies contre la banque juive, et « Procès-verbal », le 5 décembre, s'indignant contre le « poison de l'antisémitisme ». *Le Figaro* s'étant effrayé de l'audace de l'écrivain, celui-ci publia deux brochures chez Fasquelle : la *Lettre à la jeunesse* et la *Lettre à la France*, exhortant les jeunes Français à se battre pour l'humanité, la vérité et la justice.

Bref, un tir nourri d'interventions éloquentes. Mais sans effet visible, en dépit de leur noblesse et de leur tenue – ou peut-être à cause de cette tenue. Le discours de Zola restait celui des références civiques, de l'éloge des grandes consciences, de la critique générale des courants adverses. Or, il ne suffit pas de parler juste et de s'appuyer sur la force de l'évidence pour impressionner les pouvoirs. L'acquittement d'Esterhazy, le 11 janvier 1898, révéla à Zola qu'il s'était trompé de stratégie. Il ne lui faudrait pas plus de quarante-huit heures pour en tirer les conséquences et changer sa ligne de bataille.

On ne soulignera jamais assez la différence qui sépare « J'accuse », publié dans *L'Aurore* du 13 janvier 1898[5], des textes antérieurs : il s'agit cette fois d'un pamphlet unique dans toute la littérature polémique du XIXe siècle, et jamais égalé depuis lors. Aussi longtemps que les partisans de la révision étaient restés campés sur les principes abstraits de la vérité et de la justice, ils s'étaient heurtés au mur infranchissable de la dénégation dédaigneuse : « Il n'y a pas d'affaire

Dreyfus », avait affirmé Jules Méline, en 1897, devant la Chambre. Tout changeait à partir du moment où la grande voix d'Émile Zola, ajustant son tir, visait directement l'état-major et l'État, et substituait à la rhétorique académique des valeurs une espèce de guerre civile verbale, à la stratégie de défense une stratégie d'attaque et de destruction.

L'audace était inouïe pour l'époque, pour l'auteur, pour ses adversaires ; la provocation, insupportable ; le risque assumé, considérable, Zola allait le payer cher. Mais rien dans l'Affaire ne serait plus comme avant. Scheurer-Kestner lui-même fut effrayé. Fallait-il aller si loin et frapper si fort ? Fallait-il se poser en factieux pour faire libérer Dreyfus ? C'est précisément le coup de génie de « J'accuse » que d'avoir brutalement renversé les objectifs, changé le terrain et les armes, transformé Zola en « tueur », accusant individuellement, terrorisant et affolant des hommes jusque-là assurés de leur puissance.

Les voies et les zones d'expansion de cette « terreur » étaient multiples : dénonciation publique de la hiérarchie militaire et politique, appel au peuple par-dessus les institutions, recours aux formes modernes de la communication de masse, enfermement du pouvoir dans un dilemme – ne pas poursuivre Zola et sembler avouer une faiblesse, ou bien poursuivre Zola et prendre le risque de valoriser « J'accuse » et d'offrir une tribune aux dreyfusards –, provocation de l'adversaire à la faute tactique, etc. Les généraux compromis dans l'Affaire tomberont dans le piège pendant les audiences du procès Zola : l'un, le général de Boisdeffre, chef de l'état-major de l'Armée, par le chantage à la démission, frôlant la menace de coup d'État, l'autre, le général de Pellieux, par la mention d'un prétendu document, mais qui accusait tous les caractères d'un faux (le billet apocryphe de Panizzardi à Schwarzkoppen).

Les événements de l'été et de l'automne 1898, et notamment la découverte du « faux Henry », seront le contrecoup de ce pamphlet incendiaire qui brisait le huis clos de la chose jugée et le silence de la quiétude politique. On peut aujourd'hui ne plus exactement en mesurer l'enjeu, et ne voir dans cette gesticulation et ce tumulte qu'un théâtre d'ombres. Or la lecture de l'ensemble des interventions de Zola, qui se prolongeront au-delà du procès de Rennes, ainsi que de ses lettres de 1898 et 1899, nous fait prendre conscience que l'écrivain avait mis en jeu sa liberté, sa fortune, son honneur et sa vie, dans un véritable bras de fer avec la puissance publique. En toute lucidité. Il suffit de relire les derniers mots de sa déclaration au jury, le 21 février 1898 : « Dreyfus est innocent, je le jure. J'y engage ma vie, j'y engage mon honneur. »

À l'offensive éclair déclenchée par « J'accuse », allait répondre une contre-terreur : la menace, l'injure, les coups, la condamnation, l'exil, le boycott, l'attentat. Ainsi se mettait en place un modèle de relations entre l'écrivain et le pouvoir, entre le littéraire et le politique, que le XXe siècle a reproduit, un peu partout dans le monde, à d'innombrables exemplaires. Condamné à un an de prison par les jurés et les juges de Paris, puis par ceux de Versailles, Zola pouvait vérifier par lui-même tout ce qu'il avait deviné dans *Les Rougon-Macquart* : la barbarie des foules, la lâcheté des responsables politiques, la cautèle des juges et des fonctionnaires.

En revanche, réfugié en Angleterre à partir du 19 juillet 1898, comme avant lui Voltaire, Marx, Victor Hugo et Jules Vallès, Zola concentrait sur lui un extraordinaire mouvement d'opinion, sympathies et haines mêlées, qui emportait les pouvoirs publics vers l'issue qu'ils avaient refusée depuis des années : l'acquittement de Dreyfus. Caché dans la banlieue de Londres, Zola était devenu le point de convergence de centaines de lettres d'appui, de milliers de signatures au bas de pétitions venues de France, de Belgique, d'Autriche, de Suisse, d'Italie, de Russie et d'Amérique. On songe évidemment au modèle hugolien. Mais les échos de « J'accuse » roulaient plus lourdement que ceux des *Châtiments*, ne serait-ce que parce que le lancement de cette bombe verbale avait usé de moyens que l'on dirait aujourd'hui plus « médiatiques ». L'exil de Zola ridiculisait le gouvernement républicain plus que celui de Hugo ne l'avait fait pour le régime de Napoléon III : d'une dictature on peut tout attendre, tandis que d'une démocratie…

Pendant l'été 1898, les gouvernants purent se croire débarrassés de l'écrivain. Cependant, c'est dans le moment même où Zola semblait le plus radicalement privé de parole et d'action que son adversaire, l'État antidreyfusard, personnifié par les ministres de la Guerre, Billot, Cavaignac, le président de la République Félix Faure ou les présidents du Conseil Henri Brisson et Charles Dupuy, se trouvait en fait le plus menacé. On comprenait bien, après « J'accuse » et les remous du procès Zola, que la crise morale et institutionnelle était devenue politiquement incontrôlable, à moins d'une victoire absolue de l'un des deux camps sur l'autre, ou d'un coup d'État militaire, ce qui était tout de même exclu. L'arrestation et le suicide d'Henry emporteront les dernières illusions des praticiens de la manœuvre politique, alors même que les ministres sembleront tenir bon dans leur refus de revenir sur la chose jugée. Les bureaux du ministère de la Justice savaient désormais ce que la rhétorique officielle se refusait à admettre : la demande de révision présentée par Lucie Dreyfus irait à son terme. L'étouffoir avait vécu.

Les jours de la majorité antidreyfusarde au Parlement étaient désormais comptés. Des tactiques et des programmes nouveaux s'échafaudaient dans la coulisse. Le dreyfusisme passait en d'autre mains, et, paradoxalement, Zola devenait un embarras pour son propre camp, dans la mesure où sa voix se voulait et restait solitaire. Il n'était au service d'aucun parti, d'aucune ambition, pas plus celles de Clemenceau ou de Waldeck-Rousseau que celle de Brisson. L'affaire Dreyfus allait se révéler un catalyseur pour le précipité de la république radicale. Il ne convenait pas que Zola dérangeât le jeu par des imprudences de plume…

Ses lettres d'exil – un exil qui dura jusqu'au 5 juin 1899 – montrent qu'il a eu parfois conscience de gêner les objectifs politiques de ses amis. Il restait partagé entre l'impatience, la volonté d'aller droit au but, et le respect de tactiques et de prudences dont il devinait à la fois le bien-fondé – ne pas effaroucher la Cour de cassation, car son jugement allait décider de tout – et le but caché : préparer en douceur le remplacement des équipes politiques à la tête de l'État. Sans doute s'était-il parfois demandé pour qui il s'était battu – au moins jusqu'à la libération de Dreyfus, qui emportera toutes ses arrière-pensées.

Après « J'accuse », sinon la vérité du moins la révision

était en marche, et rien, effectivement, ne pouvait plus l'arrêter. Il avait fallu, pour cela, l'extraordinaire conjonction du statut social et moral d'un écrivain, du capital symbolique accumulé, de la hardiesse stratégique et de la compétence polémique – et, d'une certaine façon, poétique – élevant une affaire judiciaire au rang de mythe. Le reste – presse, magistrature, pétitions – s'était engouffré par la brèche ainsi ouverte. Mais qu'en eût-il été sans le coup de bélier destructeur ? Il arrive ainsi que le pouvoir du politique trouve dans la parole d'un grand écrivain le contre-pouvoir qui l'équilibre, et qui le tient en respect[6].

Notes

1. La banque de l'Union générale, fondée en 1878 avec des capitaux en provenance des milieux monarchistes et catholiques, s'était livrée à des opérations hasardeuses, notamment en Autriche-Hongrie et dans les Balkans. Elle enfiévra la spéculation par ses augmentations de capital. Une baisse se déclencha, s'accentua, et conduisit à une débâcle en janvier 1882. Cf. Jean Bouvier, *Le Krach de l'Union générale*, Paris, 1960. Zola s'inspira de ce krach pour écrire *L'Argent.*

2. Cf. Alfred Bruneau, *À l'ombre d'un grand cœur*, Paris, Fasquelle, 1932, p. 12.

3. Zola écrivit à cette époque un article très élogieux sur le peintre, qui lui valut sa place à *L'Événement.*

4. Louis Desprez avait publié en 1884, avec Henry Fèvre, un roman paillard et anticlérical, *Autour d'un clocher*. Condamné à un mois de prison par la cour d'assises de la Seine pour outrage aux bonnes mœurs, il fut emprisonné le 10 février 1885, bien que phtisique. Il mourut quelques mois plus tard, à vingt-quatre ans. Zola lui rendit hommage dans *Le Figaro* du 9 décembre 1885, accusant « les gens au pouvoir » de l'avoir « assassiné ».

5. C'est Clemenceau, directeur du journal, qui donna ce titre à l'article, que Zola avait intitulé « Lettre au président de la République ».

6. Sur Zola et l'Affaire, voir essentiellement Alain Pagès, *Émile Zola, un intellectuel dans l'affaire Dreyfus*, Paris, Séguier, 1991.

Zola après « J'accuse »

Retenant quinze lignes sur les trente-neuf pages de « J'accuse », le ministre de la Guerre, Billot, fit traduire Zola en cour d'assises pour diffamation de fonctionnaires. Au terme du procès, qui dura du 7 au 23 février 1898, Zola fut condamné au maximum (par sept voix sur douze) : un an de prison et trois mille francs d'amende.

Sur pourvoi de Zola en cassation, la Cour de cassation retint un motif d'annulation : la plainte aurait dû être déposée par le conseil de guerre qui avait acquitté Esterhazy. Second procès le 23 mai, devant les assises de Versailles, ajourné pour raisons de procédure. Retour de Zola devant les assises de Versailles le 18 juillet : il annonce qu'il fait défaut et quitte l'audience. Sa première condamnation confirmée par défaut, il s'exile à Londres.

Zola choisit l'exil sur l'insistance de son avocat maître Labori. Il s'agit d'empêcher que le procès ne soit jugé définitivement et sans appel, ce qui compromettrait la révision souhaitée du jugement rendu contre Alfred Dreyfus.

Zola séjournera près d'un an dans la banlieue de Londres, de refuge en refuge. Après sept mois d'enquête, la Cour de cassation, le 3 juin 1899, casse le jugement de 1894. Zola rentre à Paris deux jours plus tard. Jamais le jugement de Versailles ne lui sera signifié. (Sur les impressions de l'écrivain durant ces épreuves, on peut lire *La Vérité en marche ; Impressions d'audience* et *Pages d'exil* dans *Œuvres complètes*, Cercle du livre précieux, t. XIV.)

Zola est désormais un objet de haine pour l'extrême droite nationaliste, antisémite et militariste. De juillet 1901 à août 1902, il écrit son dernier roman, *Vérité*, inspiré par l'Affaire. Dans la nuit du 28 au 29 septembre 1902, il meurt chez lui, rue de Bruxelles, d'une asphyxie provoquée par un mauvais tirage de cheminée. On conclut à l'intoxication accidentelle. Ultérieurement, la thèse officielle sera discutée : selon un témoignage rapporté par *Libération*, journal d'Emmanuel d'Astier de La Vigerie, le 1er octobre 1953, un entrepreneur de fumisterie – demeuré anonyme – aurait avoué en 1927 avoir bouché la cheminée, par malveillance… Un aveu, surtout de cette sorte, et si tardif, ne vaut pas preuve. Mais on peut légitimement se demander si Zola n'a pas payé de sa vie son intervention fracassante et décisive dans l'Affaire.

Léon Bloy contre Émile Zola

« Voyons, vieux caresseur du Tiers-État, vieil excitateur du phallus des gens patentés, avoue que tu te souviens de ton article publié par *Le Figaro*, à la date du 18 janvier 1896, et que tu avais intitulé : “Le Solitaire”. Ce solitaire, c'était toi, l'homme pourtant des troupeaux, des multitudes, mais la logique te visite peu. Tu te croyais, alors, sanglier. “Tout écrivain, disais-tu, qui ne gagne pas d'argent est un raté.” Shakespeare en gagnait fort peu et le Dante moins encore. Tu leur es donc supérieur. Voilà qui est entendu. L'article, d'ailleurs, était horriblement écrit.

« Conviens-en, tu as toujours le même cataplasme sur ce qui te sert de cœur. Oui, sans doute, je comprends, tu souffres d'être cru, par les jeunes – peut-être par quelques vieux de mon espèce – un jean-foutre et un gaga. Ta probité vénitienne te força de confesser, dans ledit article, cette tablature sans grandeur. Il ne te fut pas possible de cacher que tu gueulais en bavant à la seule pensée que les jeunes hommes, qui lisaient passionnément des hommes pauvres tels que Barbey d'Aurevilly, Villiers de L'Isle-Adam et Paul Verlaine, te considéraient comme une vieille truelle à merde. Était-ce ma faute ? je te le demande.

« Il te fallait, à tout prix, une revanche, et l'affaire Dreyfus, heureusement s'est présentée. [...] Tu as donc défendu Dreyfus, qui est maintenant lépreux de toi et qui aimerait mieux son île du Diable, s'il te connaissait.

« À mon avis, le crime le plus authentique, rémunéré de l'expiation la plus infamante, est préférable à une innocence avérée par toi. Mais voici ce qui est à faire reculer la croupe des constellations : l'auteur de *La Terre* et de tant d'autres saletés, devenu le vengeur de l'Innocence opprimée ! Le revendicateur de la Justice ! ! Le témoin de la Vérité ! ! !

« La voilà, la honte dernière ; le voilà, le dernière outrage pour la France ! »

(Léon Bloy, *Je m'accuse*, Mercure de France.)

Le procès de Rennes

Pascal Ory

Rennes est une ville discrète, dont le destin a cependant croisé à plusieurs reprises la plus grande histoire. La dernière fois, ce fut il y a cent ans, pour le second procès Dreyfus, qui s'y tint du 7 août au 8 septembre 1899 et la mit, l'espace de quelques semaines, sous le regard sinon « du monde entier », du moins de ce qu'il comptait d'observateurs attentifs du drame humain.

Rien ne la prédisposait à cette distinction. En cette fin du XIXe siècle, Rennes passe pour gourmée et endormie. Le *Grand Dictionnaire* Larousse la compare à Versailles, capitale déchue. Celle qui fut sous l'Ancien Régime le siège de l'un des plus puissants parlements du royaume exhibe ses belles rues minérales et solennelles, manteau trop large flottant sur un corps trop maigre. Sans doute a-t-elle gardé ou retrouvé les fonctions administratives que ce temps très jacobin pouvait accorder à une métropole provinciale : une cour d'appel, un corps d'armée, une université. Tout cela, pourtant, justifie à peine la présence de ses soixante-dix mille habitants, population presque totalement stagnante pendant la décennie, dès lors que ces activités ne sont relayées par aucun dynamisme industriel, aucun négoce d'ampleur nationale. Mais c'est précisément cette somnolence apparente qui a justifié son choix.

À rebours des campagnes environnantes, la capitale de la Bretagne n'est pas une ville « blanche », et *La Croix* se trompe quand elle se lamente de voir une cité « si bien-pensante » souillée par « cette sale affaire ». Bien au contraire, Rennes est une ville « bleue », dont la vocation a toujours été de représenter le pouvoir central face aux errements locaux. Le 3 juin 1899 la Cour de cassation a concédé aux dreyfusards l'annulation du verdict de 1894 mais, comme tous les pouvoirs publics, elle aspire moins à la justice qu'au retour à l'ordre. Contre le huis clos de Paris, on a donc cherché un tribunal militaire en province, éloigné des régions les plus sensibles, tels les départements frontaliers, ou supposées les plus nerveuses, tels ceux du Midi. Rennes a une réputation de sagesse qui aidera à la catharsis des passions. Dreyfus, venant de Guyane, débarquera en Bretagne : pour préserver l'ordre public, il vaut mieux que son transfert soit le plus court possible. Pour les mêmes raisons, on se félicite de découvrir que la prison militaire de Rennes est située à vingt-cinq secondes à pied (les journalistes auront tout le temps de le mesurer) du bâtiment où se tiendra le procès, désormais inévitablement public : le lycée, l'un des plus vastes et des plus modernes du pays, dont le fleuron, la salle des fêtes, « énorme, retentissante, théâtrale », aux dires d'un témoin, vient juste d'être achevé pour la distribution des prix.

Ce que l'on ne sait pas, à l'époque, c'est que ledit lycée a été, dix ans plus tôt, le théâtre d'une petite « affaire », dont les échos sont aujourd'hui toujours présents dans notre environnement culturel : l'affaire Ubu. Le destin surprenant d'un professeur chahuté de physique-chimie, M. Hébert, devenu, par la grâce de ses élèves, le Père Eb. Ébé, Ébance, Ébouille, et le héros de toute une geste lycéenne qui en serait restée là si n'était arrivé au lycée l'élève Jarry Alfred. C'est donc à Rennes qu'*Ubu-Roi* est né, avant de monter à Paris et de conquérir la terre entière.

En attendant d'entrer au Parnasse, Rennes et son lycée découvrent vers la fin de juillet 1899 ce que veut dire entrer dans l'Histoire. Et d'abord, bien des embarras de circulation, car les autorités ont décidé de quadriller les rues du centre par la troupe, à pied et à cheval. Pour le commerce local, en particulier pour l'hôtellerie et la limonade, cela signifie aussi un exceptionnel afflux de clientèle. Les gens chic descendent à l'*Hôtel de France*, pendant que l'*Hôtel des Trois Marches* s'illustre comme le quartier général dreyfusard ; comme il se doit, il est situé à la périphérie. Les soupentes s'arrachent à prix d'or. On se bouscule, toutes tendances confondues, à la terrasse accueillante du café de la Paix, le bien nommé.

Ainsi que le dit le très parisien *Gil Blas*, « cet été-là il importe de faire le voyage à Rennes comme toute célébrité qui se respecte ». Un ancien ministre féru de wagnérisme renonce à son pèlerinage annuel à Bayreuth ; la comédienne Réjane, qui joue le soir *La Parisienne* à Saint-Malo, vient tous les matins assister à l'audience, qui, selon elle, vaut tous les mélodrames. On papote dans ce tribunal improvisé comme dans une salle de casino, note le dreyfusard Victor Basch, pendant que chacun recense les vedettes qui ont fait le déplacement : Courteline, Mirbeau, la demi-mondaine Liane de Pougy et, bien entendu, les maîtres de la mise en scène, André Antoine et Firmin Gémier. Preuve *a contrario* de cette théâtralisation : Sarah Bernhardt, qui devait jouer à Rennes *La Dame aux camélias*, se décommande *in extremis*. Elle a, peut-être, craint des manifestations antisémites. Elle a, sans doute, jugé aussi qu'il n'y avait pas de place pour deux monstres sacrés au même moment dans la même ville.

En fait, la plupart des auditeurs-spectateurs de la salle des fêtes du lycée sont venus là avec une mission, ou sous un prétexte, d'information. Maurice Barrès, principale tête de l'antidreyfusisme, représente *Le Journal*, Gaston Leroux, *Le Matin*, les deux plus fameuses féministes de leur temps, Marguerite Durand et Jeanne Brémontier, *La Fronde*. De nombreux journalistes débarquent d'Argentine, de Russie ou de Suède. Au reste, Bernard Lazare ou Marcel Prévost sont là comme correspondants de journaux américains.

Dans la foulée, un petit groupe de démocrates-chrétiens rennais va fonder un nouveau quotidien, *L'Ouest-éclair*, dont le premier numéro sort le 2 août 1899. Le journal est antidreyfusard mais son destin ne se jouera pas sur cet engagement. Catholique mais moderne, bien géré par un énergique « abbé démocrate », Félix Trochu, il aura tôt fait de s'imposer comme *le* journal de l'Ouest. À la fois populaire et de bonne tenue, il va perdurer jusqu'à nos jours : sous le nom de *Ouest-France* il est actuellement le premier quotidien français.

Mais le nouveau siècle de la « communication » s'affirme déjà au cœur du procès : il y a là les dessinateurs, avec le dreyfusard Hermann-Paul ou l'antidreyfusard Caran d'Ache ; les photographes, qui mitraillent les acteurs du drame pendant les interruptions d'audience ; le cinématographe, qui pourtant n'a pas quatre ans d'existence publique, en la personne de Georges Méliès. Ses « repérages » lui permettront de reconstituer le procès en décors à Montreuil – les premiers studios de l'histoire du cinéma, ouverts depuis quelques mois –, et de réaliser l'une de ces actualités plus vraies que nature dont il a le secret.

L'obsession du maintien de l'ordre, qui tenaille le nouveau gouvernement – dreyfusard –, dirigé par Waldeck-Rousseau, s'explique par la violence des passions franco-françaises que déchaîne l'Affaire, et par la menace, depuis le début de l'année, d'un coup d'État. Le nationaliste Paul Déroulède en a tenté un en février, et il est possible que ses partisans en aient préparé un second pendant l'été. Le nouveau président de la République, Émile Loubet, considéré comme dreyfusard, est victime, en juin, de « voies de fait ». Le 12 août, plusieurs leaders nationalistes sont mis en état d'arrestation. L'un d'entre eux, Jules Guérin, s'enferme au siège de sa Ligue antisémitique, rue Chabrol, où il soutiendra un siège de six semaines : entre le procès du lycée et « Fort Chabrol », la presse ne sait bientôt plus où donner de la tête.

Rennes elle-même est-elle aussi calme qu'on l'avait souhaité ? Un observateur local affirmera que « nos braves Rennais » ne pensent qu'à une chose : « s'éponger pendant cette température sénégalienne ». C'est quelque peu excessif. Après tout, le général Boulanger était un enfant de la ville, et la plus forte personnalité de celle-ci, le député radical-nationaliste Le Hérissé, est un antidreyfusard intransigeant. La presse locale polémique violemment, les lettres anonymes pleuvent, et même quelques cailloux, dans les vitres des partisans de Dreyfus. La société estudiantine rennaise choisit son camp : encore composée aux quatre cinquièmes d'étudiants en médecine et en droit, elle a déjà manifesté publiquement son hostilité aux fondateurs de la première section locale de la Ligue des Droits de l'homme, Victor Basch, professeur d'allemand (circonstance aggravante !), et Henri Sée, l'un des futurs maîtres de l'histoire économique. *Le Patriote breton*, journal antidreyfusard, dénonce dans ses colonnes le cas scandaleux du fils de Victor Basch, prix d'excellence en cinquième dans ce même lycée, alors qu'il n'aurait fait que « trois compositions sur neuf ».

Tout manque de basculer au matin du 14 août, lorsqu'un homme tire au revolver sur maître Labori, l'un des deux défenseurs de Dreyfus. On ne retrouvera jamais l'agresseur. Par crainte d'un dérapage, l'archevêque de Rennes, que l'on dit secrètement dreyfusard, annule la traditionnelle procession de l'Assomption, au grand scandale des âmes dévotes. On en restera là : Labori, superficiellement blessé, reprendra bientôt sa place aux côtés de son confrère, maître Demange. C'est qu'en réalité le vrai terrain d'affrontement est dans l'enceinte même du tribunal.

Le moment le plus intense de toute l'Affaire se place sans doute là, le premier jour de l'audience, quand Alfred Dreyfus entre dans le box des accusés. Car le drame s'est ainsi noué que la quasi-totalité de ceux qui se sont violemment affrontés autour de son cas ne l'avaient jamais vu. L'homme, petit, raide, était naturellement réservé. Amaigri, flottant dans sa vareuse d'officier, il parle d'une voix rauque, détimbrée par quatre ans de mutisme à l'île du Diable. Il est surtout écrasé par un drame qui le dépasse. Soldat strict, patriote ombrageux, il découvre au long de l'audience l'ampleur de la haine que lui vouaient d'anciens camarades, venus témoigner contre lui à la barre, à l'instigation du général Mercier, chef d'orchestre de l'accusation. La solitude de Dreyfus, sur son estrade de théâtre, étreint quelques instants Maurice Barrès, qui se reprendra vite et déversera sur le traître, les Juifs et leurs partisans son lot quotidien d'insultes. Mais le pire est que les dreyfusards eux-mêmes ont un gros reproche à adresser à leur martyr : il manque de pathétique. En cette fin de siècle, marquée par Cyrano et la grande Sarah, c'est, en effet, rédhibitoire.

Sur le fond, le procès apporte-t-il des révélations bouleversantes ? Aucunement. Le gouvernement français poussera l'audace jusqu'à demander au gouvernement allemand, premier intéressé, de confirmer la culpabilité d'Esterhazy. En vain. « Je ne suis pas empereur des Français », commentera Guillaume II. Désormais, les arguments des deux camps sont bien établis et, pour un esprit rassis – pour les observateurs étrangers, par exemple –, l'innocence de Dreyfus ne fait plus de doute. L'intérêt du second procès est dans la publicité de ce face-à-face, une sorte de finale avec toute la troupe, à l'exception, notable, du vrai coupable, Esterhazy, réfugié en Angleterre.

Pourtant, rien ne se passera comme l'avaient prévu les protagonistes. Les deux avocats de Dreyfus, qui ne s'aiment pas, vont se diviser sur la stratégie à adopter. Labori, fougueux et politique, cherche l'incident. Il craint la condamnation. Demange, qui avait été l'avocat de Dreyfus au procès à huis clos, joue l'apaisement. Il veut croire à l'acquittement. Finalement, c'est son point de vue qui l'emporte : à la suite d'une démarche de Jean Jaurès et de Mathieu Dreyfus, Labori renonce à plaider. Une division analogue se fera jour après le verdict. Car celui-ci stupéfie tout le monde : les dreyfusards entendent avec accablement que Dreyfus est à nouveau condamné pour intelligence avec une puissance étrangère, mais les antidreyfusards découvrent que le conseil de guerre lui reconnaît des circonstances atténuantes. Jugement étrange : un officier qui s'est rendu coupable de trahison peut-il bénéficier de circonstances atténuantes ?

On sait aujourd'hui que le président du tribunal, le colonel Jouaust, contrairement aux apparences qui l'avaient montré brutal à l'égard de l'accusé, avait voté en faveur de Dreyfus, et qu'il eut la surprise de se trouver mis en minorité, par deux voix contre cinq – d'où la manœuvre atténuatrice. Une fois de plus, le point de vue de la famille l'emporte : contre Clemenceau, qui est prêt à repartir pour un troisième procès, Mathieu Dreyfus, rejoint finalement par Jaurès, fait prévaloir les intérêts vitaux de son frère, dont il craint qu'il ne supporte pas une seconde déportation. L'humanité s'oppose ici aux grands principes. À la demande du gouvernement, Loubet use de son droit de grâce. Dreyfus quitte Rennes coupable et gracié. Rien n'est réglé sur le fond. Mais qui, dans cette affaire, se préoccupe vraiment du fond, désormais ?

Après tout cela, l'histoire se retire de Rennes aussi promptement qu'elle y était venue faire un tour. La ville se venge dès l'année suivante en élisant, à contre-courant de la tendance nationale, une liste de droite, où figure le père Ubu lui-même, désormais retraité du lycée et retiré du chahut. À l'université, Victor Basch se retrouve assez seul. Dans quelques années, il sera élu à la Sorbonne. Là, il se vouera à la Ligue des Droits de l'homme, dont il deviendra, en 1926, le président. À ce titre, il sera l'un des pères fondateurs du Front populaire, et l'une des bêtes noires de l'extrême droite, qui l'assassinera un jour de janvier 1944. Responsable présumé : Paul Touvier.

Mais l'histoire est rusée. Après la Seconde Guerre mondiale, Rennes se réveille de sa somnolence, connaît une explosion démographique surprenante et entre de plain-pied dans le nouvel âge industriel, jouant de ses atouts universitaires. Dans la foulée, elle se réapproprie sans complexe les épisodes les plus controversés de son histoire. Quand il fallut rebaptiser le vieux lycée, l'ancien élève auteur de ces lignes proposera les noms d'Alfred Dreyfus ou d'Alfred Jarry. On transigea avec Émile Zola. La nouvelle municipalité, de gauche, élue en 1977, transformera la « rue du Lycée » en « rue du Capitaine-Dreyfus » et, récemment, l'enceinte dudit lycée a accueilli un groupe sculpté d'un artiste israélien mettant en scène la dégradation du capitaine. Le nouveau musée de Bretagne se prépare à consacrer une salle entière à l'Affaire, grâce à un don de la famille Dreyfus. Il y a peu, le portrait du capitaine figurait en plein air, sous la forme d'une enseigne : dans la rue du même nom, le *Dreyfus* était devenu un bar…

Des duels pour Dreyfus

Jean Garrigues

Le 6 mars 1898, à dix heures et demie du matin, deux officiers supérieurs s'affrontent à l'épée dans la salle du manège de l'École militaire. L'événement n'a rien d'exceptionnel. Le duel est en effet particulièrement prisé par les militaires : d'après les statistiques judiciaires, ils en provoquent deux à trois cents par an, contre « seulement » une cinquantaine pour les civils – essentiellement des journalistes, des artistes et des écrivains. La plupart des combats se terminent sans grand dommage : un sur soixante-quinze seulement est mortel. « Quand la loi est impuissante, la justice désarmée, le droit inapplicable, alors le duel devient au moins compréhensible », écrit Guy de Maupassant[1]. C'est pourquoi, bien que le concile de 1869 ait excommunié les duellistes, les colonnes de tous les journaux européens se remplissent quotidiennement des récits de combats. En période de crise politique, on peut même dire que le duel devient monnaie courante. Ainsi, en 1848, des personnages politiquement aussi différents que Lamartine, Ledru-Rollin, Louis Blanc, Félix Pyat et Victor Schoelcher se sont tous battus en duel. En 1850, une bonne vingtaine de députés ont croisé le fer ou échangé des balles.

Le Second Empire, en muselant toute vie politique, a restreint le rythme des duels, mais ils ont repris de plus belle après 1870. La crise boulangiste, baignée de nationalisme revanchard et de violence, a été fertile en combats singuliers : Boulanger lui-même s'est battu en juillet 1888 contre le président du Conseil, Charles Floquet, après avoir défié en vain Jules Ferry en août 1887 ; tout l'état-major boulangiste a croisé le fer au moins une fois, notamment le journaliste Henri Rochefort contre son confrère Prosper Lissagaray en janvier 1889, ou Maurice Barrès contre le journaliste Goulette en novembre 1889. Mais le plus belliqueux est sans doute Paul Déroulède, le « poète de la Revanche », qui affronte le député Joseph Reinach en novembre 1888, puis se distingue à nouveau lors d'un duel au pistolet contre Georges Clemenceau, en décembre 1892, au cœur du scandale de Panama. « Je n'ai pas tué Clemenceau mais j'ai tué son pistolet ! », s'exclame Déroulède à l'issue du combat, après six coups infructueux.

Il peut en effet se réjouir d'avoir tenu en échec un duelliste aussi expérimenté que le chef des radicaux. Le 26 février 1898, à l'âge de cinquante-sept ans, Clemenceau livre d'ailleurs son dernier duel au pistolet contre l'antisémite Édouard Drumont, qui vient de publier dans *La Libre Parole* un article l'accusant de lâcheté pendant la guerre de 1870. Cette fois encore, les trois balles tirées ne donneront rien[2]. Mais la date à laquelle eut lieu ce duel – trois jours après la condamnation de Zola – est bien révélatrice de l'atmosphère de violence et de passion meurtrière qui baigne l'affaire Dreyfus.

Le duel du 6 mars suivant marque l'apogée de cette duellite aiguë. En effet, les deux militaires qui s'affrontent dans la salle du manège de l'École militaire ne sont autres que le colonel Henry, auteur du « faux » accusant Dreyfus, et le lieutenant-colonel Picquart, mis au ban de l'armée parce qu'il proclame l'innocence du capitaine israélite. Henry, qui avait peur d'affronter Picquart, a vainement tenté de céder sa place à Esterhazy, le vrai coupable, qui, lui, avait envie d'en découdre. Mais ses manœuvres ont échoué, et il est contraint de croiser le fer lui-même, pour ne pas perdre la face devant les autres officiers. Blessé au bras lors du deuxième assaut, il doit abandonner le combat sans gloire, et Rochefort lui reproche d'avoir ainsi « réhabilité » Picquart : « La preuve que mon honorabilité est intacte, *pourra dire celui-ci*, c'est que le colonel Henry a consenti à croiser l'épée avec moi[3]. »

Émanant du directeur de *L'Intransigeant*, duelliste notoire, cette critique est loin d'être anecdotique. Elle illustre à merveille à quel point, bien plus que la justice, c'est l'honneur des militaires qui est en jeu dans l'affaire Dreyfus – et le duel est le meilleur moyen de le défendre.

C'est pourquoi, lorsque l'Affaire éclate réellement, début 1898, la tenancière du restaurant de Villebon, l'un des lieux privilégiés par les duellistes, jubile : « Nous allons revenir aux beaux jours du boulangisme, où nous avions quelquefois jusqu'à trois duels dans la matinée. » De fait, on en dénombrera une bonne quarantaine de 1898 à 1904, opposant dreyfusards et antidreyfusards.

Côté dreyfusard, on répugne pourtant à user de la violence quand il s'agit de défendre les valeurs de la justice et de la raison. Mais on peut compter sur quelques têtes brûlées comme Henry de Bruchard, fils d'officier, bretteur et poète à ses heures, ami des écrivains Alfred Jarry et Paul-Jean Toulet, et prêt à mourir pour Dreyfus. Très myope, il fonce sur ses adversaires sans se soucier des règles de l'escrime. Une bonne douzaine de duels, notamment contre Jules Guérin, chef de la Ligue antisémitique, lui valent des blessures innombrables. Mais quand on lui demande pourquoi il ne prend pas de leçons d'escrime, il répond : « Parce qu'elles m'enseigneraient les dangers du duel et qu'ensuite je me battrais moins bien. »

À vrai dire, c'est surtout dans le camp des antidreyfusards que le duel est le recours suprême – dans leurs esprits intolérants et surchauffés, le jugement de Dieu n'est jamais bien loin. Ainsi, dans les colonnes de *L'Intransigeant*, Charles Roger dénonce-t-il la « couardise » de ses adversaires dreyfusards, tels Joseph Reinach, qui refuse d'affronter le commandant Myzkowski, ou Ludovic Trarieux, fondateur de la Ligue pour la défense des Droits de l'homme, qui aurait fait muter en province le capitaine Begouen afin d'éviter un duel[4].

Le plus belliqueux des antidreyfusards est sans doute Max Régis, maire d'Alger et directeur du journal *L'Antijuif*, qui provoque systématiquement tous ses détracteurs, tel le capitaine israélite Lévy Oger, gravement blessé, le 16 mars 1898. Son frère Louis Régis n'est d'ailleurs pas en reste, qui se bat à l'épée contre Filipi, journaliste au *Réveil antijuif*, pour obtenir le leadership de l'antisémitisme algérois. C'est qu'on approche des élections de mai 1898, qui exacerbent les passions exaltées par l'Affaire. La campagne électorale est donc mouvementée, opposant candidats dreyfusards et antidreyfusards. Ainsi s'affrontent à l'épée Albert Monniot, rédacteur à *La Libre Parole* de Drumont, et Klotz, conseiller général républicain de la Somme, tandis que Chiché, député (ex-boulangiste) sortant, choisit le pistolet contre son adversaire dreyfusard, Chaumet, à Bordeaux[5].

La fièvre des duellistes va retomber après les élections. La violence et la haine restent néanmoins omniprésentes, comme en témoigne l'agression à laquelle se livre Esterhazy, armé d'un gourdin, sur le colonel Picquart, le 3 juillet 1898[6]. Mais si les insultes, les polémiques et les bagarres restent quotidiennes, il semble que le duel ne fasse plus recette, peut-être parce que les antidreyfusards estiment qu'ils ont définitivement partie gagnée. On note pourtant, çà et là, quelques rencontres : en Algérie, où Laurens, directeur du *Télégramme*, se bat contre Faure, rédacteur à *L'Antijuif*, en juin 1899 ; à Paris, c'est le fils du général Mercier, ancien ministre de la Guerre, qui croise le fer avec un journaliste dreyfusard en octobre 1899.

Enfin le fougueux Déroulède, pourtant condamné à l'exil après son coup d'État manqué de février 1899, reviendra sur le sol français en décembre 1904 afin d'affronter Jean Jaurès, qu'il a accusé de faire « le jeu de l'étranger ». Bien que condamnant « ces façons ineptes et barbares de régler les conflits d'idées », le directeur de *L'Humanité* a cédé à ce qu'il appelle lui-même « la provocation la plus directe, la plus évidente, la plus injustifiée ». Critiqué par ses amis socialistes, il échangera deux balles avec Déroulède, sans résultat[7].

Ainsi, sur la tradition française pluriséculaire du duel est venue se greffer l'atmosphère de crise et d'affrontement qui secoue la république depuis une bonne décennie au moment où éclate l'Affaire. Vaincus sur le terrain parlementaire, les opposants au régime cherchent à l'affaiblir, voire à l'abattre, par des voies nouvelles : le boulangisme leur a offert un héros, Panama un scandale et Dreyfus un bouc-émissaire. Les hommes qui croisent le fer ou la poudre en cette fin de siècle tourmentée sont souvent ceux qui s'affrontaient déjà pendant la crise boulangiste. En 1898, comme dix ans plus tôt, on ne se bat pas pour ou contre le régime parlementaire.

De là à mourir pour Dreyfus ? À notre connaissance,

aucun duel lié à l'Affaire ne s'est terminé tragiquement. Néanmoins, le risque existe, et la plupart des protagonistes sont prêts à l'assumer. C'est, de part et d'autre, la manifestation d'un véritable engagement politique. Car le rejet du parlementarisme reflète la nostalgie d'une époque révolue, de cet Ancien Régime où le code de l'honneur tenait lieu de code civil, et où les différends se réglaient au fil de l'épée. L'honneur contre la justice, la violence contre la raison, la loi du sang contre celle des tribunaux : c'est le duel de deux France, qui s'affrontent pendant l'affaire Dreyfus.

Notes

1. Préface de l'ouvrage du baron de Vaux : *Les Tireurs au pistolet*, Marpon, 1883.

2. Cf. Joseph Reinach, *Histoire de l'affaire Dreyfus*, t. III, p. 512.

3. Cf. *L'Intransigeant* du 8 mars 1898.

4. Cf. *L'Intransigeant* du 24 octobre 1899.

5. Cf. *L'Intransigeant* des 20 et 22 avril 1898.

6. Cf. Joseph Reinach, *op. cit.*, p. 623.

7. Cf. Max Gallo, *Le Grand Jaurès*, p. 447.

2

Dreyfusards et antidreyfusards

Les deux France

Michel Winock

Dans la vision la plus commune qu'ont nos contemporains de l'affaire Dreyfus, le dreyfusisme va de soi, puisqu'il incarne le combat de la justice et de la vérité mené contre les champions d'un nationalisme chargé d'antisémitisme, qui se sont acharnés contre une victime innocente. Or pour apprécier à leur juste valeur les motivations des adversaires du « révisionnisme » – ceux qui réclamaient, soit dès le début, soit au cours des années 1897-1898, la révision du procès Dreyfus de 1894 –, il faut en finir avec cette facilité du jugement *a posteriori*, quand le plus gros du mystère est éclairci et que l'innocence du capitaine est avérée.

Au moment où Émile Zola publie son « J'accuse », le 13 janvier 1898, ce n'est pas le dreyfusisme qui s'impose dans l'opinion – dont les seules lumières viennent de la presse – mais une conviction contraire, selon laquelle l'armée a été trahie par l'un des siens, que celui-ci a été jugé et condamné, et que toutes les tentatives déployées en faveur du « traître » ne peuvent être que suspectes. Nous devons aujourd'hui faire l'effort d'imagination nécessaire pour comprendre à quel point le dreyfusisme des origines, le dreyfusisme héroïque des militants de la vérité, le dreyfusisme inlassable d'une poignée de proches et d'amis du condamné, grossie d'une autre poignée d'écrivains et d'hommes politiques saisis par le doute, nageait contre le torrent des idées reçues, des respects nécessaires et des évidences massives.

Le procès de Dreyfus devant le conseil de guerre, en décembre 1894, avait fait l'unanimité. Les antisémites patentés à la Drumont n'étaient pas les seuls à accabler le capitaine convaincu d'espionnage. Le 25 décembre, dans

La Justice, Georges Clemenceau, par la suite l'un des dreyfusards les plus ardents, parlait de « l'âme immonde » et du « cœur abject » du condamné. Jean Jaurès, à la Chambre, s'indignait qu'on eût tant d'égards pour un officier félon quand il est si fréquent de voir des conseils de guerre s'acharner sur de simples soldats coupables de quelque rebuffade envers l'un de leurs supérieurs. Il est excessif de dire que tout le monde est alors antidreyfusard, parce qu'il n'existe pas encore d'affaire Dreyfus : un traître a été démasqué, un traître a été jugé, un traître a été condamné, selon la loi, à la déportation.

À peu près deux ans plus tard, quand Bernard Lazare, journaliste juif anarchisant, employé par la famille Dreyfus pour rassembler les preuves de l'erreur judiciaire, finit par troubler une partie de la presse en publiant sa brochure révisionniste, d'abord en Belgique, puis chez Stock à Paris[1], le nouveau ministre de la Guerre, le général Billot, déclare, péremptoire : « Le conseil de guerre, régulièrement composé, a régulièrement délibéré, et, en pleine connaissance de cause, a prononcé sa sentence à l'unanimité des voix. Le conseil de révision a rejeté, à l'unanimité des voix, le pourvoi du condamné. Il y a donc chose jugée, et il n'est permis à personne de revenir sur ce procès. » Ces paroles, prononcées le 18 novembre 1896, sont suivies par le vote d'un ordre du jour, qui fait l'unanimité à l'exception de cinq voix : « La Chambre, unie dans un sentiment patriotique, et confiante dans le gouvernement pour rechercher, s'il y a lieu, les responsabilités qui se sont révélées à l'occasion et depuis la condamnation du traître Dreyfus, et en poursuivre la répression, passe à l'ordre du jour. »

À l'automne 1897, le ralliement du vice-président du Sénat Auguste Scheurer-Kestner, républicain modéré, patriote originaire de l'Alsace perdue, à la petite troupe des révisionnistes n'empêche pas *La Dépêche*, moniteur du radicalisme provincial, d'affirmer, le 24 novembre, qu'il existe un « syndicat Dreyfus », disposant d'une dizaine de millions pour faire libérer le prisonnier de l'île du Diable. De là à imaginer que les révisionnistes émargent à cette liste noire, il n'y a qu'un pas. Et, le samedi 4 décembre 1897, le président du Conseil Jules Méline prononce à la Chambre sa célèbre dénégation : « Il n'y a pas d'affaire Dreyfus. » Ce que confirme le ministre de la Guerre : « Pour moi, en mon âme et conscience, comme soldat, comme chef de l'armée, je considère le jugement comme bien rendu et M. Dreyfus comme coupable. »

Il faut partir de ce bloc d'affirmations issues des plus hautes autorités de l'État républicain – la chose est jugée, Dreyfus est coupable, nul ne peut remettre en question l'honnêteté, la probité, le patriotisme des membres du conseil de guerre – pour comprendre la difficulté du dreyfusisme naissant. Contre lui, il a tout le pays : la gauche et la droite, les royalistes et les socialistes, les conservateurs et les radicaux, et l'ensemble du gouvernement.

On s'explique mieux dès lors l'ovation qui accueille Esterhazy le 11 janvier 1898 à la sortie de la dernière audience de son procès, où il a été déclaré non coupable ; pour la foule, l'accusation ne pouvait être qu'une machination du « Syndicat ». Les Français, ceux qui lisent les journaux en tout cas, dans leur immense majorité, ne comprennent pas comment un conseil de guerre aurait pu se tromper à l'unanimité. Que le dossier fût tenu secret, rien n'était plus facile à admettre puisqu'il s'agissait d'une affaire d'espionnage. De même le huis clos. Par un geste de confiance spontanée, l'opinion, qui entoure l'armée de ses faveurs, fait confiance à sa justice. Tel est le fond du premier antidreyfusisme.

Là-dessus se greffe la campagne des antisémites : l'hystérie dénonciatrice d'un Édouard Drumont et d'un Gaston Méry dans les colonnes de *La Libre Parole*, le populisme catholique des révérends pères assomptionnistes de *La Croix*, la démagogie socialisante d'un Henri Rochefort à *L'Intransigeant*. Mais le premier antidreyfusisme déborde de très loin les rangs des antisémites. C'est la sauvegarde de l'armée qui est en jeu, son honneur, la discipline de ses troupes, et finalement son efficacité future sur le champ de bataille.

Face à ce mur de certitude, le premier dreyfusisme, quant à lui, fut le fruit d'une conviction ultra-minoritaire et d'une ténacité à toute épreuve. Le point de départ en fut la famille même du capitaine. Lucie, son épouse, Mathieu, le « frère admirable », convaincus de l'erreur judiciaire, s'employèrent à la rendre manifeste. Les efforts de ce petit groupe eussent été vains, cependant, si le commandant Picquart *(cf. portraits, p. 39)* n'avait pas été nommé à la direction du Bureau des renseignements et découvert que l'écriture du bordereau attribuée à Dreyfus était, en fait, celle d'un autre officier, le commandant Esterhazy. Éloigné de Paris, Picquart eut cependant à cœur d'avertir de sa découverte son ami, l'avocat Louis Leblois. C'est celui-ci qui sut convaincre Scheurer-Kestner de l'innocence de Dreyfus. Cette fois, le dreyfusisme avait rallié l'un des grands personnages de l'État. Une autre recrue célèbre fut Georges Clemenceau, convaincu, lui, par Bernard Lazare, au début de novembre 1897, de la nécessité de la révision.

Parallèlement, dans les milieux intellectuels que fréquentait Bernard Lazare, le dreyfusisme faisait des adeptes. Le bibliothécaire de l'École normale supérieure, Lucien Herr – un autre Alsacien, comme Leblois, Scheurer-Kestner et Picquart –, devint l'âme du révisionnisme au Quartier latin. Il collaborait à *La Revue blanche*, dont les rédacteurs habituels, et au premier chef Léon Blum, furent par lui entraînés dans le combat pour la vérité. Parmi les normaliens, Charles Péguy se fit l'un des sergents recruteurs du mouvement, dont la Librairie Bellais, qu'il avait fondée avec Herr, devint le quartier général.

Enfin, le petit groupe initial des dreyfusards fut complété par l'adhésion de Jaurès, finalement ébranlé par les arguments de Lucien Herr, de Scheurer-Kestner et du sociologue Lucien Lévy-Bruhl : Jaurès intervint publiquement, le 27 novembre 1897, dans *La Petite République*, pour poser quelques questions embarrassantes sur le procès Dreyfus. Il restait pourtant prudent, hésitant à engager derrière lui les socialistes qu'il représentait et qui n'étaient pas décidés à entrer dans cette bataille, en raison des prochaines élections législatives[2].

La première victoire du dreyfusisme fut la comparution d'Esterhazy devant le conseil de guerre du Cherche-Midi, les 10 et 11 janvier 1898. Mais le procès se solda par l'acquittement d'Esterhazy, ce qui sema chez les dreyfusards un complet désarroi. Deux jours plus tard, Picquart était mis aux arrêts de forteresse au Mont-Valérien, et Scheurer-Kestner privé de sa vice-présidence au Sénat. C'est alors que l'affaire Dreyfus prit un tournant inattendu et que le dreyfusisme rebondit : Émile Zola fut l'homme par qui le scandale arrivait à point, déclenchant par son « J'accuse », publié par *L'Aurore* le 13 janvier 1898, une violente crise et le renforcement massif des deux camps opposés.

L'acte révolutionnaire de Zola a eu pour effet de mobiliser l'opinion. L'antidreyfusisme bénéficie toujours de la majorité parlementaire, les élections législatives du mois de mai ayant vu la défaite de Jaurès et la victoire de Drumont. Le nationalisme populaire, chauffé à blanc par la presse antisémite, s'exprime avec violence. Le 10 avril, Zola a été assailli à coups de pierre, non loin de Médan, dans les Yvelines, où il demeure. Le 1er mai, dans *L'Intransigeant*, Rochefort déclare que « la révision du procès Dreyfus serait la fin de la France ». Mais si la plus grande partie de l'opinion suit encore le gouvernement, sinon les antidreyfusards les plus enragés, le dreyfusisme, de son côté, se développe et s'organise.

Il est d'abord le fait des « intellectuels[3] ». Le 15 janvier 1898, est publiée la première liste d'une pétition réclamant la révision du procès Dreyfus, signée par un certain nombre d'universitaires, d'écrivains, d'avocats, de médecins, parmi lesquels on rencontre les noms d'Émile Zola, du poète Fernand Gregh, d'Anatole France, de Marcel Proust, des historiens Daniel et Élie Halévy, du poète Pierre Quillard, de Lucien Herr, du germaniste Charles Andler, du directeur de l'Institut Pasteur Émile Duclaux, du sociologue Célestin Bouglé, de l'économiste François Simiand, de Georges Sorel, etc. Dans les jours qui suivent, la liste s'allonge : Claude Monet, Jules Renard, l'historien Gabriel Monod, Émile Durkheim[4]… Le 24 février, est fondée la Ligue des Droits de l'homme, sous la direction du sénateur et ancien ministre de la Justice Ludovic Trarieux.

Cette mobilisation des intellectuels en faveur de la révision a provoqué une mobilisation symétrique antirévisionniste, dont l'expression collective fut la création, en janvier 1899, de la Ligue de la patrie française, présidée par l'académicien Jules Lemaitre, et qui comptait parmi ses membres Maurice Barrès, Ferdinand Brunetière, le poète François Coppée, le compositeur Vincent d'Indy, Frédéric Mistral, Paul Bourget, le critique dramatique Francisque Sarcey, Jules Verne, Gyp, Charles Maurras...

Entre les tenants de la révision et leurs adversaires, quel fut l'objet principal de la dispute ? Elle porta d'abord sur la défense de l'armée. Ferdinand Brunetière, directeur de *La Revue des Deux Mondes*, affirma, dans une réponse à « quelques intellectuels », le 15 mai 1898, le primat de la défense nationale [5]. À ses yeux, il fallait d'abord défendre l'armée, parce qu'elle était « la France elle-même », une garantie de l'idée même de démocratie : « Sans l'armée, c'est la démocratie qui serait elle-même en danger de périr. » Alphonse Darlu, directeur de *La Revue de Métaphysique et de Morale*, concéda, dans sa réponse de mai 1898 à Brunetière, que le peuple français, « dès qu'il s'agit de l'armée, est avec elle. Et cela est juste et naturel. C'est précisément ce qui a fait la gravité et la tristesse si lourde de l'affaire Dreyfus, c'est qu'elle a mis aux prises dans le cœur de beaucoup de bons citoyens des sentiments également forts, le sentiment inquiet de la justice et le souci de l'ordre public, des sentiments d'humanité et le sentiment national[6] ». Les antidreyfusards protestaient contre l'affaiblissement de l'armée par les attaques que lui faisaient subir ses adversaires. Les dreyfusards rétorquaient que l'armée serait d'autant plus respectée qu'elle reconnaîtrait l'erreur judiciaire qu'elle avait commise.

Cette querelle induisait un débat plus abstrait sur la cohésion sociale et le rôle des intellectuels. Pour les antidreyfusards, l'important est la préservation du lien social. Les intellectuels dreyfusards leur apparaissent comme autant d'« individualistes » oublieux des impératifs patriotiques. Ferdinand Brunetière part ainsi en guerre contre cette « aristocratie de l'intelligence » qui s'estime supérieure au commun, et dont « l'infatuation » prépare l'anarchie. Il récuse la prétention des élites littéraires et scientifiques à avoir des lumières particulières sur le fond d'un procès jugé, et d'une manière générale sur les choses publiques : « Je ne vois pas ce qu'un professeur de thibétain a de titres pour gouverner ses semblables, ni ce qu'une connaissance unique des propriétés de la quinine ou de la cinchonine confère de droits à l'obéissance et au respect des autres hommes[7]. »

Cette position est vivement attaquée par les intellectuels dreyfusards, et notamment par Alphonse Darlu. À ses yeux, l'individu n'est pas séparable de la société dans laquelle il vit, et s'il est vrai qu'il y a des « autorités légitimes », « l'émancipation de la personne humaine » est le propre de l'histoire. Un peuple est d'autant plus grand qu'il compte dans ses rangs plus d'hommes qui portent « en eux-mêmes le principe de leur pensée et de leur action ». L'unité de la nation est désirable, mais « comme une union des volontés, et non comme cette unité d'action qu'assure la force ».

Tandis que la philosophie antidreyfusarde exalte l'institution sociale au détriment de l'individu qui lui est soumis, la pensée dreyfusarde – en ceci fidèle à la tradition des Droits de l'homme – défend la liberté d'examen comme le principe de la civilisation moderne.

Il ne faut donc pas s'y tromper : derrière la modération d'un antidreyfusisme de bonne compagnie, il est clair que se trouvent réaffirmés quelques-uns des principes clés de la pensée contre-révolutionnaire, tels qu'un Louis de Bonald ou un Joseph de Maistre ont pu les formuler, et selon lesquels il n'est point d'homme universel dont les droits seraient absolus, mais au contraire des sociétés bien concrètes dont la survie doit être protégée, fût-ce au prix de l'erreur judiciaire. Un Paul Léautaud, écrivain fort peu politisé, et gagné comme tout le monde par la fièvre anti ou pro-Dreyfus, exprime avec ironie un tel point de vue lorsque, invité après le suicide d'Henry à verser son obole pour sa veuve et son orphelin, il participe à la souscription avec ce commentaire : « Pour l'ordre, contre la justice et la vérité. »

Paul Léautaud, tout dreyfusard qu'il est, ne se brouille pas pour autant avec son ami Paul Valéry, qu'il nous montre dans son *Journal littéraire* en train de réclamer qu'on fusille Dreyfus. Mais le procès et la condamnation de Zola provoquent des ruptures éclatantes. On voit ainsi un Jules Renard se jurant de ne plus écrire « une ligne » à *L'Écho de Paris*, où trône Barrès. C'est dans son *Journal* qu'on pourrait discerner le passage d'un débat, resté académique, à une bataille violente : « Je déclare que je me sens un goût subit et passionné pour les barricades, et je voudrais être ours afin de manier aisément les pavés les plus gros ; que, puisque nos ministres s'en fichent, à partir de ce soir je tiens à la république, qui m'inspire un respect, une tendresse que je ne me connaissais pas. Je déclare que le mot justice est le plus beau de la langue des hommes, et qu'il faut pleurer si les hommes ne le comprennent plus[8]. »

Le dreyfusisme radical rallie les anarchistes et les antimilitaristes. Georges Rouanet, député parisien proche de Jaurès, écrit dans *La Revue socialiste* : « Depuis 1871, la France est en proie à une militarisation croissante, consistant bien moins dans l'enrégimentation de ses fils à la caserne que dans l'enrégimentation des esprits, systématiquement faussés par toute notre littérature et notre enseignement public[9]. » Les organes socialistes, comme *Le Parti ouvrier*, anarchistes, comme *Les Temps nouveaux*, fustigent l'armée comme un « instrument d'imbécile et continuelle destruction », mais aussi « la foule esclave et lâche » éprise de chauvinisme. En même temps, la presse d'extrême gauche tire à boulets rouges sur les cléricaux, les « jésuitières » où sont formés la plupart des cadres de l'armée, la nouvelle alliance du sabre et du goupillon.

À dire vrai, l'Église officielle, les jésuites en tête, resta assez prudente au cours de l'Affaire. Il y eut même un dreyfusisme catholique, auquel reste attaché notamment le nom de Paul Viollet, l'un des initiateurs de la Ligue des Droits de l'homme, fondateur d'un Comité catholique pour la défense du droit. Mais la majorité des fidèles, nourris par les journaux antisémites comme *La Croix* des pères augustins de l'Assomption et *Le Pèlerin*, donnèrent leur voix à la cause antidreyfusarde. Dans le camp opposé, un Urbain Gohier, qui devait plus tard devenir l'un des hérauts les plus haineux de l'antisémitisme, s'en prenait alors dans une série d'ouvrages aux « prétoriens » et à la « congrégation » : « Il faut en finir, *écrivait-il*, avec l'armée de Condé, avec les revenants de Coblentz et de Quiberon, mâtinés de uhlans, pupilles de jésuites, que les soldats de France seraient obligés de chasser de leurs rangs le jour de la mobilisation, si la république ne se décide pas à les expulser auparavant. Il faut en finir avec cette caste d'officiers bourreaux, voleurs, concussionnaires, menteurs, maîtres-chanteurs, proxénètes, qui ont reculé les limites de l'ignominie, et dont le cynisme arrogant a stupéfié le monde[10]. »

De son côté, en se radicalisant, l'antidreyfusisme devenait nationaliste et antisémite. Les modérés de la Patrie française furent bientôt dépassés. La Ligue des patriotes, présidée par Paul Déroulède, alla jusqu'à tenter le coup de force lors des funérailles du président de la République Félix Faure, en février 1899. Mais nul mieux que Maurice Barrès ne sut doter le nationalisme de principes et d'accents funèbres, si ce n'est son jeune disciple Charles Maurras. Dans ses articles recueillis sous le titre *Scènes et doctrines du nationalisme*, publiés en 1925, on trouve réunis tous les arguments de l'antidreyfusisme, ressassés tout au long de l'Affaire : l'anti-individualisme, l'anti-intellectualisme, le culte de l'armée, l'antiprotestantisme, l'antiparlementarisme, la dénonciation de la décadence, l'apologie d'un catholicisme politique aux fins de cohésion nationale, la discipline sociale, la xénophobie, et, surtout, l'antisémitisme.

Barrès exprimait le sentiment d'une angoisse politique largement partagée depuis la défaite de 1871, l'idée selon laquelle un germe de destruction ravageait la nation, « dissociée », « décérébrée », sans direction. Il dénonçait dans le dreyfusisme « une orgie de métaphysiciens », raisonnant dans l'abstrait, ignorant la nécessité du « relativisme » – c'est-à-dire de tout juger « par rapport à la France ». On discerne déjà sous sa plume la future théorie maurrassienne des « quatre états confédérés » et conjurés pour la destruction de la patrie : les protestants, les Juifs, les francs-maçons, et les « métèques », qui sont tous censés occuper, depuis le début de la république parlementaire, les commandes de l'État. Contre leur œuvre de mort, il faudrait, selon Barrès, recomposer la nation autour de ses institutions, gardiennes de son identité, et d'abord l'armée et l'Église. Le but : abattre le régime en place, et restaurer par l'union du peuple et de l'armée à la fois l'autorité dans l'État et les valeurs traditionnelles dans la société.

Ainsi l'affaire Dreyfus avait changé de nature : ce n'était plus une simple querelle sur un épisode de l'histoire judiciaire. Si l'antisémitisme y occupe une place si importante, ce n'est pas que la question juive en soit l'origine, mais que ses fantasmes, trouvant là une occasion rêvée de s'épanouir, traduisaient une certaine forme de défense irrationnelle contre la marche au néant. Bien des antidreyfusards récusèrent l'antisémitisme, le dénoncèrent même, comme Brunetière ; inversement, un certain nombre d'antisémites prirent le parti de Dreyfus – par exemple Paul de Cassagnac, directeur de *L'Autorité* –, estimant la cause de la vérité au-dessus de leurs préjugés. Mais les matamores de l'antisémitisme populaire, les Drumont et les Rochefort, les esthètes et les théoriciens du nationalisme, les Barrès et les Maurras, dénoncèrent dans la figure mythique du Juif à la fois la cause directe et le symbole de la décadence française. Obnubilés par les patronymes juifs, désormais repérables dans la haute administration, dans les commandements militaires, dans les instances politiques, après qu'ils l'eurent été dans le commerce et dans la banque, ils décrivirent en lettres de feu ou en savants traités « l'invasion ». La France de trente-neuf millions d'habitants ne comptait que quatre-vingt mille Juifs, mais les chiffres les plus fantaisistes renforçaient leur phobie : le pays était désormais, selon eux, en proie à la rapacité et à la volonté de nuire des envahisseurs.

L'imaginaire dreyfusard, symétrique de l'imaginaire antidreyfusard, développa quant à lui l'idée de complot inversé, telle qu'on la trouve exprimée dans l'*Histoire de l'affaire Dreyfus* de Joseph Reinach : complot de l'Église contre la république. D'où la transformation d'un certain dreyfusisme en anticléricalisme militant. Cet anticléricalisme trouva une application politique avec la victoire du Bloc des gauches aux élections législatives de 1902, et le ministère Combes (1902-1905). En un sens, le dreyfusisme eut pour heureux effet la loi de séparation des Églises et de l'État de 1905, dont tous les partis purent, à la longue, se féliciter. D'un autre côté, cette politique anticléricale retarda le « ralliement » des catholiques aux institutions républicaines. Il est vrai que le pape Léon XIII, fin politique, mort en 1903, avait eu pour successeur Pie X, dont l'intransigeance doctrinale et la raideur diplomatique ont pu décourager les hommes du compromis.

Cela dit, le dreyfusisme devait rester le paradigme éthique de la nation républicaine. Sa victoire finale – la réhabilitation du capitaine Dreyfus en 1906 – s'impose encore à nous comme la reconnaissance officielle des valeurs qui fondent notre démocratie libérale – et la plus précieuse de toutes, celle qui fait de chaque citoyen, de chaque être humain, une personne qu'on ne peut sacrifier à une aveugle raison d'État, non plus qu'à des préjugés barbares. Cette référence historique, incomparable par le nombre des acteurs qui y sont associés et par l'éclat de sa conclusion, demeure à jamais comme l'un des étais symboliques les plus solides de notre modèle républicain[11].

L'antidreyfusisme, lui – qui ne fut pas chiche d'arguments dans son expression la plus digne, visant à la préservation de la cohésion nationale –, ne manqua pas d'inspirer une autre école, toujours vivante : celle du relativisme historique, inspirant un patriotisme francocentrique, un nationalisme fermé. Sa défaite historique reste comme un des hauts faits d'une civilisation fondée sur l'universel respect de la personne humaine : « Nous disions, *écrit Péguy dans* "Notre Jeunesse", une seule injustice, un seul crime, une seule illégalité, surtout si elle est officiellement enregistrée, confirmée, une seule injure à la justice et au droit, surtout si elle est universellement, légalement, nationalement, commodément acceptée, un seul crime rompt et suffit à rompre tout le pacte social, tout le contrat social, une seule forfaiture, un seul déshonneur suffit à perdre l'honneur, à déshonorer tout un peuple ![12] »

Notes

1. Écrivain juif anarchisant, Bernard Lazare, était à la fois l'auteur d'un essai ambigu sur l'*Histoire de l'antisémitisme* et celui d'une brochure polémique hostile à Drumont, *Contre l'antisémitisme*. Il publia *Une erreur judiciaire* chez Stock en novembre 1896, dont il livra une seconde version un an plus tard.

2. Quand, au début de 1898, Péguy et son ami Jérôme Tharaud se rendent chez Jaurès, qu'ils souhaitent voir devenir le chef des dreyfusards, celui-ci leur dit à quelle hostilité il se heurte dans le camp socialiste. Cf. H. Goldberg, *Jean Jaurès*, Paris, Fayard, 1970, p. 256.

3. Le mot d'« intellectuels », pris substantivement, est employé par Clemenceau saluant la pétition dans *L'Aurore* du 23 janvier 1898 ; il est repris par Barrès sur le ton ironique. Sur cette question, voir Christophe Charle, *La Naissance des intellectuels*, Paris, éd. de Minuit, 1990.

4. Sur les origines de la pétition, voir Léon Blum, *Souvenirs de l'Affaire*, rééd. Gallimard « Folio », 1993.

5. Ferdinand Brunetière, *Après le Procès*, Paris, Perrin et Cie, 1898.

6. Alphonse Darlu, *M. Brunetière et l'individualisme*, Paris, A. Colin, 1898.

7. Ferdinand Brunetière, *op. cit.*, p. 93.

8. *Journal de Jules Renard, 1887-1910*, Paris, Gallimard, « Bibliothèque de la Pléiade », p. 472.

9. Georges Rouanet, « L'agitation militaire et religieuse », *La Revue socialiste*, mars 1898.

10. Urbain Gohier, *Les Prétoriens et la congrégation*, Éditions de la Revue blanche, 1900, faisant suite à *L'Armée contre la nation*.

11. Cf. Michel Winock, « L'affaire Dreyfus », dans Serge Berstein et Odile Rudelle (s.d.), *Le Modèle républicain*, Paris, PUF, 1992.

12. Charles Péguy, *Notre Jeunesse, Œuvres en prose complètes*, Paris, Gallimard, t. III, p. 151.

Profession : antisémite

Les yeux sont clairs, la physionomie fine et moqueuse, le nez un peu long. On rencontre souvent au Palais de justice où a lieu le procès Zola, la petite comtesse de Martel, née Mirabeau, plus connue sous son nom de plume : Gyp. Mais tout le monde sait, en ces temps tourmentés où l'Affaire envahit les conversations, qui se cache derrière ce pseudonyme vif et asexué. Gyp a, en effet, une longue carrière derrière elle : depuis 1882, elle a écrit de nombreux romans mondains, dont *Le Mariage de Chiffon* en 1894, teintés d'antisémitisme. Bien que la littérature l'assomme, comme elle se plaît à le répéter, elle écrit toujours. Non pas par vocation mais parce qu'elle a besoin d'argent : une maison à Neuilly, trois enfants et toutes les obligations mondaines inhérentes à sa condition, cela coûte cher !

Gyp a dépassé la quarantaine lorsque l'affaire Dreyfus éclate. Elle se dépense alors sans compter pour défendre la cause des antidreyfusards, n'hésitant pas à vilipender ceux qu'elle exècre : les Juifs. En 1889, elle avait adhéré à la Ligue des patriotes de Paul Déroulède et avait soutenu le général Boulanger lors des élections qui s'étaient déroulées la même année. C'est à cette époque aussi qu'elle fit la connaissance de Maurice Barrès qui, comme le Tout-Paris nationaliste et antidreyfusard, fréquentera assidûment sa maison de Neuilly. Elle collabore également à *La Libre Parole* de Drumont et assiste à tous les procès où elle peut publiquement affirmer ses convictions.

Sa haine envers le peuple juif relève d'un véritable acharnement. Lorsque le président de la Haute Cour, où elle dépose lors de l'un des innombrables procès qui lui furent intentés, lui demande sa profession, elle répond : « Antisémite ! » Plus tard, elle affirmera : « Ce que je voudrais, moi, […] c'est les voir partir, qu'on leur fasse donc peur ! Je ne demande pas qu'on les tue. Je ne suis pas féroce à ce point-là. Mais qu'on les chasse, qu'on ne fasse pas comme les Russes qui les gardent et les parquent. » Son antisémitisme est exacerbé par l'Affaire. Ainsi, au lendemain du procès Picquart, en septembre 1898, commentant le soutien populaire qu'a reçu le colonel, elle écrit dans *La Libre Parole* : « Ils triomphent ! Et leur force d'insolence semble grandir chaque jour […] c'est qu'ils sont chez eux les Groins ! »

Dans *L'Amour aux champs*, elle décrit de façon outrancière l'affrontement entre les « honnêtes gens » et les dreyfusards. Elle tâte même du crayon et, sous le pseudonyme de Bob, commet quelques caricatures antisémites qui illustrent ses propres ouvrages.

Patricia Ferlin

Barrès et le traître Dreyfus

« La mise en liberté du traître Dreyfus serait après tout un fait minime, mais si Dreyfus est plus qu'un traître, s'il est un symbole, c'est une autre affaire : c'est l'affaire Dreyfus ! Halte-là ! Le triomphe du camp qui soutient Dreyfus-symbole installerait décidément au pouvoir les hommes qui poursuivent *la transformation de la France selon leur esprit propre*. Et moi je veux conserver la France.

« C'est tout le nationalisme, cette opposition. Vous songez et vous prétendez nous plier sur vos songeries. Nous constatons les conditions qui peuvent seules maintenir la France et nous les acceptons.

« En vérité, je m'inquiète bien de savoir ce que valent dans un cabinet clos vos "généreuses" préférences !

In abstracto, on peut soutenir cette thèse-ci et cette thèse-là, on peut, selon le cœur qu'on a, apprécier ou déprécier l'armée, la juridiction militaire, les luttes de race. Mais il ne s'agit pas de votre cœur ; il s'agit de la France et ces questions doivent être traitées par rapport à l'intérêt de la France.

« Il ne faut pas supprimer l'armée, parce qu'une milice ne suffirait point, je vous prie de le croire, en Lorraine.

« Il ne faut point supprimer la juridiction militaire parce que certaines fautes insignifiantes chez le civil deviennent par leurs conséquences très graves chez le militaire.

« Il ne faut point se plaindre du mouvement antisémite dans l'instant où l'on constate la puissance énorme de la nationalité juive qui menace de "chambardement" l'État français.

« C'est ce que n'entendront jamais, je le crois bien, les théoriciens de l'Université ivres d'un kantisme malsain. Ils répètent comme notre Bouteiller : "Je dois toujours agir de telle sorte que je puisse vouloir que mon action serve de *règle universelle*." Nullement, messieurs, laissez ces grands mots de toujours et d'universelle et puisque vous êtes Français, préoccupez-vous d'agir selon l'intérêt français à cette date. »

(Maurice Barrès « L'état de la question »,
Le Journal, 4 octobre 1898.)

Péguy et l'injustice sacrée

« Nous avons [...] signalé tout ce que le retentissement universel de l'affaire Dreyfus devait aux antidreyfusistes. Ce sont eux, disions-nous, qui ont fait de l'accusation une accusation exceptionnelle, de la condamnation une condamnation exceptionnelle, de la sanction une sanction exceptionnelle : cela seul conduisait à ce que la réhabilitation fût exceptionnelle. Ce n'était pas assez dire. Non seulement les antidreyfusistes avaient fait une injustice exceptionnelle, mais ils avaient voulu faire une injustice sacrée, ils avaient fait une injustice religieuse. Entendons-nous bien sur le sens de ce mot. Que la culpabilité de Dreyfus ait été feinte, imaginée, cultivée par les jésuites et par une immense majorité de catholiques, c'est un fait évident, important, et nous y reviendrons. Mais, outre cela, tout ce qui touchait à l'affaire Dreyfus eut dès le principe un caractère propre vraiment religieux, au sens le plus respectable de ce mot. L'accusation fut mystérieuse, obscure ; la condamnation fut mystérieuse, douloureuse à prononcer, car il est douloureux à Dieu de venger les injures qu'on lui a faites ; les vengeurs du dieu militaire ne parlaient de l'accusé, du condamné, du maudit qu'avec ces périphrases dévotes et douloureuses dont il convient d'user pour désigner les sacrilèges ; la sanction fut extraordinaire, savamment cruelle, infernale autant qu'il est permis à de bons catholiques, simples créatures, d'imiter l'enfer de leur Créateur. Dreyfus était devenu anathème. Quiconque le défendait serait anathème avec lui. L'arrêt du conseil de guerre était un article de foi. Ces mots "l'honneur de l'armée" devinrent une formule sainte, prête pour le latin des prochaines litanies. Et les fidèles désiraient pieusement massacrer les infidèles. Aussi tous les hommes, dans la France et dans le monde, en quelque parti que la vie les eût classés jusqu'alors, tous les hommes qui avaient encore au fond de l'âme je ne dis pas même l'amour, la passion, le désir de la libre pensée, mais simplement le sens de la franchise, le goût de la clarté, de la propreté, se sont soulevés d'instinct contre cette religion naissante, moins vénérable et non moins mauvaise que les religions des anciens dieux. Et inversement tous ceux qui ont l'âme serve ont jalousement fait cortège à la croyance nouvelle. »

(Charles Péguy, *La Revue blanche* n° 151, 15 septembre 1899.)

L'attitude des catholiques

René Rémond

S'il est une idée qui s'impose avec toutes les apparences de l'évidence à propos du partage de l'opinion dans l'affaire Dreyfus, c'est bien que les catholiques se seraient rangés en bloc dans le camp antidreyfusard et auraient embrassé d'un mouvement aussi spontané qu'unanime les thèses de l'antisémitisme.

Cette interprétation a pris forme rapidement. Dès le 6 janvier 1898, dans une « Lettre à la France », Émile Zola dénonce dans l'exploitation de l'antisémitisme une machination cléricale : « Vainement le catholicisme s'efforçait d'agir sur le peuple, créait des cercles d'ouvriers, multipliait les pèlerinages, échouait à le reconquérir, les églises restaient désertes, le peuple ne croyait plus. Et voilà que des circonstances ont permis de souffler au peuple la rage antisémite. On l'empoisonne de ce fanatisme, on le lance dans les rues : "À bas les Juifs ! À mort les Juifs !". Quel triomphe si l'on pouvait déchaîner une guerre religieuse ! »

Cette guerre qu'elle aurait eu l'imprudence de déclencher, l'Église l'a indubitablement perdue ; ce fut la justification des mesures prises contre elle par le parti républicain, dans le sillage de la défaite du camp qui avait associé nationalistes et cléricaux. Telle est la lecture des événements faite, quelques années plus tard, par Georges Sorel : « L'Église n'a pas commis de plus grande faute, depuis l'expédition de Rome[1], que d'avoir pris parti contre la révision du procès Dreyfus. L'agitation qui se produisit en France interrompit le travail souterrain de la diplomatie pontificale. À des rancunes vieilles de dix ans on sacrifie les avantages conquis péniblement depuis le ralliement du clergé à la république[2]. »

Depuis, presque tous ceux qui ont traité de la période ont repris cette version : l'engagement massif dans le camp anti-révisionniste du clergé suivi par l'ensemble des fidèles aurait provoqué le réveil de la querelle religieuse. L'historien de la droite révolutionnaire Zeev Sternhell affirme que les catholiques furent le seul groupe social dont la cohésion ne fut, à cet égard, jamais ébranlée[3]. Et plus récemment Pierre Birnbaum va jusqu'à dire que c'est la référence au catholicisme qui a unifié toutes les composantes de ce secteur d'opinion et inspiré leur antisémitisme[4].

Pourtant, de temps à autre, un historien plus curieux s'interroge sur la véracité de cette tradition historiographique. En 1962, André Latreille se demandait s'il est bien établi que l'Église a ainsi pris globalement parti. En 1948, Louis Capéran avait publié *L'Anticléricalisme et l'affaire Dreyfus*, un livre qui remet partiellement en question la version officielle, et Jean-Marie Mayeur, dans un article publié dans la *Revue historique* en 1979 – un modèle d'érudition rigoureuse sur les catholiques dreyfusards –, réfute l'idée d'un bloc catholique tout entier antidreyfusard : il ne s'agit, pour lui, que d'un mythe.

Mon propos est moins ambitieux ; il est aussi plus interrogatif. Est-il prouvé que les catholiques ont tous pris position ? L'affirmer, c'est sous-entendre que tous les Français ont pris fait et cause dans l'Affaire. En sommes-nous bien certains ? Pierre Birnbaum croit pouvoir dire que l'antisémitisme a pénétré jusque dans les campagnes les plus reculées. Voire ! Ne serions-nous pas victimes de l'erreur d'optique qui conduit les intellectuels et les politiques de la capitale à croire que les controverses qui les passionnent concernent tous leurs compatriotes ? Illusion dans laquelle tombent, à leur tour, les historiens, tributaires de la vision des premiers tant qu'il n'y eut pas d'autre moyen de connaître les sentiments profonds de l'ensemble des Français.

On ne saurait trop se défendre de l'inclination à extrapoler à partir du comportement de minorités. Ainsi, pour montrer que le clergé a choisi le camp de l'antisémitisme, on se fonde souvent sur le nombre des ecclésiastiques ayant participé à la souscription lancée par *La Libre Parole* au lendemain du suicide du colonel Henry pour donner à sa veuve le moyen de poursuivre en justice Joseph Reinach, qui avait accusé son mari de trahison : ils ont été quelque trois cents. Chiffre non négligeable, mais qu'on ne songe jamais à mettre en rapport avec celui de l'ensemble des prêtres, qui sont alors plus de cinquante mille, sans compter le clergé régulier : au total, un pourcentage infime. À ce compte, ne trouverait-on pas une proportion au moins aussi importante dans toutes les composantes de la société française ?

Si vraiment le clergé s'était tout entier passionné pour l'Affaire, ne faudrait-il pas s'étonner de constater qu'il n'y ait pas eu une seule intervention à son sujet dans l'un ou l'autre des deux congrès qui se sont tenus à Reims, du 24 au 27 août 1896, et à Bourges, du 10 au 13 septembre 1900 ? Ils ont pourtant réuni plusieurs centaines de prêtres, venus de tous les diocèses de France, particulièrement attentifs aux problèmes de la société et assez représentatifs de l'ensemble de leurs confrères. Leur silence conduit à douter de l'engagement massif du clergé dans la controverse.

Second sujet d'interrogation : le camp des catholiques qui prirent position fut-il toujours celui de l'antisémitisme ? Dans ce cas, leur comportement eût été fort différent de celui de leurs concitoyens. En effet, on ne saurait oublier que la droite ne fut pas entièrement antidreyfusarde, pas plus que la gauche n'était totalement acquise à la cause de la révision. Quelques-uns des plus ardents défenseurs de l'honneur de l'armée venaient du camp républicain, et plus d'un homme de gauche mit du temps à se convaincre de l'innocence de Dreyfus.

Les catholiques n'étaient pas tous antisémites. Et quand ils l'étaient, était-ce toujours en raison de leur catholicisme, ou ne faisaient-ils que partager un préjugé commun ? S'il est incontestable que les thèses d'Édouard Drumont ont trouvé un accueil favorable chez une grande partie des catholiques, d'autres ont combattu ses affirmations. On cite, à juste titre, *La France juive* et ses nombreuses rééditions, mais pourquoi oublier le livre d'Anatole Leroy-Beaulieu, *Israël parmi les nations*, publié dès le début de l'Affaire, en 1893, et qui ne connut pas moins de quatorze éditions avant 1914 ? Or il s'agit d'une réfutation de l'antisémitisme au nom du christianisme : l'antisémitisme n'est pas seulement une aberration de l'intelligence et une atteinte aux traditions généreuses de notre pays, c'est une infidélité à l'esprit de l'Évangile.

L'Église, dit Anatole Leroy-Beaulieu, est solidaire des Juifs. Non seulement parce que la virulence de l'anticléricalisme ressemble fort à la fureur de l'antisémitisme, mais parce que, à viser le Juif, on risque d'atteindre le Christ : « On ne peut atteindre Israël qu'à travers le Christ » ; « Les seuls antisémites logiques sont ceux qui repoussent l'Évangile aussi bien que la Bible. » Même si ce livre n'a pas obtenu une audience tout à fait comparable à *La France juive*, sa large diffusion interdit de dire que tous les catholiques furent antisémites.

On s'étonne également que les sentiments du pape, aux déclarations duquel on attache d'ordinaire tant d'importance pour connaître la position de l'Église, n'aient pas davantage retenu l'attention des contemporains comme des historiens. Or Léon XIII n'a pas caché qu'il ne croyait pas à la culpabilité de Dreyfus. Il eut même, dans un entretien accordé au *Figaro* le 15 mars 1899, une phrase étonnante, qui ôte toute justification théologique à l'antidreyfusisme et empêche de confondre catholicisme et antisémitisme : « Heureuse la victime que Dieu reconnaît assez juste pour assimiler sa cause à celle de son propre fils sacrifié ! » A-t-on exactement mesuré la portée d'une telle déclaration ?

On ne trouve pas non plus d'évêque qui se soit prononcé publiquement sur l'Affaire. Ce silence peut s'expliquer par des motifs très différents et de valeur inégale : prudence par exemple, afin d'éviter d'entrer en conflit avec le gouvernement. Quoi qu'il en soit, c'est au moins une présomption que l'épiscopat ne devait pas être tout entier antisémite. Et ce silence infirme les suppositions de Zola selon lesquelles l'Église se serait emparée de l'Affaire pour tenter de rétablir son contrôle sur la société.

Quant aux simples prêtres, qu'ils n'aient pas tous été d'ardents adversaires de la cause de Dreyfus, même la fiction en porte témoignage : dans *À la recherche du temps perdu* de Marcel Proust, le prince de Guermantes découvre que l'abbé Poiré partage son opinion sur l'innocence du capitaine. Que dire des fidèles ? Si la gloire de son fils n'avait pas amené les historiens à s'intéresser à son milieu familial, nous ignorerions toujours que le père de Charles de Gaulle, professeur dans l'enseignement catholique et qui avait tout, selon le schéma simplificateur que nous contestons, pour se ranger sans état d'âme dans le camp antidreyfusard, n'a, lui non plus, jamais cru à la culpabilité de Dreyfus.

Encore ne s'agit-il là que de convictions que l'on garde pour soi. Mais certains catholiques se sont ouvertement démarqués de la campagne contre Dreyfus, tel Édouard Trogan, secrétaire de rédaction de la revue catholique d'inspiration libérale *Le Correspondant*, qui prend position en faveur du capitaine dans un article publié en mars 1898, dans une revue belge. Il y eut surtout la constitution d'un Comité catholique pour la défense du droit, dont Jean-Marie Mayeur s'est fait l'historien. Ce comité avait été fondé par Paul Viollet, membre de l'Institut et historien du droit, mû par le souci de soumettre le cas Dreyfus à une critique dont la rigueur s'inspirerait de la méthode historique. S'y ajoutait la volonté de témoigner de l'attachement des catholiques au droit et à la justice.

Pour se conformer à la législation du temps, le Comité ne compte que vingt membres, mais cent dix-huit personnes, dont nombre d'ecclésiastiques, lui ont adressé des messages de sympathie. Il a tenu des conférences de presse et publié plusieurs déclarations. En faisaient partie, ou en étaient proches, l'abbé Louis Birot, vicaire général d'Albi, correspondant pour le Tarn ; l'abbé Pichot, qui publia en 1898 un livre sur *La Conscience chrétienne et l'affaire Dreyfus* ; l'abbé Joseph Brugerette, du diocèse de Clermont, qui publiera en 1904, sous le pseudonyme de Henri de Saint-Poli, *L'Affaire Dreyfus et la mentalité catholique en France* ; l'abbé Frémont enfin, qui parlait des Juifs comme de nos frères. Tous étaient acquis à la cause de la révision.

D'où vient alors que la plupart des contemporains aient cru, de bonne foi, que les catholiques faisaient bloc contre Dreyfus et qu'aujourd'hui encore la thèse de leur connivence avec les outrances de l'antisémitisme jouisse de la force de l'évidence ?

Deux faits concourent à l'expliquer : le silence de l'Église officielle et l'agressivité d'une certaine presse confessionnelle. L'épiscopat, nous l'avons relevé, ne s'est pas compromis avec la droite nationaliste, mais il n'a pas non plus pris position en faveur du droit. Il est vrai qu'à l'époque les autorités religieuses n'intervenaient publiquement que pour défendre les libertés de l'Église ou dénoncer les menaces contre l'institution.

Dans ce silence de la hiérarchie, les imprécations de certains journaux qui se réclament de leur appartenance à l'Église font d'autant plus de bruit. Comment des esprits peu familiers des réalités ecclésiales, mais qui savent de quel poids pèse l'autorité dans l'Église, n'auraient-ils pas interprété le silence de l'épiscopat comme une approbation implicite des violences verbales de *La Croix* ? Tous n'étaient pas tenus de savoir que ce journal, propriété de la petite congrégation des Augustins de l'Assomption, ne représentait pas la hiérarchie. En outre, les noms des membres du Comité catholique ne disaient pas grand-chose au grand public : aucune personnalité de premier plan, de celles que l'on identifiait au catholicisme, tels Albert de Mun ou Denys Cochin ; aucun représentant du catholicisme libéral, ni des ralliés à la République, ni de la démocratie chrétienne, et pas davantage du *Sillon*[5] ou de l'Association catholique de la jeunesse française.

En l'absence de personnalités symbolisant le catholicisme et dans le silence de l'épiscopat, il n'est pas étonnant que les diatribes des journalistes aient accaparé l'attention. C'est aussi la conséquence d'un phénomène récent : l'avènement d'une presse catholique de combat. Certains ecclésiastiques avaient pris conscience du pouvoir de la presse et s'étaient juré de mettre cet instrument au service de l'Église. Toute une génération de jeunes prêtres a fait sien le mot de l'un d'eux : « Si saint Paul revenait, il se ferait journaliste. » Ils entendent combattre les ennemis de l'Église et se servent de leur plume comme d'une épée.

Depuis la thèse de Pierre Sorlin sur « La Croix » *et les Juifs* (1967), on sait le degré de violence atteint par la fureur antisémite du quotidien qui arborait fièrement, en première page, la figure du Crucifié. L'audience du journal était considérable : il avait pris le relais de *L'Univers* de Louis Veuillot. Il aurait compté parmi ses lecteurs quelque quinze mille curés, soit près du tiers du clergé paroissial ; un chiffre autrement représentatif que les trois centaines de souscripteurs de *La Libre Parole.* Or, pour beaucoup de prêtres, c'était l'unique source d'information. *La Croix*, relayée par les *Croix* de province, a sûrement contribué à diffuser dans une large fraction du peuple catholique les préjugés les plus stupides et les thèses les plus haineuses de l'antisémitisme

C'est ce fait qu'il importe de tenter de comprendre. Car, même si tous les catholiques n'ont pas partagé ces préjugés, il n'est pas niable que ceux-ci ont trouvé parmi eux une large audience et que la majorité des fidèles penchait plutôt du côté de la droite nationaliste et antisémite. Pour quelles raisons les catholiques ont-ils donc, dans une proportion probablement plus forte que d'autres familles d'esprit, si facilement donné leur adhésion aux doctrinaires de l'antisémitisme ?

Il ne semble pas que les raisons proprement religieuses aient été, ici, déterminantes. Certes, *La Croix* ne manque pas de parler de peuple déicide et de race perfide : elle se réfère au récit de la passion du Christ où les Juifs, interrogés par Pilate, acceptent que le sang du Juste retombe sur eux et leurs enfants. Dans la vision, alors prédominante, qui définit Dieu plus comme le souverain juge que comme le Dieu de miséricorde, la dispersion des Juifs apparaît comme la réparation imposée pour leur part prise à la mort de la victime innocente. Mais les ressentiments confessionnels, suscités par les circonstances politiques, ont eu un rôle plus décisif. Depuis que les républicains sont maîtres de tous les pouvoirs, les catholiques ont le sentiment d'être en butte à une persécution systématique. Ils ont perçu les dispositions prises pour laïciser l'enseignement et les institutions publiques comme autant de mesures discriminatoires. Ils ont même la conviction d'être rejetés de la vie publique, exclus de la nation. Ils soupçonnent les dirigeants de vouloir arracher la religion de l'âme du peuple français et se persuadent que les Juifs sont, avec les francs-maçons, les inspirateurs de cette politique diabolique. Que l'inspirateur de la loi qui légalise le divorce ait été Alfred Naquet, n'a pas peu contribué à accréditer dans l'opinion catholique cette idée que les Juifs sont les responsables du mal fait à l'Église.

Dans leur crédulité, qui est grande, comme le montre au même moment l'incroyable succès des fables inventées par Léo Taxil[6], les catholiques sont disposés à croire à une vaste machination. Raisonnant dans une vision dualiste, ils réduisent le jeu politique à l'affrontement entre le camp du bien et celui du mal, et sont convaincus de mener une croisade. Tout les entretient dans une telle certitude, y compris les questions de personnes : il n'est pas indifférent qu'un Esterhazy, par exemple, ait jadis combattu avec les zouaves pontificaux, ni que Dreyfus ait eu parmi ses premiers défenseurs des protestants et un écrivain – Zola – qui avait, dans les milieux catholiques, une réputation ordurière.

Que ces raisonnements aient trouvé des esprits complaisants dans les rangs des catholiques intransigeants qui persistaient, un siècle après la Révolution, à croire qu'il n'y avait de salut pour la France que dans le rétablissement de la monarchie et la restauration de l'Ancien Régime, n'a pas de quoi surprendre. Il est plus inattendu que les thèmes antisémites aient trouvé créance chez des hommes qui, loin de nourrir quelque nostalgie pour l'ordre ancien, entendaient réconcilier l'Église avec la société moderne et se tournaient hardiment vers l'avenir, notamment parmi les démocrates chrétiens. Mais c'est précisément leur volonté de rétablir les relations avec le peuple qui a fait de ces catholiques-là des antisémites – par anticapitalisme : pour eux, le Juif est le symbole de l'argent-roi, qui détruit l'économie traditionnelle et ruine les petits. C'est le vieux procès de l'usure et des usuriers, la défiance à l'égard du commerce de l'argent, rajeuni par le thème de la banque juive. L'hostilité aux Juifs s'inscrit dans une vision globale de la société, qui exalte le travail de la terre, célèbre l'ordre éternel des champs contre la ville dévoreuse. Il faut protéger le petit commerce contre le bazar et les grands magasins, l'artisan contre l'industriel qui l'exploite. Cette composante du paysage politique du monde catholique est pleine de réminiscences et de virtualités populistes.

Mais la motivation la plus fondamentale des préjugés antisémites se situe peut-être à la jointure du national et du religieux, dans l'idée que les catholiques se font de la France, fidèle à sa vocation de fille aînée de l'Église. Ils ne se sont pas encore faits à l'idée qu'elle puisse avoir d'autres références et ne sont pas prêts à admettre que d'autres puissent être de bons Français sans partager leur foi. « Être catholique et être Français ne font qu'un », écrit le père Vincent-de-Paul Bailly, l'un des journalistes les plus combatifs de *La Croix*. Dans l'affrontement de ces deux France, les catholiques n'avaient pas d'hésitation sur le camp dans lequel se ranger.

Notes

1. Il s'agit de l'envoi, en 1849, par le prince-président Louis-Napoléon, d'un corps expéditionnaire qui avait pour mission de rétablir le pouvoir du pape Pie IX sur ses sujets révoltés.

2. Cité par André Latreille, *Histoire du catholicisme en France*, t. III, Paris, Spes, 1962, p. 491. Le « ralliement » du clergé à la république était intervenu officiellement en 1890-1892.

3. Zeev Sternhell, *La Droite révolutionnaire*, Paris, Le Seuil, 1984, p. 238.

4. Cf. bibliographie thématique, p. 295-305.

5. *Le Sillon*, à l'origine une revue d'inspiration démocrate chrétienne, devint, sous l'impulsion de Marc Sangnier, le fer de lance du catholicisme social.

6. Journaliste, Léo Taxil, de son vrai nom Gabriel Pagès, s'était spécialisé dans la dénonciation du « complot franc-maçon » à coups de révélations fantaisistes dévoilant le caractère prétendument luciférien du Grand Orient de France. Il fonda en 1888 une revue : *La France chrétienne antimaçonnique* (cf. « Catholiques contre francs-maçons : l'extravagante affaire Léo Taxil », par Fabrice Hervieu, *L'Histoire* n° 145, p. 32).

La tristesse de Léon Bloy

« Passé la journée à lire en partie la collection des numéros de *La Croix* relatifs à l'Affaire. Tristesse et dégoût horribles. Je ne sais ce qui me révolte le plus, de la vilenie incomparable de ces religieux-larbins, toujours du côté de celui qu'ils jugent le plus fort – ou de l'étonnante bassesse de leurs pensées.

« Oh ! Cet esprit de séminaristes, ne sortant jamais des niaiseries honteuses d'une puérilité épouvantable, sinon pour se dilater aux plaisanteries excrémentielles qui ont, à leurs yeux, cet avantage de ne pas blesser "la sainte vertu". […]

« Des ecclésiastiques, d'ailleurs corrects, on veut le croire, qui repoussent avec indignation, avec horreur, un roman de Balzac et qui expurgeraient Ézéchiel, ne se croient pas impurs en se prêtant à des histoires de pots de chambre ou en parlant, avec quelle finesse ! de "trou du balle" de maître Labori *(allusion à l'attentat dont l'avocat de Dreyfus a été victime à Rennes)*. […]

« Il faudrait une parole plus qu'humaine pour apprécier comme il faut l'avilissement sacerdotal représenté par ces effroyables religieux. Le scandale récent du journal *La Croix*, pour ne rien dire de quelques autres feuilles de piété, est à reclouer le Sauveur. […]

« Spectacle sans nom d'un groupe de prêtres acharnés sur un pauvre homme dont ils savaient l'injuste condamnation, et chaque matin – la bouche pleine du sang du Christ – léchant les bottes, crottées de sang, des tourmenteurs ! »

(Léon Bloy, *Je m'accuse*, Mercure de France.)

L'Affaire dans les salons parisiens

Gérard Baal

À la fin du XIXe siècle, le salon tient encore une place considérable dans l'existence des gens aisés : l'épouse du notaire de province a son « jour », comme la grande dame du faubourg Saint-Germain. À la frivolité fastueuse des salons aristocratiques s'oppose le prestige intellectuel des salons littéraires et politiques. Or, pour la plus anodine comme pour la plus reconnue de ces réunions mondaines, l'Affaire a été l'occasion d'un vrai bouleversement social.

Quelques hôtesses illustres ont dominé cette « guerre » des salons. À l'époque, celui de la princesse Mathilde, cousine de Napoléon III, n'avait pas entièrement perdu sa réputation de « fabrique d'académiciens ». Le jeune Marcel Proust a fait ses débuts mondains chez Mme Straus, veuve de Bizet, remariée à l'avocat des Rothschild. Mme Aubernon était surnommée la « précieuse radicale », bien que le radicalisme fût, en réalité, plus à l'honneur chez Mme Ménard-Dorian, héritière d'une grosse fortune industrielle, amie de la famille Hugo et de Clemenceau. D'origine très humble, la comtesse de Loynes était passée, sous l'Empire, du demi-monde au monde tout court grâce à la protection d'amants influents et éclairés tels le prince Napoléon, Dumas fils, Émile de Girardin ou Ernest Baroche, qui lui avait légué sa fortune. Depuis les années 1880, le grand homme de son salon, et sa dernière passion, était l'écrivain nationaliste Jules Lemaitre. Fille d'un financier autrichien, Mme Arman de Caillavet était, quant à elle, mariée au fils d'un armateur bordelais, titulaire de la rubrique « yachting » du *Figaro* ; celui-ci s'accommodait philosophiquement de la liaison de sa femme avec Anatole France.

Si la particule de Mme de Caillavet était de pure complaisance, le titre nobiliaire de la marquise Arconati-Visconti était bien authentique : la fille du publiciste républicain Alphonse Peyrat avait en effet épousé en 1873 l'unique héritier d'une famille de la grande aristocratie milanaise. Veuve trois ans plus tard, elle s'était retrouvée à la tête d'une immense fortune, comportant notamment plusieurs palais italiens, le manoir médiéval de Gaasbeek, près de Bruxelles, et un opulent hôtel parisien. Collectionneuse passionnée d'objets d'art du Moyen Age et de la Renaissance, la marquise se qualifiait elle-même de « vieille étudiante » et préférait fréquenter le Collège de France ou l'École des chartes que les salons mondains. Elle recevait rue Barbet-de-Jouy des amis de son père et de Gambetta. Le radical Henri Brisson, le sénateur Antonin Dubost, l'ancien ministre Joseph Magnin et Joseph Reinach y étaient les bienvenus, ainsi que des universitaires qu'elle accablait de ses libéralités : elle créait des chaires à la Sorbonne et au Collège de France, des bibliothèques, des bourses et des prix et elle légua, à sa mort, en 1923, toute sa fortune à l'Université de Paris.

Que faisait-on dans ces salons ? On y goûtait, évidemment, le charme d'une conversation à laquelle la présence de l'hôtesse conférait un raffinement généralement absent des sociétés purement masculines. Mais toutes les grandes « salonnières », heureusement, n'avaient pas de leur rôle une conception aussi autoritaire que Mme Aubernon, qui se qualifiait elle-même de « grand capitaine de la conversation » : elle organisait des dîners à thème où chaque convive devait parler à son tour, et elle faisait taire les causeurs indisciplinés en agitant une sonnette… Ses homologues se contentaient d'exceller dans ce que Proust appelle « les arts du néant » : « l'art » de savoir « réunir », de s'entendre à « grouper » ; de « mettre en valeur », de « s'effacer », de servir de « trait d'union ».

Mais on ne fréquentait pas seulement les salons pour se distraire. Les grandes hôtesses étaient aussi des femmes d'influence. Sous la République radicale, la duchesse de Clermont-Tonnerre, présentée à Mme de Caillavet, l'entendit avec surprise lui offrir son « dévouement » : « C'était très gentil, mais que pouvais-je lui demander ? Faire nommer M. de Clermont-Tonnerre sous-préfet à Barcelonnette ? Le plaisir de rencontrer chez elle M. France me suffisait amplement. Je compris pourquoi ma discrétion l'étonnait. La principale raison d'être de l'agglomération qui l'entourait était l'utilité. Utiles, ces réunions où l'on échange des services, utiles ces conciliabules au fumoir où des hommes politiques et des journalistes, les mains enfoncées dans leurs poches, font la traite des places. Certains salons deviennent une sorte de bourse. Mme de Caillavet était fort agissante[1]. » Quant à la marquise Arconati-Visconti, elle avait la réputation d'être une grande électrice au Collège de France. Son influence a pu ainsi s'exercer en 1904 au profit du spécialiste de la Renaissance Abel Lefranc, contre Ferdinand Brunetière, l'historien de la littérature antidreyfusard. Et elle a été décisive en 1909 pour Alfred Loisy, l'exégète moderniste[2] récemment excommunié, dont l'élection flattait le vif anticléricalisme de la marquise.

Certains auteurs donnent de la politisation des salons une image caricaturale : salons de gauche et de droite s'opposeraient comme, dans les villages, cabarets rouges et blancs... Mais les plus célèbres salons de la IIIe République ont souvent été des lieux de relative cohabitation. Après 1870, la princesse Mathilde « traite la politique en suspecte »[3] ; elle reçoit aussi bien des sommités orléanistes comme le comte d'Haussonville que le gambettiste Joseph Reinach. Chez Juliette Adam, dans les années 1880, on pouvait rencontrer Clemenceau, le journaliste communard et boulangiste de *L'Intransigeant* Henri Rochefort, le socialiste Alexandre Millerand, mais aussi le bonapartiste Paul de Cassagnac ou le monarchiste traditionaliste Albert de Mun. Jusqu'à l'affaire Dreyfus, Charles Maurras a fréquenté le salon Caillavet. Clemenceau déserte les réceptions de Mme de Loynes quand le général Boulanger y est convié, mais continue de voir en tête à tête la « dame aux violettes » ; cette dernière s'est d'ailleurs empressée, au lendemain de la chute du « brave général », d'inviter son « tombeur », le ministre de l'Intérieur Constans.

L'affaire Dreyfus aurait-elle introduit de véritables et infranchissables clivages dans cet univers feutré ? C'est l'impression que l'on retire de la lecture d'*À la Recherche du temps perdu* de Marcel Proust. L'Affaire a fait tourner le « kaléidoscope social » : « Tout ce qui était juif passa en bas, fût-ce la dame élégante, et des nationalistes obscurs montèrent prendre sa place. » Le duc de Guermantes ne comprend pas que Charles Swann, « patronné jadis dans le monde par nous », se permette d'être « ouvertement dreyfusard » : « Jamais je n'aurais cru cela de lui, un fin gourmet, un esprit positif, un collectionneur, un amateur de vieux livres, membre du Jockey, un homme entouré de la considération générale, un connaisseur de bonnes adresses qui nous envoyait le meilleur porto qu'on puisse boire, un dilettante, un père de famille ! » En revanche, la femme de Swann, longtemps ostracisée par les relations mondaines de son mari, « fait profession du nationalisme le plus ardent » et adhère à des « ligues de femmes du monde antisémites » pour « nouer des relations avec plusieurs personnes de l'aristocratie ».

Le baron de Charlus, cousin des Guermantes, s'indigne de cette promotion mondaine que l'Affaire assure à des antidreyfusards de basse extraction : « Toute cette affaire Dreyfus n'a qu'un inconvénient, c'est qu'elle détruit la société par l'afflux de messieurs et de dames du Chameau, de la Chamellerie, de la Chamellière, enfin de gens inconnus que je trouve même chez mes cousines parce qu'ils font partie de la Ligue de la patrie française[4], antijuive, je ne sais quoi, comme si une opinion politique donnait droit à une qualification sociale. » Mme Verdurin, qui est dreyfusarde et reçoit le colonel Picquart, Clemenceau, Reinach, et l'avocat d'Émile Zola, Labori – ils tiennent chez elle « de véritables séances de salut public » –, voit, quant à elle, son ascension mondaine retardée par l'Affaire. C'est seulement en devenant un « temple de la musique » que le salon Verdurin reprend, après l'Affaire, son « évolution vers le monde ». En effet, selon Proust, « les gens du monde étaient pour la plupart tellement antirévisionnistes qu'un salon dreyfusard semblait quelque chose d'aussi improbable qu'à une autre époque un salon communard ».

La réalité fut sans doute moins manichéenne. La lecture de la *Recherche* suggère d'ailleurs déjà une grande diversité de cas de figure : Mme Verdurin est une égérie dreyfusarde, mais l'un des piliers de son salon, le sorbonnard Brichot, a adhéré à la Ligue de la patrie française. Et les

Guermantes eux-mêmes finissent par croire à l'innocence de Dreyfus : le prince et la princesse font dire en secret des messes pour le prisonnier de l'île du Diable ; la duchesse, qui a d'abord professé un antidreyfusisme de convenance, produit une « énorme sensation » dans un salon « en restant assise quand toutes les dames s'étaient levées à l'entrée du général Mercier », puis en « demandant ostensiblement ses gens » quand un « orateur nationaliste » entame une causerie. Le dreyfusisme affiché de sa femme coûtera, il est vrai, au duc la présidence du Jockey Club…

Si l'on quitte le terrain de la fiction, il est certain que l'Affaire a entraîné une recomposition de la société salonnière. C'est à cette époque que l'écrivain nationaliste Léon Daudet rompt avec Mme Ménard-Dorian dont le salon est devenu « la forteresse de Picquart ». Arthur Meyer, directeur du très mondain et très réactionnaire *Gaulois*, a cessé d'aller chez Mme Straus « du jour où, dit-il, l'affaire Dreyfus, qui a séparé tant d'êtres si bien faits pour s'entendre, brisa des relations qui m'étaient précieuses ». Jules Lemaitre, le caricaturiste Jean-Louis Forain, le byzantiniste Jean Schlumberger rompent également avec elle, après avoir assisté à une soirée d'octobre 1897 où Joseph Reinach a attribué le bordereau à Esterhazy.

Quant à Mme de Loynes, elle se brouille définitivement avec Clemenceau, Anatole France, l'écrivain Paul Hervieu, et fait de son salon, jusque-là relativement ouvert, une citadelle nationaliste. C'est elle qui aurait, sur les instances de Barrès, convaincu Lemaitre d'accepter la présidence de la Ligue de la patrie française, dont l'état-major se réunit chez elle pour ce que Meyer appelle des « repas de bivouac ». La comtesse finance également la presse antidreyfusarde dont les principaux rédacteurs fréquentent son salon devenu, écrit Pascal Ory, une « centrale idéologique » *(cf.* Bibliographie thématique, p. 295-305*)*. À sa mort, en 1908, une partie de son héritage aidera Maurras et Daudet à créer *L'Action française* quotidienne.

Il reste que l'Affaire n'a pas provoqué une totale bipolarisation du microcosme salonnard. Quelques salons restent des espaces de cohabitation où l'on échange courtoisement des arguments sans s'étriper. Ainsi, lorsque l'un de ses familiers demande à Mme Aubernon, plutôt dreyfusarde : « Que faites-vous de vos Juifs ? », celle-ci répond : « Je les garde. » Dans son salon, on entend s'affronter Brunetière, l'écrivain René Bazin, Hervieu, les philosophes Séailles et Brochard. Et à l'une de ses dernières représentations théâtrales privées (elle est morte en 1899), assistaient à la fois les Straus, Mme de Saint-Victor (surnommée « Notre-Dame de la Révision »), Paul Hervieu, Gyp, autrement dit la très antisémite comtesse de Martel, Brunetière et Doumic. Mme Straus, qui s'est fâchée avec des hommes de lettres « anti », n'a pas rompu avec ses relations du faubourg Saint-Germain. Et il y a au moins un antidreyfusard chez Mme de Caillavet, son mari (il est vrai qu'il n'a guère voix au chapitre).

Il est également bien connu que le dreyfusisme de Proust n'a pas nui à sa situation mondaine. En juin 1901, il organise chez lui un dîner (assez huppé pour que *Le Figaro* en rende compte) réunissant des personnalités politiquement aussi opposées qu'Anatole France, la dreyfusarde Anna de Noailles ou le nationaliste Léon Daudet, qui a raconté la scène : « Toute la vaisselle eût pu voler en morceaux », mais « la cordialité la plus vraie régna, pendant deux heures, parmi les Atrides. » De même, Henry Roujon, directeur des Beaux-Arts puis secrétaire perpétuel de l'Académie des beaux-arts, grand ami de la marquise Arconati-Visconti, se vantait volontiers, à l'indignation de cette dernière, de ne s'être brouillé avec personne pendant l'Affaire : il réussissait ce tour de force d'être reçu à la fois chez la très dreyfusarde marquise et chez Mme de Loynes, avec laquelle il s'était mis d'accord pour qu'on n'« en » parle pas en sa présence.

Aux déjeuners du jeudi chez la marquise, Roujon rencontrait d'ailleurs régulièrement le capitaine Dreyfus. C'était l'un des rares salons où celui-ci fût le bienvenu. En effet, après sa libération, les grandes dames du dreyfusisme, qui auraient aimé faire du héros de l'Affaire le point de mire de leurs réunions, avaient été déçues par la froideur et le mutisme du capitaine : « Quel dommage que nous ne puissions changer d'innocent ! » s'exclame même Mme Straus. « Sauf vous et moi et quelques autres », écrit Joseph Reinach à la marquise Arconati-Visconti, « personne n'invite Dreyfus à dîner ou à déjeuner. » Et le premier historien de l'Affaire avance une explication peu flatteuse pour la bonne société dreyfusarde : la présence du « traître » dans un salon ferait jaser ; on n'invite pas Dreyfus « à cause du monde ou à cause des domestiques ». Le total mépris de la marquise pour les convenances mondaines la mettait à l'abri de ce préjugé. Quant à Dreyfus, ce qu'on entrevoit de sa personnalité à travers l'abondante correspondance qu'il échangeait avec la marquise permet de réfuter l'idée d'un personnage terne, dépassé par le drame dont il aurait été l'enjeu – d'un Dreyfus qui n'aurait pas été dreyfusard. Aux déjeuners de la marquise, il était certes le plus souvent silencieux, mais l'expérience de l'île du Diable ne l'avait guère préparé à donner la réplique à ces brillants causeurs qu'étaient Reinach, Jaurès, Roujon, ou aux mandarins qui fréquentaient l'hôtel de la rue Barbet-de-Jouy : les historiens Gabriel Monod et Abel Lefranc, le spécialiste de littérature médiévale Joseph Bédier, le philologue Franz Cumont…

On nous pardonnera de nous attarder, en guise de conclusion, sur l'étonnante figure de la marquise Arconati-Visconti. Elle a mérité cet hommage par la constante et amicale sollicitude qu'elle a toujours manifestée à Dreyfus : son salon fut finalement le seul à rester authentiquement dreyfusard même après l'Affaire. S'il n'est pas passé à la postérité, c'est qu'il ne recevait la visite régulière d'aucune célébrité littéraire et artistique. Bien que la marquise fût liée à plusieurs personnalités des lettres et de la scène (la comédienne Réjane, Coquelin aîné, acteur célèbre de la Comédie-Française, ou l'écrivain Jules Claretie), ses passions dominantes étaient l'histoire et la politique, et ses jeudis ne rassemblaient sans cérémonie (il est arrivé que la femme de chambre raccommode le minable pardessus de Jaurès pendant le déjeuner) que des parlementaires et des professeurs.

Inconnue du « monde » et du grand public, la marquise eut le plaisir de se voir traitée, en 1912, par *L'Action française*, de « trésorière attitrée et mécène des quatre états confédérés[5], millionnaire et protectrice de tout ce qui décompose et dissout la société et l'intelligence françaises ». Son engagement dreyfusard fut total et provocateur. Elle avait investi dix mille francs dans *L'Aurore* de Clemenceau et, en 1904, elle donnera trente mille francs pour aider Jaurès à lancer *L'Humanité*. Elle scandalisait ses voisins en faisant placarder des manifestes dreyfusards sur la porte de son hôtel. Elle abonnait d'autorité ses domestiques aux « bons » journaux et avait coutume d'acheter la totalité des feuilles qui lui déplaisaient pour en saboter la diffusion. Elle crachait par terre – et demandait à ses gens d'en faire autant – chaque fois qu'elle passait devant le domicile du général Zurlinden[6]. À soixante ans passés, elle se mêlait encore aux chahuts du Quartier latin, avec dans son sac la carte de visite du préfet de police : « Quel rêve si on me fourrait au bloc pour avoir conspué Barrès ! »

Nous sommes loin en apparence du monde de Proust. Et pourtant, la « vieille étudiante », la marquise jacobine, a rencontré celle qui servit de modèle à la duchesse de Guermantes, la comtesse Greffulhe que rien ne prédisposait à rendre visite à une femme qui avait peut-être été la maîtresse de Gambetta. Rien, sinon le désir de contempler ses collections artistiques. Voici le récit de la scène, racontée par la marquise Arconati-Visconti à Joseph Reinach : « Je viens d'avoir la visite de la comtesse Greffulhe venue pour voir mes bibelots. [...] Nous n'avons parlé que de l'affaire Dreyfus[7]... »

Notes

1. Élisabeth de Gramont, *Au Temps des équipages*, Paris, Grasset, 1929, p. 13.

2. La crise moderniste, qui s'est développée sous le pontificat de Pie X (1903-1914) en Italie, en Grande-Bretagne, en Allemagne et en France, est née de la rencontre brutale d'un enseignement d'Église fixiste et traditionnel avec la science moderne et ses méthodes positives.

3. Victor du Bled, *La Société française depuis cent ans. Mme Aubernon et ses amis*, Paris, Bloud et Gay, 1924.

4. Fondée en octobre 1898, en réaction à la Ligue des Droits de l'homme, par des intellectuels antidreyfusards, avec à sa tête Maurice Barrès, François Coppée et Jules Lemaitre, la Ligue de la patrie française connut pendant quelques années un grand succès et rassembla de nombreux écrivains, professeurs et étudiants *(cf. Michel Winock, p. 141-151).*

5. Penseur du nationalisme intégral, Charles Maurras désignait par cette expression les Juifs, les protestants, les francs-maçons et les étrangers, qui constituaient selon lui « l'Anti-France ».

6. Hostile à la révision du procès malgré l'aveu d'Henry, il fut ministre de la Guerre du 5 au 17 octobre 1898, date à laquelle il démissionna pour ne pas intervenir dans l'affaire Dreyfus.

7. Les extraits de correspondance cités dans cet article proviennent des fonds Joseph Reinach de la Bibliothèque nationale et du fonds Arconati-Visconti de la Bibliothèque Victor-Cousin.

Les romans de l'affaire Dreyfus

Géraldi Leroy

Nombre d'écrivains, tels Émile Zola, Charles Péguy ou Marcel Proust, ont participé intensément au déroulement de l'Affaire. Or, celle-ci n'a laissé que très peu de traces dans les romans français de cette époque. On ne comptera pas *Vérité* de Zola, histoire d'un instituteur juif injustement accusé d'un crime sexuel, qui n'en est qu'une transposition assez lointaine. On écartera aussi le pastiche caricatural qu'est *L'Ile des pingouins* d'Anatole France. On pourrait citer, il est vrai, *Les Dupont-Leterrier* d'André Beaunier, le *Journal d'un grinchu* de Gyp, *Élie Greuze* de Gabriel Trarieux et quelques autres titres tombés dans l'oubli. Tout compte fait, force est d'admettre que l'Affaire a fécondé la littérature polémique mais qu'elle a peu nourri les œuvres d'imagination.

Elle figure cependant, selon des modalités fort diverses, dans quatre œuvres importantes du tournant du siècle : *Monsieur Bergeret à Paris* d'Anatole France, *Jean Santeuil* et *À la recherche du temps perdu* de Marcel Proust et *Jean Barois* de Roger Martin du Gard.

La transposition romancée de l'actualité, qui est le principe des feuilletons de son *Histoire contemporaine*, amena Anatole France à y intégrer l'affaire Dreyfus. Elle occupe ainsi une place centrale dans le quatrième volume, *Monsieur Bergeret à Paris* (1901), dont la quasi-totalité des chapitres parurent dans *Le Figaro*, entre juillet 1899 et septembre 1900[1]. D'abord écrit dans une optique journalistique, *Monsieur Bergeret à Paris* se présente à peine comme un roman. L'actualité ayant largement déterminé le cours du récit, les chapitres apparaissent comme des épisodes successifs, distincts par leur sujet. Seul le personnage d'aimable érudit de M. Bergeret, qui s'engage dans le camp dreyfusard, donne à l'ouvrage le minimum d'unité indispensable. Point de rencontre des autres personnages, c'est à lui qu'est dévolu le rôle de tirer les conclusions qui s'imposent.

Si les contraintes de ce type d'écriture interdisent une composition rigoureuse, elles permettent de réagir rapidement à l'événement et se prêtent parfaitement à la polémique. Anatole France ne visant pas à l'impartialité historique, les forces en présence dans son roman sont nettement différenciées. Les dreyfusards apparaissent comme dépositaires des vertus les plus antiques. Le colonel Picquart, par exemple, campe la figure du sage stoïcien témoignant de la « sérénité d'une âme sans craintes et sans désirs », signe de sa « liberté intérieure ».

Divers personnages fictifs concentrent en revanche sur eux la charge que mène l'auteur contre les nationalistes et leurs alliés – nobles, radicaux, républicains opportunistes craignant d'être débordés sur leur gauche. Mais Anatole France fait aussi le procès de ceux des Juifs qui, par souci d'intégration dans la riche bourgeoisie conservatrice, se croient obligés de donner des gages à l'antisémitisme. Ainsi sont stigmatisés le préfet Worms-Clavelin, le baron Wallstein, Mme de Bonmont. Les nationalistes sont présentés comme de cyniques manipulateurs d'opinion, des « trublions[2] », qui confèrent au débat politique une allure de guerre civile. Tel d'entre eux, par exemple, ne répond pas aux objections de bon sens présentées par Bergeret, se contentant de répéter mécaniquement : « Quand il s'agit de l'armée, je ne veux rien entendre. »

Quant à leur lucidité politique, elle est des plus limitées : ils veulent croire que le peuple se détourne de la république et qu'il appelle en secret une restauration de la monarchie. Ils s'imaginent déjà au pouvoir et se partagent les postes, non sans chamailleries. Pourtant, ces personnages témoignent de leur inaptitude à assumer le rôle historique auquel ils prétendent. Car même s'ils se donnent des allures de héros dévoués à une cause sacrée, ils ne cessent de trembler à l'idée d'être arrêtés – alors que le pouvoir républicain se montre plutôt débonnaire à leur égard. Et, à la fin de l'Affaire, sous le ministère Waldeck-Rousseau (1899-1902), il est clair que les nationalistes ont perdu la partie. C'est le socialisme, incarné dans le récit d'Anatole France par le menuisier Roupart, qui est désormais appelé à occuper le devant de la scène.

Car telle est bien la conviction de l'auteur : malgré les débordements de l'antidreyfusisme de masse, une convergence peut s'établir entre l'instinct populaire et l'intelligence raisonnable. Certes, l'auteur de *Monsieur Bergeret à Paris* a une conception ultra-élitiste du progrès intellectuel (« Ce qu'on appelle le génie d'une race ne parvient à sa conscience que dans d'imperceptibles minorités ») ; et, à l'inverse, l'ignorance, la crédulité, la peur irraisonnée devant l'inconnu, qui sont le propre de la foule, expliquent son attirance pour le conformisme. Mais l'écrivain croit aussi à la force invincible des idées une fois qu'elles sont lancées : « Toutes les ferrailles tombent devant une idée juste. » L'Affaire a montré que le peuple, un moment égaré, était capable d'admettre la vérité dès lors qu'elle lui était démontrée. France a donc la certitude d'une réconciliation future entre le peuple et la raison.

Or, le mouvement par lequel la raison entre dans l'histoire, c'est le socialisme, auquel l'écrivain se rallie explicitement bien que, pour lui, le moteur de l'histoire soit la conscience éclairée et non la lutte des classes. Du vrai découleraient le bon et le bien ; il suffirait de communiquer la vérité pour qu'elle finisse par s'imposer, irrésistiblement : « La parole, comme la fronde de David, abat les violents et fait tomber les forts. C'est l'arme invincible. » Opinion bien optimiste ! Jean Jaurès, souvent invoqué par France, se gardait, lui, de croire que la dissipation des préjugés suffirait à modifier les structures socio-économiques, de même qu'il se refusait à faire reposer le progrès sur les seuls intellectuels.

Si, dans ses romans, Marcel Proust s'intéresse lui aussi aux aspects sociaux de l'affaire Dreyfus, c'est d'une manière bien différente de celle d'Anatole France. L'Affaire est tout d'abord évoquée dans plusieurs fragments de l'ouvrage biographique inachevé qu'est *Jean Santeuil*. Les faits y sont relatés à travers un unique point de vue, celui du narrateur, qui ne dissimule pas ses sympathies dreyfusardes.

Il s'agit d'ailleurs souvent d'un témoignage direct, Proust ayant lui-même assisté au premier procès Zola.

Il décrit ses impressions d'audience, l'atmosphère fiévreuse dans laquelle baigne le public, si attentif à ne rien perdre des débats qu'il s'est muni de sandwiches et de thermos de café. Il dessine aussi la scène de l'arrivée au tribunal du général de Boisdeffre. D'une façon générale, l'auteur s'attache moins à légitimer son dreyfusisme qu'à dégager le sens esthétique et moral des scènes évoquées. Le colonel Picquart donne ainsi l'image sereine d'un héros-philosophe, si complètement dévoué à l'expression exclusive de la vérité qu'il est comparé au Socrate du *Phédon.*

Dans *À la recherche du temps perdu*, le dreyfusisme de l'auteur n'est en revanche affirmé que de biais. Le lecteur n'apprend qu'incidemment que le narrateur a soulevé la colère de son père en signant une pétition en faveur de la révision, et même qu'il s'est battu plusieurs fois en duel au moment de l'Affaire. En fait, il évite de s'impliquer dans les affrontements que cette dernière suscite dans les salons mondains, et ne cherche pas à imposer sa vision des choses. Dans *Le Côté de Guermantes* (publié en 1920-1921), où se trouvent disséminées les allusions les plus nombreuses à l'Affaire, Proust ne se soucie pas de mettre en œuvre une reconstitution historique homogène et ordonnée. L'image des événements nous est transmise à travers des regards multiples, de sorte que plus que l'Affaire elle-même, ce sont ses diverses incidences qui sont rapportées.

L'Affaire illustre la subjectivité des opinions humaines. Robert de Saint-Loup, par exemple, cousin des Guermantes et ami du narrateur, ne verse dans le dreyfusisme que le temps de sa liaison avec une Juive, l'actrice Rachel. L'échelle des valeurs se trouve en outre complètement bouleversée suivant l'appartenance de chacun à l'un ou l'autre camp. Un homme aussi fin que Swann se montre « d'un aveuglement comique » lorsqu'il dénie tout talent à des personnalités jadis admirées mais devenues antidreyfusardes, et réciproquement. En face, la partialité est tout aussi systématique. Le temps, qui affecte le jugement et incite à relativiser une vérité historique toujours fuyante, permettra toutefois aux dreyfusards, hier considérés comme traîtres, de retrouver, une fois la crise oubliée, une place flatteuse dans la société mondaine.

Mais l'Affaire est aussi un révélateur essentiel des personnages, en particulier de ceux qui peuplent les salons. Aux yeux du duc de Guermantes, le ralliement de Swann au dreyfusisme est un choix « inqualifiable » de la part d'un homme qui était reçu et apprécié dans le faubourg Saint-Germain. La duchesse de Guermantes, quant à elle, qui se rallie à l'antidreyfusisme comme les autres membres de sa caste, se comporte ostensiblement, par snobisme, comme si elle était de l'autre bord. Par une même manie d'anticonformisme, son cousin le baron de Charlus affecte de se désintéresser d'une accusation qui n'aurait de pertinence, à l'en croire, que si Dreyfus avait trahi la Judée. À l'inverse, la crise déterminera chez Swann un retour à ses origines et « le sentiment d'une solidarité morale avec les autres Juifs » qu'il avait ignorée jusque-là.

Enfin, l'Affaire bouleverse les hiérarchies mondaines. Si elle « précipite les Juifs au dernier rang de l'échelle sociale », elle permet en revanche à Odette Swann de se faire admettre dans les cercles aristocratiques en affectant un antidreyfusisme que les positions opposées de son mari font juger d'autant plus méritoire. Ce type d'ascension déplaît fort aux anciens piliers de la bonne société : la duchesse de Guermantes s'offusque que le seul antisémitisme ait permis à « une quantité de dames Durand ou Dubois » d'accéder aux réceptions de l'aristocratie. Mais il faut ajouter que, chez Proust, le dreyfusisme n'est pas, à terme, absolument incompatible avec la promotion mondaine. Il faut en effet compter avec « les dispositions nouvelles du kaléidoscope mondain » qui, avec le temps, finissent par estomper les anciens clivages. Ainsi, le recrutement salonnier opéré par Mme Verdurin finira par porter ses fruits : « L'affaire Dreyfus avait passé, Anatole France lui restait. »

La troisième œuvre littéraire dans laquelle l'Affaire occupe une place importante, *Jean Barois* (1913) de Roger Martin du Gard, se distingue par l'originalité de sa forme romanesque : l'œuvre se présente comme une succession de scènes dialoguées, accompagnées d'indications sur le décor, les circonstances et les attitudes des personnages. D'autre part, *Jean Barois* est un roman historique, visant à décrire comment, à la fin du XIXe siècle, le progrès des sciences et le développement du positivisme ont conduit de jeunes intellectuels à s'affranchir des croyances traditionnelles, notamment en matière religieuse. L'Affaire, moment capital du débat sur l'autorité, est ainsi présente dans treize chapitres précisément datés, soit environ un tiers du livre.

Un premier ensemble, intitulé *Le Vent précurseur* (juin 1896-juillet 1897), raconte comment le comité de rédaction de la revue *Le Semeur*, fondée par Jean Barois, se convainc de l'innocence de Dreyfus et décide de s'engager publiquement en sa faveur. *La Tourmente* (17 janvier 1898-31 mai 1900) renvoie quant à elle aux péripéties de cet engagement et aux réflexions qu'il inspire. Plus loin enfin, un chapitre situé au moment du transfert des cendres de Zola au Panthéon est l'occasion d'un échange de vues désabusé entre les collaborateurs du *Semeur* déplorant, à la manière de Péguy, l'écart creusé entre la « mystique » dreyfusiste et la politique qui en avait tiré un profit intéressé.

Conformément à sa formation de chartiste, Martin du Gard a accumulé sur son sujet nombre de fiches, établies à partir d'une documentation minutieuse. Son texte est émaillé de citations tirées des débats judiciaires, de la presse, de la brochure de Bernard Lazare établissant les irrégularités du procès de 1894, de commentateurs de l'Affaire. On note surtout le remarquable souci d'objectivité de l'auteur qui, très soucieux de justifier preuves en main le combat des dreyfusards, épargne à leurs adversaires, parfois de façon exagérée, un jugement unilatéralement négatif. C'est ainsi que Jean Barois, refusant de mettre en doute la bonne foi des juges, s'en prend à la rigidité de leur mentalité militaire qui les rend incapables de concevoir une quelconque défaillance des chefs.

Jean Barois n'est pourtant pas un compte rendu exhaustif de l'Affaire. Roger Martin du Gard y a affirmé ses droits de romancier, procédant à une sélection dans la succession des faits. Il a essentiellement retenu trois tournants de la crise dreyfusienne : le procès Zola, le suicide du colonel Henry et le procès de Rennes. Il écarte donc de son récit l'enchaînement des faits qui ont porté l'Affaire sur la place publique, de même qu'il passe à peu près sous silence les péripéties qui débouchent sur le procès de révision. C'est dire que des protagonistes aussi essentiels que Mathieu Dreyfus, le vice-président du Sénat Scheurer-Kestner, le colonel Picquart et Jaurès sont occultés, même s'il est vrai qu'on retrouve certains de leurs traits dans tel ou tel personnage.

La prétention historique du roman est également démentie par l'approche exclusivement juridique et morale de l'auteur. En mettant avant tout l'accent sur les distorsions du fonctionnement de la justice militaire et civile, Martin du Gard ne rend pas perceptible le fait que l'Affaire a été rendue possible par un ensemble de données tenant au nationalisme, voire à l'antisémitisme, d'une majorité de l'opinion et, qu'en définitive c'est l'existence de la république parlementaire qui était en jeu. Cette sous-estimation des forces collectives découle d'une vision fondamentalement individualiste de l'histoire.

Pour l'auteur de *Jean Barois*, le peuple, si l'on excepte cette foule hurlante entrevue à la sortie du procès Zola, n'a pas vraiment de place dans le roman (il en sera autrement dans *Les Thibault*). C'est aux intellectuels qu'il appartient de faire coïncider la politique et la morale. Le personnage de Luce, inspiré de Scheurer-Kestner et de Bernard Lazare, incarnant le type de la grande conscience, affirme : « Le grand mal, c'est que le peuple français n'est pas un peuple moral [...] parce que depuis des siècles, la politique et l'intérêt priment le droit. C'est une nouvelle éducation à faire. »

Cette vision éthique de la politique a assurément conduit Martin du Gard à terminer par le procès de Rennes la partie de son œuvre consacrée à l'Affaire, taisant ainsi les luttes ultérieures qui conduiront à la réhabilitation de 1906. Celle-ci est encore ignorée dans le chapitre évoquant le transfert des cendres de Zola au Panthéon ; les amis de Jean Barois se contentent d'insister sur l'ambiguïté de la mesure de grâce dont avait bénéficié Dreyfus. Certes, aucun d'eux ne remet en cause le bien-fondé de son engagement, mais le succès définitif des motivations qui l'ont inspiré est renvoyé à un avenir lointain, l'Affaire n'étant, aux dires de Luce, « qu'un moment, et pas d'avantage, de ce lent et merveilleux cheminement de l'humanité vers plus de bien ».

Notes

1. L'Affaire apparaît aussi dans le volume précédent, *L'Anneau d'améthyste*, où elle est moins développée.

2. Le mot est un néologisme formé par Anatole France à partir du mot grec qui désignait l'écuelle des soldats. Il transpose de façon piquante le surnom de Gamelle dont avait été affublé le prince Philippe d'Orléans quand, rentré en France en contradiction avec les mesures d'expulsion de la famille royale, il avait donné comme preuve de bonne volonté son désir d'accomplir son service militaire comme tout un chacun.

Annexe

Scènes du procès Zola vues par Marcel Proust dans **Jean Santeuil**

(Bibliothèque de la Pléiade, Gallimard, 1971, p. 623-624 et 634-636)

Ils sortirent un instant à midi pour déjeuner. Quand ils rentrèrent dans la salle, une nouvelle extraordinaire : on venait de faire demander le général de Boisdeffre qui, lui, n'avait pas encore donné son avis sur la question. Une discussion très vive s'étant élevée entre deux généraux, comme on savait qu'il savait tout, qu'il pouvait tout, on l'avait envoyé chercher : le chef d'État-Major général de l'armée, qui, s'il avait voulu, aurait pu être président de la République, empereur. Qu'allait-il dire ? Il pouvait dire ce qu'il voulait, la France obéirait aussitôt. L'audience avait été suspendue pour l'attendre. L'officier d'ordonnance était parti en courant le chercher. Tous les curieux, tous ces citoyens privilégiés et passionnés des affaires de la cité qui avaient pu pénétrer dans la galerie de Harlay sans entrer dans la salle d'audience, attendant les nouvelles que [rapportait] de temps en temps un témoin sortant par le petit couloir qui débouchait dans la galerie et menait à la salle d'audience, et formant aussitôt, accourus de tous les bouts de la galerie, un tout compact et tumultueux autour de lui : « Le général Gonse parle, il dit qu'il y a une preuve de la culpabilité, des preuves ; on dit que le général X va dire que cette preuve est fausse. Il y a eu un incident très vif entre l'avocat et le président », et de temps en temps un même tout tumultueux et mouvant autour de deux avocats qui se battent, – tous ces citoyens privilégiés et curieux se promenant dans la galerie de Harlay avaient vu déboucher en courant l'officier d'ordonnance, mais quand on s'était précipité au-devant de lui il était déjà dans un fiacre. Puis d'autres étaient sortis. « Il y a eu une discussion entre deux généraux, l'un a dit qu'il savait l'avis du général de Boisdeffre, le président l'a fait chercher. » Déjà on sortait, on se massait en haut de l'escalier pour voir l'arrivée du général. On regardait l'heure : « Midi vingt. Il faut le temps d'aller au ministère. Il ne peut pas être ici avant un quart d'heure. Qu'est-ce qu'il va dire ? On dit depuis longtemps qu'il voulait parler. Cette fois le ministre ne peut pas l'empêcher de parler. Personne n'est prévenu, il va être là avant qu'on ait eu le temps de lui rien dire. Que va-t-il dire ? Ah ! cette fois, ce sera la fin. Si c'est telle phrase, Dreyfus revient la semaine prochaine de l'île du Diable. Si c'est telle phrase au contraire, mon vieux c'est fini. Jamais plus personne ne pourra même parler pour lui. » On était là, anxieux.

[PICQUART, EN CIVIL, DANS LA SALLE DES ASSISES]

Jean savait donc que le colonel Picquart viendrait peut-être. Mais ce premier jour (où les témoins n'étant pas encore cités pouvaient rester dans la salle des Assises) il n'en reçut pas moins une vive commotion quand un monsieur, qui était à côté de lui, lui dit : « Tenez, celui qui est pour le moment là-bas, c'est le colonel Picquart. » On entendait un vif bruit de conversations, les sandwiches étaient déployés devant les gens, on en offrait à son voisin, et le soleil entrait dans la salle d'une manière crue, donnant l'idée de la belle journée qu'il faisait dehors et miroitant par hasard à ce moment sur le chapeau du colonel Picquart. Et Jean éprouvait une sensation singulière en voyant là-bas, libre, mêlé à la foule, cet homme qu'il savait prisonnier, un homme donné là devant lui, entre tant d'autres, dont l'aspect jeune, le nez un peu trop busqué, la tête jouant assez de côté et d'autre étaient là, donnés dans la réalité physique qu'il ne pouvait pas modifier et dont chaque trait, ce blond roux de la peau, ce dégagement de la tête, le gênaient presque par la violence qu'ils faisaient à son imagination, habituée à l'imaginer, à le retoucher à sa guise, et obligée de se soumettre là devant une donnée qu'il ne pouvait modifier.

Son chapeau brillant était un peu incliné sur sa tête. L'impression qu'il donnait était celle de regards flottant, avec beaucoup de calme d'ailleurs, assez loin de lui, d'une tête pas du tout engoncée dans les épaules mais au contraire comme immobile et portée aussi à droite ou à gauche et l'allure de même, non pas perpendiculaire mais en quelque sorte oblique, allant de droite et de gauche, donnant l'idée d'une sorte de légèreté qui n'avait pas à se déployer en ce moment. Jean se l'était figuré alternativement assez vieux, calme, droit, l'air du Devoir mûr, et jeune, beau, ardent, l'air du Devoir jeune. Et il était assez déçu et captivé pourtant par cet homme qui était là-bas devant lui, de temps en temps caché par d'autres personnes, circulant lentement, l'air ni jeune ni vieux, blond mais sans moustaches un peu comme avec l'air d'un ingénieur israélite. En cet homme qui circulait ainsi dans les groupes résidait l'étrangeté de l'absence des signes de sa captivité (rien ne marquait que ce monsieur ganté et à chapeau haute forme, qui n'avait ni l'air malheureux ni l'air oisif ni l'air résigné des captifs, vînt de quitter le Mont-Valérien pour venir ici), – de l'absence des signes de toute la vie intérieure que Jean lui imaginait (rien ne marquait chez lui ni l'indignation d'un crime judiciaire perpétré par l'État-Major, ni la ferme décision de faire son devoir jusqu'au bout, ni même l'indécision, la réflexion, la lutte de conscience), en cet homme élégamment coiffé d'un chapeau haute forme brillant et qui ne regardait nulle part en laissant sur sa tête très dégagée et inclinée à droite ou à gauche, flotter un regard paisible et comme sans pensée, comme la petite fumée qui s'élève des villages dans le bleu, par les temps ensoleillés comme celui-ci où le soleil faisait miroiter son chapeau, de telle sorte que nul ne pouvait deviner s'il venait pour parler ou pour se taire, s'il répondrait ou non aux questions, s'il se rangeait à l'avis de l'État-Major ou, comme on le disait, restait partisan de Dreyfus, – de l'absence des signes de sa situation véritable (le fait qu'il fût là, qu'on l'eût laissé venir, pouvant impliquer ou que le ministre le traitait toujours en officier à qui il laissait sa liberté malgré la punition qu'il purgeait en ce moment, ou aussi bien que, touché par la citation comme tous les officiers, seul rompant avec le Ministère et l'État-Major et voulant parler, à la veille donc peut-être de la réforme *de jure*), de sorte qu'en le voyant ainsi circulant entre les groupes qui par moments le cachaient complètement, on pouvait le tenir pour un officier sûr de son avenir et de son fait, que, venu qu'il était en civil, on se représentait mieux avec tous ses galons et commandant aux hommes, ou [pour] un prisonnier qu'on laissait sortir pour l'exposer à une sorte de torture, la perspective des peines plus grandes devant lui rendre, comme un bourreau, douloureuses les paroles qu'il prononcerait, – prisonnier dont on aurait voulu savoir si, malgré le chapeau haute forme, tout l'élégant vêtement qu'on lui avait donné pour venir, et la permission même de venir, l'apparente liberté qu'on lui avait donnée de venir ici, s'il n'était pas trop malheureux au Mont-Valérien, [prisonnier] qu'on se représentait, bien que venu ici en civil, plutôt en officier, en petite tenue, comme il devait être dans sa chambre du Mont-Valérien, et pour qui on était heureux de cette liberté provisoire, que le soleil vînt ainsi près de lui, s'il ne l'éblouissait pas trop, si toute cette foule n'était pas trop étourdissante (comme si c'eût été un convalescent et si son cachot était plein de ténèbres) et aussi pour qui on souffrait, comme de quelque chose de faux et d'immoral, que, prisonnier, on le fît sortir ainsi et pour des choses si émotionnantes où il aurait en quelque sorte à décider de son avenir par ce qu'il dirait et comme si l'on éprouvait que cette sorte de torture, de dire cruel : « Tenez, vous êtes libre, vous voyez ce que c'est, hé bien ! décidez vous-même, vous pouvez vous faire retirer vous-même pour cinq ans dans une forteresse » fût une peine de surcroît défendue par le droit moderne, trop cruelle, trop atroce, de sorte que, libre, debout, sous son chapeau haute forme incliné comme d'un simple spectateur qui le soir rentrerait chez lui et reviendrait ou non le lendemain, il impressionnait péniblement, comme un malade qu'on aurait fait lever le jour de l'opération et sortir pour être opéré en ville et dont l'air, sortant tout habillé, le chapeau sur la tête et, pour la première fois depuis si longtemps, aux pieds des bottines, hélas ! pour combien de temps de lit futur, n'était qu'un mieux apparent et faux, faux comme ce soleil si éclatant qui, en ce jour d'anxiété, d'air impur de foules, venait jouer crûment dans la salle et, en ce moment, sur le chapeau incliné du colonel Picquart dont le voisin de Jean, une grosse dame, s'étant déplacée, disait : « Tenez, le voyez-vous là-bas près de la porte », et dont les yeux flottant devant lui et mobiles, la tête dégagée et inclinée à droite ou à gauche s'imprégnaient pour Jean de toute la grandeur ou la misère de sa condition inconnue et des pensées qui le lui avaient fait imaginer si différent et qui devaient maintenant se loger, suivant un mystère nouveau et dont les conditions étaient là-bas impitoyablement données, dans cette tête blonde un peu rousse d'ingénieur israélite.

Un moment du procès Zola vu par Roger Martin du Gard dans **Jean Barois**

(Bibliothèque de la Pléiade, vol. 1, Gallimard, 1955, p. 400-401)

Des cris, des huées, des injures inintelligibles coupés de sifflets stridents. Une clameur ininterrompue, que martèle comme un refrain : « À mort !... À mort !... »

Au seuil des marches, Zola, les traits crispés se penche vers les siens.

ZOLA. – « Les cannibales... »

Puis, le cœur défaillant, mais d'un pied ferme il descend les degrés, appuyé sur le bras d'un ami.

Un espace libre a pu être aménagé au bas du perron : sa voiture attend, encadrée de gardes à cheval.

Il veut se retourner, serrer quelques mains. Mais les hurlements redoublent...

– « À l'eau !... À mort le traître !... À la Seine !... »

– « Mort à Zola ! »

Le préfet de police, très nerveux, hâte le départ.

L'attelage démarre au petit trot.

Des projectiles s'abattent, pulvérisant les vitres des portières.

Des cris âpres, sanguinaires, poursuivent, comme une meute qu'on lance à la curée, le landau qui s'éclipse dans le crépuscule.

LUCE (la gorge serrée, à Barois). – « Un peu de sang frais, et ce serait le massacre... »

Le commandant Esterhazy paraît, suivi d'un général ; on les acclame jusqu'à leur voiture.

Bientôt, le cordon des agents est rompu. Barois essaye d'entraîner Julia et Luce ; mais la foule est dense.

Les amis de Zola sont reconnus et conspués.

– « Reinach !... Luce !... Bruneau !... Mort aux traîtres !... Vive l'armée !... »

Des bandes sillonnent, comme des courants, le flot des curieux : monômes d'étudiants, files de malandrins conduits par des jeunes gens du faubourg.

Sur tous les chapeaux, en exergue, comme un numéro de conscrit, s'étale une feuille qu'on distribue par milliers dans les rues :

RÉPONSE DE TOUS LES FRANÇAIS
À ÉMILE ZOLA :
MERDE !

Des officiers, en uniformes, se frayent un chemin au milieu des applaudissements.

Des isolés, qui ont le nez juif, sont pris, entourés et malmenés par des gamins frénétiques qui dansent des rondes de sauvages, en brandissant des torches en flammes, faites avec des *Aurore* roulées ; l'effet est lugubre dans la nuit commençante.

Lettre écrite de Hollande à M. Bergeret par Anatole France (**Le Figaro**, 30 août 1899)

« Reconnaissant à votre parler que vous êtes Français, me dit le professeur Caspar Esselens, il voudrait savoir de vous si la grande iniquité ne sera point réparée. Mais je ne vous cache pas qu'il craint que vous ne soyez un ennemi de Dreyfus et un de ces Français qui ne veulent point être justes, et à qui il ne saurait donner la bienvenue. »

J'examinai le colporteur. C'était un très vieux Hollandais, hâlé comme un matelot.

Il avait de gros yeux clairs ; de longues peaux inertes lui tombaient des joues ; une touffe blanche de poils de bouc pendait à son menton. Il ressemblait au président Krüger, tel qu'on le voit sur son portrait dans les journaux anglais. Un tricot de laine enveloppait son corps maigre et robuste.

« Ce pauvre homme, m'écriai-je, s'occupe aussi de l'Affaire !

– Il n'y a personne dans notre ville qui ne s'y intéresse, me répondit le professeur Caspar Esselens. C'est la conversation de nos déchargeurs du port comme de nos magistrats. N'avez-vous pas vu les portraits de Picquart et de Zola à la vitrine de tous les libraires ? les bulletins du procès de Rennes affichés à la fenêtre de toutes les boutiques de tabac ? et, dans nos beaux magasins de la Hoogstraat, des cartes postales, des boutons de manchettes, des pipes, des étuis, une multitude de menus objets décorés de figures en l'honneur des défenseurs de la justice ? Ne savez-vous point que nous avons envoyé une adresse à Labori ? Les sentiments ici ne sont point partagés en deux sens contraires.

« L'innocence de Dreyfus et le crime d'Esterhazy éclatent à tous les yeux. Et, parce que nous aimons la France, son égarement, qui nous causa une pénible surprise, nous plonge dans une profonde tristesse. Ne vous étonnez pas si un marchand qui vend des chemises aux paysans est ainsi soucieux des intérêts de la justice. En Hollande, les gens du peuple sont instruits et moraux. L'Évangile est rapproché d'eux et familier, dans leurs livres de piété comme dans ces tableaux de Rembrandt où les paraboles sont mises en action par des Hollandais, tels qu'on en voit sur le Dam, dans les boutiques et au moulin. »

Cependant, le colporteur se mit à me parler avec véhémence ; et il me sembla que, de sa gorge rouillée par l'air humide de la digue, sortaient des paroles de blâme et d'adjuration.

« Dites-lui, monsieur Esselens, que je suis un ami de Picquart et de Zola. »

Ayant reçu ce bon avis, le colporteur réfléchit avec la lenteur des vieux et des simples, qui mâchent lentement leur pensée comme leur nourriture. Puis il me tendit la main.

Je ne crois pas que ce vieillard ait été payé par l'or juif. Je ne crois pas que mon ami, le professeur Caspar Esselens, qui a acquis par déduction, comme il le dit, la certitude scientifique de l'innocence de Dreyfus, soit un ennemi de la France. Je ne crois pas que la Hollande soit vendue au Syndicat, ni l'Europe. Car c'est l'Europe, c'est le monde entier qu'il eût fallu acheter. Ou bien, c'est le monde entier qui se rencontrerait dans une haine inconcevable de la

France. L'Angleterre, égoïste et affairée ; l'Allemagne, qui ne songe qu'à vivre en paix avec nous pour chercher au loin des débouchés à sa production hâtive, énorme, déjà surabondante ; la faible Autriche, à l'exception des antisémites qui pullulent à Vienne (car la maladie de l'antisémitisme, qui ne prend pas sur les peuples robustes, s'attaque aux nations malades) ; la Belgique, le Danemark, la Suisse, races sensées, d'esprit libéral ; l'Italie, la Russie, l'Amérique, tous les habitants du monde enfin, malgré la diversité de leurs génies et de leurs mœurs, de leurs croyances et de leurs habitudes, jugent cette affaire de la même manière et proclament l'innocence du condamné de 1894. Et l'on veut que le sentiment unanime du monde entier dépende d'un syndicat juif qu'on n'a jamais pu découvrir, et que tous les peuples de la terre conspirent pour sauver un petit capitaine israélite français ! Qui sont donc ces juifs qui achètent l'univers, quand leurs plus riches coreligionnaires de France gardent leur or, ou bien le mettent dans les journaux des Jésuites et de l'état-major ? Une si niaise imagination a dû naître dans la loge où le Uhlan dînait avec la fille Pays, et c'est là sans doute, dans les balayures de la concierge, qu'un général l'a ramassée pour la porter à la barre d'un Conseil de guerre.

Puisqu'il y a une conjuration des peuples, comment ne pas voir que c'est la conjuration de la conscience humaine ? Comment ne pas voir que, si tout ce qui est doué d'intelligence et de sentiment sur la planète se tourne vers le capitaine Dreyfus, c'est que cet être imperceptible, ce rien humain, est devenu le symbole de l'humanité souffrante et que l'humanité entière se sent offensée en lui ? Et comment ne pas voir que cette unanimité résulte des conditions mêmes dans lesquelles s'exercent l'intelligence et la raison, qui en définitive gouvernent les hommes, et que c'est partout la même pensée, parce que la pensée, dans son ensemble, obéit partout aux mêmes lois ?

Si l'on pense dans la planète Mars, si l'on pense dans le monde énorme et lointain de Sirius et si l'on y reçoit des nouvelles de notre monde terraqué, on y croit à l'innocence de Dreyfus, comme on y croit que la somme des trois angles d'un triangle est égale à deux angles droits.

Un éditeur dreyfusard : Pierre-Victor Stock

Jean-Yves Mollier

On parle souvent de l'affaire Dreyfus comme du premier événement « médiatique » qu'ait connu la France contemporaine. À n'en pas douter, en effet, si cet épisode eut un tel retentissement dans l'opinion, c'est que ses péripéties furent diffusées par les journaux mais aussi par les divers ouvrages publiés dans les deux camps. Dans ce domaine cependant, les « révisionnistes » semblent l'avoir emporté largement.

Pierre-Victor Stock (1861-1943), fondateur de la maison d'édition du même nom et ardent dreyfusard, apporte dans ses souvenirs sur l'Affaire, publiés en 1938, un premier élément d'explication : « J'ai publié, ou me suis intéressé à plus de cent cinquante volumes, brochures, périodiques, affiches, placards, etc. tous favorables à la cause de Dreyfus. Du côté “antidreyfusard”, il n'a presque rien paru en librairie, une trentaine de brochures ou volumes tout au plus, et encore, tout à fait en dernier lieu ; la campagne de ce côté de la barricade a été très violente, injurieuse et mensongère, elle ne s'est faite que dans les journaux tels que *La Libre Parole, L'Écho de Paris, Le Gaulois, L'Intransigeant, L'Éclair, Le Petit Journal, Le Jour, Le Paris, La Presse, L'Antijuif*, pour ne citer que les principaux périodiques parisiens et en omettant ceux, nombreux, de la province[1]. »

Ces propos sont corroborés par les études historiques les plus récentes : les journaux de la capitale furent massivement opposés à la révision, à 96 % en février 1898, à 85 % lors du procès de Rennes[2]. Mais si l'on en croit Pierre-Victor Stock, les partisans de la justice et de la vérité auraient remporté la victoire sur leurs adversaires dans l'univers de la librairie et de l'édition. Comment expliquer ce phénomène ? D'abord par la crise de l'édition qu'a connue la France dans les années 1894-1895 : cette crise a entraîné de nombreuses faillites et obligé les professionnels à réduire leurs publications. En outre, les deux éditeurs qui auraient été les plus aptes à conduire la bataille antidreyfusarde ont disparu lorsque l'Affaire commence. Édouard Dentu, figure éminente du catholicisme légitimiste, est mort en 1884, sans héritier. Sa librairie a été rachetée en 1895 par Fayard qui se consacre alors essentiellement à la littérature.

Albert Savine, créateur de la Nouvelle Librairie parisienne (au 12, rue des Pyramides), en 1886, commandeur de l'ordre d'Isabelle la Catholique et fondateur de la « bibliothèque antisémitique », a subi de plein fouet la crise des années 1894-1895. En novembre 1893, il fut même contraint de vendre son entreprise à Léonce Grasilier ; il racheta son fonds en octobre 1894 et publia en 1895 le premier ouvrage concernant l'Affaire, *Dreyfus, l'officier traître*, de l'abbé Demnise. Obligé à nouveau de faire constater son insuffisance par le tribunal de commerce le 25 novembre 1896, il fut déclaré en faillite le 15 janvier 1897. Le 16 novembre 1896, au moment où Stock publie la brochure de Bernard Lazare, *Une erreur judiciaire. La vérité sur l'affaire Dreyfus*, Savine est donc à bout de souffle. Un an plus tard, il doit autoriser son concurrent à publier le théâtre d'Ibsen dont il était jusque-là le propriétaire exclusif ; il lui cède aussi Tolstoï et, en janvier 1901, il finit par lui vendre la totalité de son fonds.

Le terrain de l'édition est donc libre au moment où éclate l'Affaire et Pierre-Victor Stock peut s'y engager avec succès. Quand il se lance dans la bataille, en novembre 1896, le jeune éditeur n'est établi à son compte que depuis quelques mois. Il avait débuté sa carrière comme commis chez sa tante, Anne Stock, qui l'avait rapidement associé à la gestion de sa librairie. Cette très ancienne maison spécialisée dans le répertoire dramatique avait souffert de la concurrence et, au moment de l'association, les marchandises et le fonds de commerce n'avaient guère de valeur marchande (cent cinquante mille francs, soit trois millions 1998). En 1895, l'entente fut prorogée, sans que la valeur du fonds ait augmenté et, en mars 1896, la société était dissoute. Le 5 juin de la même année, Pierre-Victor Stock réalisait son ambition et s'établissait à son compte en rachetant le fonds de sa tante.

À trente-cinq ans, célibataire, sportif endurci, anglomane et passionné d'aviron, Stock connaît parfaitement le Tout-Paris de la politique, de la presse et des arts. La publication de *Sous-Offs*, fin 1889, lui a beaucoup rapporté (34 000 exemplaires vendus lors du procès de mars 1890) mais l'a surtout propulsé au centre d'un univers tout neuf, celui des intellectuels[3]. Éditeur de Huysmans, de Paul Adam, de Jean Ajalbert, de François de Curel et du Théâtre-Libre, Stock ouvre aussi sa maison aux anarchistes : Kropotkine, Grave, Faure, Malato, Louise Michel, mais aussi Bakounine et Albert Hamon, réunis dans une nouvelle collection, la « Bibliothèque sociologique ».

Pour mesurer ce décollage consécutif à la fois à un mariage heureux et à son entrée dans l'arène politique en 1896, il suffit de se reporter à l'effort publicitaire qu'il fournit cette année-là – seize pages insérées dans la seule *Bibliographie de la France* contre deux, un an auparavant –, et à l'épaisseur de son nouveau catalogue – cent vingt-quatre pages pour la première partie, qui exclut le théâtre et l'opéra. Divisé en dix sections, le volume confirme l'afflux des romanciers chez le jeune éditeur – cent vingt-cinq –, parmi lesquels brille l'étoile de la maison, Huysmans. À ses côtés, Georges Darien, avec *Le Voleur* et *Biribi*, Henry Becque, avec *Les Corbeaux*, Lucien Descaves et bien d'autres contribuent à l'essor de la librairie du Palais-Royal.

C'est en 1898 que les « publications sur l'affaire Dreyfus » commencent à être regroupées dans les annonces publicitaires de Stock et qu'elles se multiplient au point d'amener l'éditeur à leur consacrer un catalogue de seize pages en mars 1899, puis un autre de vingt-quatre pages à la fin de l'année. Cent vingt-six titres sont recensés en juillet 1900, et cinquante-quatre auteurs désignés en sus des anonymes. Indéniablement, Pierre-Victor Stock est entré avec fracas dans la bataille. Il l'a fait en dépensant une énergie incomparable, surpassant tous ses collègues dans une avalanche d'imprimés. Convaincu de l'innocence de

Dreyfus dès la lecture de la brochure de Bernard Lazare, il a aussitôt transformé sa maison d'édition en plaque tournante du dreyfusisme : à partir de novembre 1897, Mathieu Dreyfus passe deux fois par jour chez Stock, le matin avant d'aller chez maître Demange, l'après-midi, vers quinze heures, avant de retourner chez l'avocat à dix-sept heures. Il y retrouve tous les dreyfusards de premier plan réunis pour se communiquer des informations ou pour élaborer une nouvelle phase de leur stratégie.

La Ligue des Droits de l'homme et la famille Dreyfus participent activement à l'intendance de la maison d'édition, en commandant livres et brochures en grand nombre et en aidant à leur diffusion. Expédiés un peu partout en France, souvent retournés avec des lettres d'injures ou de menaces, ces écrits émanaient d'un noyau d'intellectuels prestigieux associés à des journalistes polémistes. Parmi ces derniers, le capitaine Paul Marin, polytechnicien, collaborateur de la *Grande Encyclopédie*, a joué un rôle décisif en multipliant les ouvrages consacrés aux principaux protagonistes de l'Affaire. Raoul Allier, Pierre Ledroit, Paschal Grousset, Saint-George de Bouhélier, Henry Leyret, Louis Frank, Philippe Dubois et des dizaines d'autres ont signé des documents susceptibles de modifier l'opinion des Français. Les brochures l'emportent largement sur les livres dans cette masse impressionnante d'écrits en tous genres. Imprimées dans un format très maniable, vendues cinquante centimes (dix francs actuels), tirées à des milliers d'exemplaires, elles devaient faciliter la lecture et la circulation de la propagande.

Mais Stock ne s'est pas contenté d'utiliser ces instruments traditionnels de la librairie. Il a systématiquement édité les sténogrammes des procès Zola, Esterhazy et Dreyfus, et fait usage des procédés modernes de l'imprimerie en vendant de multiples fac-similés du bordereau et du diagramme de Bertillon. Il vendit aussi des albums de photographies ou de gravures et fit coller des affiches sur les murs de Paris. Avec *L'Histoire d'un innocent*, une image d'Épinal qui racontait en seize épisodes le martyre du capitaine, il tentait de capter l'attention de la jeunesse. Vendue cinq centimes, reproduite à plusieurs dizaines de milliers d'exemplaires, elle cherchait à atteindre la sensibilité plus que la raison. Stock mit également en vente dans les débits de tabac des cahiers de papier à cigarettes reproduisant le bordereau, dans les bazars des petits objets en bois, en plâtre ou en carton-pâte. Pour rivaliser avec la presse, il fit imprimer un journal, *Le Sifflet*, très bien illustré par Ibels et vendu dix centimes, le jeudi, à partir du 17 février 1898. Son but ? Contrebalancer l'influence pernicieuse de Caran d'Ache et de Forain dont le *Psst...!* encourageait la haine de Dreyfus.

Chargé de préparer avec Bernard Lazare la venue des dreyfusards à Rennes à la fin de l'été 1899 et d'assurer leur sécurité, Stock sympathisa alors avec Victor Basch, vice-président de la Ligue des Droits de l'homme de la ville. À l'issue des débats, la grâce acceptée par le déporté l'accabla, comme la plupart des militants les plus actifs. Avec Edmond Gast, il institua à Paris le « dîner des Trois Marches », en souvenir de l'auberge bretonne où ils avaient vécu des moments si intenses. Jusqu'en 1902, les anciens se retrouvaient donc chez Champeaux, près de la Bourse, pour échanger leurs souvenirs, mais les convives se firent de plus en plus rares et le dîner s'éteignit.

Accusé par ses détracteurs d'avoir gagné une fortune avec ses publications, l'éditeur du Palais-Royal dut, en 1904, mettre au pilon cent tonnes de papier consacré à l'Affaire. Il affirma avoir perdu cent mille francs durant cette période, et l'incendie de la Comédie-Française, anéantissant ses magasins, le 8 mars 1900, faillit l'acculer au dépôt de bilan. L'indemnité de deux cent cinquante-deux mille francs versée par l'administration permit toutefois à sa boutique, désormais établie au 27 rue de Richelieu, de redémarrer, mais il lui fallut attendre le début de l'année 1905 pour acquérir définitivement des locaux plus vastes et mieux situés, 155 rue Saint-Honoré, en face de son ancienne librairie.

En ces années de grandes difficultés, il lui arriva de solliciter l'aide de ses anciens compagnons. Joseph Reinach lui répondit qu'il ne prêtait jamais d'argent et Rothschild le fit éconduire. L'ingratitude du capitaine Dreyfus qui confia la publication de *Cinq ans de ma vie* à Fasquelle, l'éditeur de Zola, le blessa profondément. Comme Charles Péguy, il regrettait la substitution des calculs politiques à la mystique dreyfusarde. Toutefois, grâce à la « Bibliothèque cosmopolite » de Savine et à sa « Bibliothèque sociologique », il trouva de quoi relancer son entreprise.

Stock fut sans doute le dernier éditeur français capable de tout risquer pour satisfaire ses exigences morales, sa soif de justice et de vérité. Ni Calmann-Lévy ni Ollendorff ne lui avaient emboîté le pas. Il donna à la gauche républicaine les moyens d'asseoir sa suprématie dans le domaine de l'édition. Mais les journaux populaires restaient, pour la plupart, fidèles aux valeurs antidreyfusardes. Au tournant du XXe siècle, ce fossé entre élitisme et culture de masse allait perdurer au profit d'une droite mieux adaptée aux nouvelles exigences de la communication – tandis que la gauche avait emprunté, au service de Dreyfus, les vieilles armes de Voltaire au service de Calas[4].

Notes

1. P.-V. Stock, « Mémorandum d'un éditeur », t. III, *L'Affaire Dreyfus anecdotique*, Paris, Stock, Delamain et Boutelleau, 1938.

2. Cf. Janine Ponty, *La Presse devant l'affaire Dreyfus*, thèse de l'École pratique des hautes études, 1971, inédite.

3. À l'occasion de l'inculpation de Lucien Descaves, cinquante-quatre écrivains signèrent une protestation collective contre l'arbitraire et la censure. L'éditeur du volume apparut alors comme un professionnel courageux aux avant-gardes et aux jeunes talents.

4. Pour une vision plus complète, voir Jean-Yves Mollier, « La bataille de l'imprimerie », in *Les Représentations de l'affaire Dreyfus dans la presse en France et à l'étranger*, numéro spécial hors série de *Littérature et Nation*, Tours, université François-Rabelais, 1997, p. 15-28.

La guerre des caricatures

Images choisies et commentées par Christian Delporte

Cas rarissime dans l'histoire de la caricature, l'affaire Dreyfus suscite la création de deux journaux de circonstance, entièrement illustrés, qui connaissent d'emblée un vif succès. Trois semaines après le « J'accuse » de Zola, le 5 février 1898, les dessinateurs antidreyfusards Forain et Caran d'Ache lancent *Psst...!* Quelques jours plus tard, Ibels, ami personnel de Zola, riposte à ses deux confrères en fondant *Le Sifflet*. Conçu sur le même modèle que le précédent (quatre pages, format identique), ce dernier mène une lutte acharnée en faveur de la révision et s'efforce de répondre chaque semaine aux charges virulentes de l'hebdomadaire antidreyfusard.

La publication de ces deux journaux (dans la tradition des feuilles volantes à images nées en Allemagne) est caractéristique d'un mouvement qui, à l'époque de l'Affaire, s'empare de la presse politique. Il faut conquérir l'opinion, frapper les imaginations en brandissant l'arme qui terrassera l'adversaire : le crayon du dessinateur. C'est que la caricature est bien dans le ton d'une période où tous les coups sont permis, où l'émotion submerge la raison. Indifférente aux détails et aux nuances d'un dossier touffu, débarrassée aussi des pesanteurs de l'écrit, elle tranche dans le vif. Tour à tour ironique ou pathétique, maniant sans retenue, mais avec talent, la perfidie et l'injure, le dessin contribue à dresser le mur infranchissable qui sépare les Français.

Durant un an et demi, au plus fort de l'affaire Dreyfus, *Psst...!* et *Le Sifflet* s'affrontent. Le samedi, les crieurs du journal de Forain et de Caran d'Ache apostrophent le passant, jouant sur l'insolite d'un titre en forme d'interjection.

Le jeudi suivant, c'est au tour des vendeurs de la feuille d'Ibels de se manifester et d'assourdir le public à grands coups de sifflet. À une époque où la rue est un enjeu, les Parisiens sont frappés par cette nouvelle forme d'agitation. Toutefois, malgré le talent de ses collaborateurs (outre Ibels, Couturier, Valloton, Hermann-Paul), *Le Sifflet* paraît toujours à la remorque de son adversaire. Les dessins y sont moins puissants, moins incisifs que dans *Psst…!* – preuve, s'il en était besoin, qu'un dessinateur polémiste se trouve toujours plus à l'aise dans le rôle de procureur que dans celui d'avocat.

Il reste que la charge est bien lourde pour des artistes fort sollicités par ailleurs, et le thème développé par les deux hebdomadaires parfois difficile à entretenir. *Le Sifflet* s'efface le premier. Ibels ne renonce pas pour autant à son engagement et rejoint *Le Siècle* en mai 1899, où, avec une conviction intacte, il poursuit sa lutte en faveur de Dreyfus. *Psst…!* disparaît en septembre 1899, au lendemain de la sentence de Rennes, convaincu d'avoir emporté la partie. La grâce de Dreyfus prononcée, Caran d'Ache s'assagit, mais Forain prolonge son combat, transférant sa tribune dans les colonnes de *L'Écho de Paris*. Puis la caricature politique perd de sa virulence en même temps que la polémique s'apaise. Il faut attendre les circonstances dramatiques de la Grande Guerre pour la voir rejaillir au premier plan.

Reprenant le début d'un vers de Cicéron (« Que les armes le cèdent à la toge »), Forain (ci-contre, en haut) s'indigne de la tournure que prend le procès Zola. Il y voit une collusion de la magistrature et des dreyfusards contre l'armée (symbolisée par le képi d'officier), par conséquent contre la nation. L'image-choc et la légende en forme d'exclamation (« Et on supporte ça ! ») doivent frapper l'esprit du lecteur. Ibels réplique quelques jours plus tard (ci-dessous) en détournant le dessin de Forain : l'armée, représentée par un vieil officier ventru, n'a que faire de la justice (symbolisée par une balance).

Autre exemple de caricatures qui se répondent. Le suicide du colonel Henry, la démission de Cavaignac, l'exil d'Esterhazy semblent renforcer la position des partisans de la révision du procès Dreyfus. Pour Caran d'Ache (ci-contre, en haut), celle-ci explosera au visage des dreyfusards, dont l'une des figures emblématiques est le vice-président du Sénat Scheurer-Kestner. Ibels (ci-contre) reprend l'idée de la bombe pour souligner la soudaine impuissance de l'armée.

Dans le premier numéro de Psst… !, *Caran d'Ache traduit par l'image la thèse classique du complot germano-juif visant à ruiner les fondements de la puissance nationale (ci-dessous). On reconnaît les stéréotypes de l'officier prussien issu de l'aristocratie, et du Juif affairiste et richissime, dont la figure emblématique, pour la presse d'extrême droite, est le baron de Rothschild. Depuis l'affaire de Panama (on lit sur certaines boules les noms de « Arton », « Hertz », « Eiffel »),*

celui-ci détruit méthodiquement les piliers de l'État français (les quilles aux sols représentent la « Justice », les « Finances », l'« Industrie »). L'enjeu de l'Affaire est donc clairement la sauvegarde de l'ultime – mais fragile – rempart contre l'ennemi de l'intérieur et de l'extérieur : l'armée (seule quille encore debout), que va tenter de renverser Zola, un instrument dans la main de l'anti-France. Même axe Zola-Juif-Allemagne dans le dessin de Forain (ci-dessus) qui reprend l'image du masque pour dénoncer le complot.

Ce dessin est publié trois jours après la condamnation de Zola à un an de prison ferme pour diffamation. « J'accuse », réduit à l'état de détritus, est jeté à l'égout par un soldat qui ne cache guère son écœurement : « Quel fumier, dit-il. Ça pouvait faire tuer 100 000 hommes » ; du seconde-classe à l'état-major, toute l'armée est solidaire. Et toute la nation est derrière son armée.

« Voyez donc le cadeau du ministre. Je vais en tapisser mes cabinets. Ce sera très original », dit le baron. « Et très moderne ! », répond l'intellectuel. Caran d'Ache, quelques jours après la suspension de la condamnation de Zola, exploite le vieux thème du Juif apatride, ploutocrate, agent de l'Allemagne, qui bafoue la patrie française (les victoires napoléoniennes brodées sur le drapeau) et pénètre les rouages d'un État républicain corrompu. Une caricature significative de l'engagement des intellectuels, réduits à une caste bourgeoise décadente.

En juillet 1898, la condamnation de Zola, qui provoque son départ pour l'Angleterre, est interprétée par les dessinateurs antidreyfusards (en haut) comme la preuve éclatante de la traîtrise de l'écrivain. Elle met aussi en évidence la déroute du complot prussien, et est même perçue comme une sorte de revanche sur la défaite de 1870. On notera le caractère dérisoire du personnage de Zola, déshonoré, méprisé par les Prussiens eux-mêmes (il est placé à l'arrière d'un chariot, comme un vulgaire bagage). Après onze mois d'exil, Zola revient en France à la faveur de l'arrivée au pouvoir d'un gouvernement de défense républicaine, en juin 1899. Les caricaturistes de Psst… ! *se déchaînent contre lui. Caran d'Ache (ci-contre, à droite) le montre jaillissant du trou des cabinets, le pantin de Dreyfus couché dans un bras. La boue ne suffit plus pour le salir et le caricaturiste verse dans le registre scatologique.*

Le nouvel empereur des camelots.

Moins virulent que ses adversaires, Ibels préfère à l'insulte le ton ironique ou indigné. Sous son crayon, Déroulède, le président de la Ligue des patriotes (ci-dessus) qui mène l'agitation dans la rue, devient le chef fantoche d'une poignée de délinquants excités – son attitude hiératique contraste avec le comportement de ses partisans, qui ne semblent guère le respecter. Ibels voit aussi, dans la conjuration qui a conduit à la condamnation de Dreyfus, la main de l'Église, aveuglée par son antisémitisme (ci-contre). Le magistrat, ici, répugne à plonger ses mains dans un monceau immonde de pièces fabriquées contre Dreyfus par la puissance cléricale (représentée par Basile le jésuite).

La Raison de Basile

— Calomniez! il en restera toujours quelque chose!

L'Algérie au temps de l'affaire Dreyfus

Pierre Michelbach

Le mois de janvier 1898 est un temps fort de l'affaire Dreyfus : le 11, le procès d'Esterhazy s'achève par un acquittement à l'unanimité du conseil de guerre ; le 13, le colonel Picquart, qui avait découvert la culpabilité d'Esterhazy, est accusé de faux et puni de soixante jours de forteresse ; le même jour, le « J'accuse » de Zola explose en première page de *L'Aurore*… Les dreyfusards, qui ne sont encore qu'une poignée, un moment défaits par la clémence de la justice militaire en faveur d'Esterhazy, reprennent confiance. Mais, dans les jours qui suivent, tandis que Zola est poursuivi en diffamation, des manifestations antisémites d'une rare violence se propagent à travers la France. L'Algérie n'échappe pas à la contagion.

Le 23 janvier, des troubles graves éclatent à Alger. Au début de l'après-midi, plusieurs milliers de personnes voulant en découdre se rassemblent sur la place du Gouvernement. Vers trois heures, selon l'agence Havas, des affrontements ont lieu entre Juifs et antijuifs dans les rues de Chartres et de la Lyre, qui retentissent du cri : « À bas les Juifs ! » Le cordon des forces de police qui barrait la rue de la Lyre a été forcé. Des coups de feu retentissent. Des balcons, la population juive lance des objets variés et avariés sur les antisémites ; l'intervention des zouaves, baïonnette au canon, parvient à disperser pour un temps les agresseurs. Certains de ceux-ci, mal en point, font panser leurs blessures dans les pharmacies avoisinantes. On déplore un mort dans leurs rangs, un maçon, du nom de Cayol.

Des cris fusent de toutes parts : « On nous assassine ! À

mort les Juifs ! » Le flot des manifestants regroupés envahit la rue Babazoun, dont les magasins juifs sont systématiquement pillés ; les devantures sont défoncées, divers objets entassés et brûlés. Sur l'intervention des chasseurs, les manifestants gagnent par groupes séparés et par voies détournées la rue Bab-el-Oued, de l'autre côté de la place du Gouvernement. Une fois encore des magasins juifs font les frais du raffut, la gendarmerie et la police restant impuissantes. L'émeute, aggravée d'incendies, se poursuit tard dans la nuit.

Le lendemain, 24 janvier, les scènes de pillage recommencent, dans le quartier de Bab-el-Oued. Au milieu de la journée, des manifestants se rendent en cortège à l'hôpital Mustapha, conduits par Max Régis, directeur de *L'Antijuif* d'Alger, désireux de gagner le domicile de Cayol. Régis, paradant dans une voiture découverte, est acclamé par la foule, qui mêle ses vivats à des cris de haine contre les israélites. Le 25 janvier, le gouverneur Lépine télégraphie au gouvernement : « Passion si violente que malgré les pertes considérables subies par Alger du fait des troubles, la seule chose que la majorité de la population regrette, c'est que les Juifs et les représentants de l'autorité n'aient pas souffert davantage[1]. »

Aux élections législatives de mai 1898, l'Algérie vote pour les candidats antisémites comme nulle part en France. Édouard Drumont, qui a quitté son quartier parisien du Gros-Caillou, est reçu et élu par les Algériens comme un sauveur ; à ses côtés, trois autres antisémites notoires l'emportent triomphalement : Firmin Faure, Maréchal et Morinaud. Parmi les anciens députés, seuls sont réélus Thomson (difficilement) et Eugène Étienne, le leader du « parti colonial ».

À vrai dire, l'effervescence antisémite de l'Algérie n'a nullement pour cause l'affaire Dreyfus. Celle-ci l'a sans doute avivée : elle a permis de fructueux échanges entre antisémites des deux côtés de la Méditerranée, comme en témoigne l'élection du directeur de *La Libre Parole* à Alger, mais la « crise antijuive » a commencé plus tôt qu'en métropole et ses antécédents remontent quinze ans avant la publication de *La France juive* d'Édouard Drumont (1886). C'est en effet le décret Crémieux, accordant, en 1871, la citoyenneté française aux Juifs d'Algérie, qui a été à l'origine de plusieurs vagues antijuives successives, dont celle de 1898-1900, la plus forte.

Dès juillet 1871 était créée, à Alger, une ligue antijuive – sorte de Ku-Klux-Klan algérien – visant à écarter des urnes les électeurs juifs. Ceux-ci ne représentaient qu'une minorité de la population non musulmane – moins de neuf électeurs sur cent – mais parfois concentrée, ce qui donnait dans l'Oranais un électorat juif de 15 % environ. Or ces électeurs juifs, surtout au début de la IIIe République, sont sensibles aux directives des consistoires[2] – dont quelques-uns sont présidés par des hommes douteux, tel Simon Kanoui, surnommé le « Rothschild d'Oran ». Celui-ci monnaye les voix de ses coreligionnaires, au profit généralement des candidats opportunistes, et au grand dam de la gauche radicale et socialiste.

Dès 1881, des violences antisémites ont lieu à Tlemcen ; même chose en 1884, à Alger, au moment des élections municipales ; et en 1885, une nouvelle ligue antijuive fait parler d'elle. Mais les troubles qui émaillent cette histoire électorale de l'Algérie sont exacerbés dans la dernière décennie du XIXe siècle, lorsque la crise antijuive tend à devenir le mode d'expression le plus éclatant d'un mouvement autonomiste qu'on appelle le « parti cubain », par référence aux Créoles de l'ancienne colonie espagnole des Caraïbes qui voulaient alors couper les amarres avec la métropole.

Ce parti cubain s'est nourri de tous les dépits et de toutes les frustrations de la société coloniale : l'hostilité aux réformes envisagées par le gouverneur Jules Cambon, jugé trop favorable aux Arabes ; la crise des exportations agricoles, concurrencées par les blés argentins ou les vins d'Italie et d'Espagne ; l'accroissement de l'insécurité, due elle-même aux difficultés économiques et à la disette… En ces années 1890, une opinion se répand parmi ces Européens d'Algérie : c'est de la métropole que vient tout le mal ; un double sentiment d'humiliation et d'orgueil se manifeste à l'endroit d'une République française ignorante de la situation algérienne.

En 1895, un professeur de droit et ancien député, Dessoliers, publie un livre-programme, *L'Algérie libre* ; il y développe des revendications autonomistes et un chauvinisme « pied-noir », sur le thème de la « fusion des races européennes » qui fait naître, en Algérie, une « race », supérieure, selon lui, par l'intelligence et l'énergie, à la « race française ». Les mots de « séparation », de « sécession » se répandent ; un « parti algérien » est en train de prendre forme, dont le noyau initial est composé d'étudiants de Dessoliers, parmi lesquels Max Régis, tout occupé de plaire aux foules : c'est ce jeune homme qui va incarner tout à la fois « l'algérianisme » et l'antijudaïsme de la colonie européenne d'Algérie.

Max Régis a été l'un de ces fiers-à-bras dont le mouvement antisémite a été prodigue : par bien des aspects, il tient de son aîné Jules Guérin, l'homme du Grand Occident de France et du « fort Chabrol » – dont il fut du reste l'ami, au moins un certain temps. De son vrai nom, il s'appelait Maximilien Régis Milano, et était fils d'un forgeron italien installé en Algérie. Celui qui dirigea le pogrom de 1898 à Alger venait de prendre la présidence de la ligue antijuive de la ville et de lancer, en juillet 1897, un journal qui prenait le même titre que celui de Guérin, *L'Antijuif*. Il était déjà une figure connue, en raison de ses duels, de ses polémiques et de ses condamnations. Poursuivi et arrêté après les journées d'émeute de janvier, il fut acquitté, ce qui porta sa popularité à son comble.

Entré carrément dans l'aventure politique, Régis s'efforça de nouer de solides attaches avec les antisémites de la métropole, et c'est ainsi qu'il contribua à l'élection de Drumont à Alger, au mois de mai. À Paris, cependant, il fut arrêté à la suite d'un meeting pour apologie de faits qualifiés de « crimes » et condamné à quatre mois de prison préventive. Traduit devant la cour d'assises de l'Isère, il fut acquitté, le 20 novembre 1898. Il fut élu par la suite maire d'Alger.

Au cours de ses tribulations, Régis était devenu la coqueluche des « chrétiens » – et plus encore des « chrétiennes » – d'Algérie. Celles-ci, au moment de son procès, s'étaient cotisées pour lui offrir des menottes en or. Les rapports de police suivent alors à la trace ses va-et-vient entre Alger et la métropole : ses déjeuners avec Drumont et Guérin, ses meetings, et sa vie de nabab. Un nabab rendu vite nécessiteux par ses prodigalités : un jour il doit « taper » Drumont pour payer son billet de retour à Alger. Il dépense sans compter, collectionne les femmes, joue gros jeu (à Monte-Carlo notamment), manque ses rendez-vous les plus sérieux, néglige la gestion municipale d'Alger – ce qui lui vaut d'être révoqué en janvier 1899.

Cependant, la crise va porter ses fruits. Au nouveau gouverneur Laferrière, qui arrive à Alger à la fin d'août 1898, va incomber le soin d'appliquer la politique d'apaisement du gouvernement. Une large autonomie financière est désormais reconnue à l'Algérie ; une nouvelle assemblée élue – les délégations financières – est instaurée. Toutefois, comme le suffrage est « restreint aux électeurs âgés de vingt-cinq ans et français depuis douze ans », c'est plus d'un tiers de la population active non musulmane qui se trouve écarté du corps électoral. Max Régis, bon porte-voix des étrangers, en fait son cheval de bataille et en appelle à la « révolution algérienne ». Une lettre de Louis, son frère, explique le nouveau combat des antisémites : « Faire entendre aux colons étrangers que les fonctionnaires français pactisent avec les Juifs et qu'il en sera ainsi tant que la métropole aura des droits ici, leur faire entrevoir la perspective d'une autonomie algérienne ; leurs fils pourraient se créer des situations exceptionnelles. »

Le 17 septembre 1899, Max Régis tente de relancer l'agitation par une action spectaculaire. Il avait quitté depuis plusieurs semaines l'Algérie, pour se rendre successivement à Paris, à Bruxelles, et à Rennes, au moment du second procès Dreyfus. *L'Antijuif* et *L'Express algérien*, dont il est le directeur, annoncent son retour. Le comité central antijuif convoque alors toutes ses troupes pour attendre le « chef du parti algérien » au débarcadère ; en cortège, on se rend au cimetière de Mustapha déposer des couronnes sur la tombe de Fernand Grégoire, fondateur de la première ligue antijuive d'Algérie ; on accompagne Régis à l'hôtel de ville d'Alger. Là, bien qu'il soit révoqué de ses fonctions de maire depuis huit mois, il harangue la foule du balcon, et déclare qu'il a été prévenu d'un mandat d'amener lancé contre lui. L'information est imaginaire. Mais la fausse nouvelle se répand. Et Régis déclare qu'il est résolu à résister jusqu'à la mort.

Le lendemain, 18 septembre, alors qu'à Paris l'épisode tragi-comique du Fort-Chabrol dure depuis près de six semaines et va s'achever piteusement le surlendemain, Régis, imitant Jules Guérin, s'enferme avec une vingtaine de ses fidèles, des vivres et des munitions, dans la villa du Bon Accueil, à Mustapha, dite « villa antijuive » (c'est le siège de *L'Antijuif*), et déclare superbement que tout agent de l'autorité ou du gouvernement qui viendrait à forcer l'entrée de la maison ou du jardin sera passé par les armes. Dans la soirée, plusieurs jeunes gens, porteurs de clairons, sonnent le rassemblement autour de la villa. La police intervient, des pierres sont lancées. Le lendemain, *L'Antijuif* est distribué avec cette manchette : « Sachons vaincre ou mourir », tandis que le gouverneur de l'Algérie est traité de voleur, de cambrioleur, d'« ivrogne qui se soûle honteusement tous les soirs ».

La rue de nouveau bouillonne : « Vive la révolution ! À bas les Juifs et leurs complices ! » Mais le 20 septembre, le jour même de la reddition de Guérin, rue de Chabrol, à Paris, Max Régis et ses amis quittent la villa antijuive et entraînent quelques centaines de personnes place de la République, à Alger, où se trouve déjà massée une foule de manifestants. Régis conduit le cortège rue de la Lyre. On crie derechef : « À bas les Juifs », on brise des réverbères et des devantures de magasins, on affronte la police, des coups de revolver sont tirés, on ramasse des blessés parmi les forces de l'ordre. Revenus place de la République, les manifestants ovationnent Régis.

De retour dans leur villa fortifiée, Régis et ses compagnons lancent, le lendemain, un appel : « Que tous ceux qui ont souffert du Juif et de notre horrible gouvernement, que tous ceux qui ont été des victimes deviennent des vengeurs, et ce soir, le peuple légitimement justicier en aura fini avec la tyrannie juive. Citoyens, aux armes ! » Cet appel est entendu : dans la nuit, des renforts arrivent. Le 22 septembre, à l'aube, la villa antijuive est investie par la troupe… inutilement : Régis et ses amis ont quitté la maison pendant la nuit par une porte latérale. Deux jours plus tard, ils s'embarquent clandestinement pour Iviça, et de là gagnent l'Espagne.

À son retour en France, Régis est appelé à comparaître devant la cour d'assises de Draguignan. Mais pendant l'instruction de son procès ont lieu les élections municipales. La liste de Max Régis est élue à Alger à une large majorité ; en juin 1900, il redevient maire de la ville. Les jurés du Var l'acquittent. Le retour du maire dans sa « bonne ville » déchaîne l'enthousiasme.

Cependant, une contradiction de plus en plus profonde sépare les antisémites du « parti algérien » des autres nationalistes antisémites français d'Algérie. Tandis que les premiers réclamaient « l'Algérie aux Algériens », les seconds pouvaient reprendre à leur compte le slogan de Drumont : « La France aux Français », lequel ne visait plus les Juifs, mais l'immigration étrangère en Algérie. Régis, jusqu'au début de 1901, tenta de relancer l'agitation mais, en dépit de son élection au conseil général d'Alger, son heure était passée. Ses frasques et ses extravagances n'avaient pas peu contribué à le discréditer. Il se reconvertira plus tard dans l'hôtellerie, après ses derniers échecs politiques en métropole.

Un événement dramatique mit un terme à la crise antijuive. En avril 1901, le village de Marguerite était pris d'assaut par une centaine de musulmans d'une tribu voisine. Cinq Européens furent massacrés avant l'arrivée d'une compagnie de tirailleurs qui causa la mort de seize musulmans. L'incident ramena l'opinion européenne d'Algérie devant la réalité du « péril arabe ». Foin des divisions ! Union sacrée face au danger principal. Aux élections législatives d'avril 1902, les députés antijuifs sont tous abattus. Mais, comme le dit Robert Ageron, « le bilan de la crise demeurait largement positif : l'Algérie avait obtenu son émancipation financière et administrative »[3].

Dans tout ce tapage, la destinée d'un capitaine juif injustement condamné n'avait été qu'un prétexte. Mais l'affaire Dreyfus avait révélé que l'Algérie était la terre française la plus antisémite.

Notes

1. Charles-Robert Ageron, *Histoire de l'Algérie contemporaine*, t. II, *1871-1954*, Paris, PUF, 1979.
2. Assemblée des ministres du culte et de laïcs élus pour diriger la communauté religieuse.
3. Charles-Robert Ageron, *op. cit.*

3

L'Affaire après l'Affaire

La France au ban des nations

André Kaspi

L'affaire Dreyfus fut, d'abord et avant tout, une crise internationale. Au-delà du drame personnel qui frappe le capitaine Alfred Dreyfus, de la bataille juridique qui suit le premier procès devant le conseil de guerre, des répercussions politiques qui bouleversent la France pendant plusieurs années, deux protagonistes combattent à fleurets mouchetés. D'un côté l'Allemagne, et son attaché militaire à Paris, le lieutenant-colonel Maximilien von Schwarzkoppen, dont les liens étroits avec l'attaché militaire italien, le major Alessandro Panizzardi, sont bien connus ; de l'autre, la France, vaincue en 1870-1871, à l'affût d'une revanche, travaillant avec patience et ingéniosité à mettre sur pied une armée de premier ordre, fière de ses succès techniques et pourtant inquiète de l'espionnage allemand, de l'ingérence de l'ennemi héréditaire, de l'infiltration des agents de l'empire dans les rouages de l'État. Sur l'affaire Dreyfus ne cesse de planer, au moins dans les débuts, l'ombre de la guerre.

C'est pourquoi Maurice Beaumont eut raison de publier en 1959 un ouvrage qui a pour titre *Aux sources de l'Affaire Dreyfus d'après les sources diplomatiques*[1]. Il y analyse les réactions allemandes et italiennes, dans la mesure où les expriment les documents que l'Allemagne et l'Italie ont publiés. Mais un autre domaine a échappé jusqu'à maintenant à l'étude : les sources françaises, qui sont abondantes et éclairent l'image que la France a donnée d'elle-même en Europe, en Amérique, et jusqu'en Océanie[2]. Elles montrent comment les diplomates français ont tenté d'expliquer les attitudes de leur gouvernement et les rebondissements de l'Affaire, tout en apaisant les récriminations, voire les colères de l'étranger.

En un mot, de 1896 à 1901, une crise internationale naît, prend une ampleur inattendue, s'apaise. Elle donne une dimension nouvelle à l'histoire de l'affaire Dreyfus.

Les relations franco-allemandes sont bien entendu le plus profondément affectées. Elles traversent, suivant l'expression de Charles Péguy, « une crise éminente ». Et pourtant, ce n'est pas la première fois qu'éclate entre les deux pays une affaire d'espionnage. Il n'empêche que la guerre menace. Du moins fait-on semblant de le croire. À peine l'espion présumé est-il arrêté, le commandant du Paty de Clam met en garde Lucie Dreyfus. Elle ne doit pas ébruiter l'arrestation de son mari : « Un seul mot, et c'est la guerre. » Le général Mercier, ministre de la Guerre, ne cesse et ne cessera de répéter que la France a vécu une nuit terrible, au cours de laquelle son gouvernement attendait dans l'angoisse la décision de l'empereur. Est-ce celle du 12 décembre 1894 ou bien celle du 6 janvier 1895 ? Peu importe. Mercier répète, au procès de Rennes, que la France et l'Allemagne ont été « à deux doigts de la guerre ».

Inquiétude exagérée, dramatisation voulue et excessive d'une crise qui n'a jamais atteint un tel degré de gravité ? Certes, l'Allemagne n'apprécie pas que les journaux français accusent l'un de ses représentants d'avoir commis un acte d'espionnage. Le 10 novembre 1894, son ambassade de Paris fait paraître un communiqué dépourvu d'ambiguïté : « Jamais le lieutenant-colonel von Schwarzkoppen n'a reçu de lettres de Dreyfus. Jamais il n'a eu de relations, directes ou indirectes, avec lui. Si cet officier s'est rendu coupable du crime dont on l'accuse, l'ambassade d'Allemagne n'est pas mêlée à cette affaire. » Soit, mais que vaut le démenti d'un ambassadeur, et connaît-il tous les agissements de son attaché militaire ?

Les journaux ne renoncent pas à leurs accusations. L'ambassadeur allemand, le comte de Münster, se plaint auprès du Quai d'Orsay, et même auprès du président de la République, Jean Casimir-Perier. Il souhaite que le gouvernement français prenne ses responsabilités et arrête cette odieuse campagne de presse. Guillaume II tempête : « Münster doit de toute urgence insister pour obtenir rapidement et officiellement la plus entière satisfaction. Sinon, je serai très net ! » La situation s'aggrave, puisqu'en dépit des dénégations de l'Allemagne Dreyfus est déclaré coupable et condamné. Münster a obtenu des témoignages de sympathie du gouvernement français, mais n'a pas arrêté l'accès de germanophobie.

Et puis, l'apaisement survient. Charles Dupuy, président du Conseil, qui exerce pendant deux semaines l'intérim des Affaires étrangères en l'absence de Gabriel Hanotaux, reçoit Münster le 2 janvier 1895. Sous le sceau du secret, il lui livre le fin mot de l'affaire. Dreyfus est coupable ; il avait l'intention de vendre des documents secrets de la plus haute importance. Mais, conclut Dupuy, « les soupçons n'étaient pas dirigés du côté de l'Allemagne ».

Ce n'est pas une explication suffisante, répond Berlin. Le 6 janvier, Münster rencontre Casimir-Perier qui lui donne enfin une réponse apaisante. Le 9 janvier, un communiqué franco-allemand met hors de cause l'ambassade d'Allemagne et celle d'Italie. Bref, la tension n'a jamais revêtu un caractère dramatique ; le terrible incident n'a pas eu lieu et, comme l'écrit Schwarzkoppen, « les entretiens de Münster avec Hanotaux *[et]* Casimir-Perier [...] n'ont jamais pris de tournure menaçante ».

En revanche, les autorités allemandes auraient pu innocenter Dreyfus sans la moindre équivoque. Elles ne l'ont pas fait, bien qu'à plusieurs reprises elles aient été sollicitées par ses défenseurs. Dès les premiers mois de l'année 1895, plusieurs lettres en ce sens sont adressées à l'empereur. L'Allemagne refuse toutefois d'aller plus loin que le démenti de l'automne précédent. L'affaire a été jugée ; pas question de revenir sur un jugement. Berlin choisit le silence. Mais sur un rapport qu'il reçoit en novembre 1896 et qui expose la thèse de Bernard Lazare concernant l'innocence de Dreyfus, Guillaume II ajoute cette annotation : « C'était et c'est toujours mon idée. » L'année suivante, il n'a pas changé d'avis. « Personnellement, *écrit Münster*, je n'ai jamais douté que la condamnation de Dreyfus fût injuste. » Et le souverain de commenter : « Moi non plus. »

L'Affaire rebondit alors. La révision devient de plus en plus probable. En France, les passions se déchaînent ; les accusations contre l'Allemagne sont plus fortes et plus fréquentes encore. Le 13 décembre 1897, le chancelier Hohenlohe prépare un texte, dont son secrétaire d'État von Bülow s'inspirera dans le discours qu'il prononcera devant le Reichstag le 24 janvier, une dizaine de jours après la publication du « J'accuse » d'Émile Zola. « Je me borne à déclarer de la façon la plus catégorique, *dit le ministre allemand*, qu'il n'y a jamais eu de relations ni de liaisons de n'importe quel genre entre l'ex-capitaine Dreyfus, actuellement détenu à l'île du Diable, et n'importe quel agent allemand. J'ai entendu pour la première fois de ma vie, il y a trois semaines, les noms de Walsin-Esterhazy et de Picquart. »

Berlin a fixé sa ligne de conduite. Elle ne changera pas. En 1899, au cours du procès de Rennes, maître Labori, l'un des défenseurs de Dreyfus, sollicite le témoignage de Schwarzkoppen. Guillaume II rejette la demande de l'avocat de Dreyfus. L'intervention discrète de Waldeck-Rousseau, président du Conseil, suscite une réponse aimable et négative : non, l'Allemagne ne proclamera pas haut et fort l'innocence de Dreyfus, bien qu'elle ait assuré qu'elle n'a entretenu aucun contact avec l'accusé. L'empereur ne tient pas à envenimer les relations entre l'Allemagne et la France en prenant parti dans une affaire délicate qui provoque, des deux côtés de la frontière, des passions nationalistes. D'ailleurs, les dénégations successives, celles de 1894 et de 1898, n'ont pas suffi à calmer les esprits ni à changer la décision des juges des conseils de guerre. Quel serait l'effet d'un troisième démenti ?

Somme toute, ni les Allemands ni les Français ne souhaitent que l'on glisse dans la guerre. Ils parviennent à marcher sur un chemin de crête sans tomber dans le précipice. À moins qu'une autre motivation ne brouille les pistes. C'est encore Bülow qui l'exprime, dans une directive au ministère des Affaires étrangères, datée du 29 septembre 1898 : « Dans l'affaire Dreyfus, notre intérêt principal est de rester autant que possible en dehors. Une victoire des antirévisionnistes n'est pas à souhaiter, parce qu'elle pourrait conduire à la dictature, et celle-ci à une guerre contre nous. [...] D'autre part, il n'est pas désirable que la France, par une réhabilitation rapide et éclatante de Dreyfus, regagne tout de suite les sympathies libérales et juives. Le mieux est que l'Affaire continue de s'envenimer, désagrège l'armée et scandalise l'Europe. »

Rien de plus naturel qu'un État qui défend ses intérêts nationaux, aux dépens de la vérité historique et de la justice. En tout cas, Bülow démontre ainsi que son pays redoute la force militaire de la France, sa volonté de recouvrer les provinces perdues et tout ce qui pourrait entraîner les deux pays dans un conflit armé. Affaiblir la France, oui ; la combattre les armes à la main, pas pour le moment, à telle enseigne que Guillaume II ne manque pas de faire des gestes d'amitié, au moins d'apaisement, envers les Français.

Ce qui n'empêche pas l'opinion allemande de porter un jugement sévère sur les événements. En novembre 1897, la presse conserve une attitude plutôt distante à l'égard de l'Affaire. Le procès contre Zola change l'atmosphère. « La déplorable affaire qui vient de se dénouer devant la cour d'assises, *écrit le consul général de France à Hambourg le 1er mars 1898*, a admirablement servi l'intérêt de nos systématiques détracteurs. » Même son de cloche à Munich : « Le gouvernement de la République, l'armée française, notre nation *[sont]* accusés d'avoir perdu tout sentiment de droiture, de justice et d'honneur. » Il y a pire encore. « Ce concert d'invectives et d'appréciations méchamment tendancieuses » est approuvé par « les classes supérieures de la société ». Cette évolution vaut aussi pour les pays voisins. En Autriche-Hongrie, « la haute société et l'entourage même de l'empereur sont les plus chauds défenseurs du traître. [...] L'empereur [...] est resté convaincu de l'innocence de Dreyfus. » La presse va plus loin. « Le procès Zola et le jugement qui l'a frappé si justement ont ameuté contre le gouvernement, l'armée française et les jurés l'unanimité de la presse et du public austro-hongrois qui ne nous ont pas ménagé les épithètes les plus injurieuses. » Avec un peu de retard, la presse de Bosnie-Herzégovine adopte le même ton, tout comme les journaux de Prague.

La France est alors traduite devant un tribunal moral. À des degrés divers, il est vrai. D'après les dépêches diplomatiques qui parviennent au Quai d'Orsay, on peut distinguer à l'étranger trois types de réactions. Dans les pays voisins, comme la Belgique, les Pays-Bas, la Suisse, la Grande-

Bretagne, l'Italie, l'opinion exprime une ferme condamnation de la patrie des Droits de l'homme : Dreyfus est la victime d'une injustice. En Russie, la nouvelle alliée, empire autocratique qui n'éprouve aucune sympathie pour la démocratie ni pour les Juifs, l'opinion est bienveillante envers la France, puis malgré tout critique. Enfin, les observateurs lointains, comme les États-Unis, le Canada, l'Australie, le Brésil, témoignent à leur manière de l'écho planétaire qu'a pu avoir l'Affaire.

La Belgique et les Pays-Bas ouvrent le bal. À Bruxelles comme à Amsterdam, la nouvelle que des pièces à conviction ont été cachées à la défense lors du conseil de guerre de 1894 provoque un choc. « Des journaux conservateurs ou libéraux, des esprits juridiques, des personnalités appartenant aux classes élevées [...] émettent aujourd'hui des doutes sur la régularité de la procédure et estiment qu'il y a lieu de réviser le procès » (17 janvier 1898). Le mouvement ne cesse de croître, au point que l'ambassadeur à Bruxelles parle « de la sympathie enthousiaste dont témoignaient ouvertement et bruyamment la majorité des journaux, les étudiants, plusieurs membres influents de la magistrature et du barreau du royaume ».

Aux Pays-Bas, « ils sont légion » et l'un des membres de « la plus haute aristocratie » prie l'ambassadeur français « de sauver des mains des brigands le pauvre capitaine Dreyfus ». Ce qui inquiète plus encore les représentants de la France, c'est que l'affaire Dreyfus vient d'être portée au théâtre à Amsterdam, sous le titre : *Dreyfus, le martyr de l'île du Diable*. Elle obtient un franc succès. L'ambassadeur donne à Paris l'assurance qu'il n'y est pas question d'attaquer la France, mais de démontrer l'innocence du condamné. Or, ce drame connaît une faveur comparable en Belgique, en Suisse, en Allemagne, etc. De Berne, l'ambassadeur observe quant à lui « l'acrimonie presque haineuse dont s'inspirent presque quotidiennement les journaux de la Confédération, soit dans les articles de fond qu'ils consacrent à l'affaire Dreyfus, soit dans les volumineuses correspondances qu'ils se font adresser de Paris sur le même sujet ».

L'Italie, directement impliquée dans cette affaire d'espionnage, y a nié toute participation, et les Italiens prennent fait et cause pour Émile Zola, originaire de leur pays. Ce mouvement revêt des proportions extraordinaires. Le barreau de Naples adresse une lettre de félicitations à Zola, à la suite de la publication de « J'accuse ». D'autres associations suivent l'exemple. « La jeunesse des écoles a pris feu à son tour. [...] La presse n'est pas demeurée en arrière dans les démonstrations qui se succèdent. [...] Il y a là un état aigu de l'opinion qui n'est pas sans gravité. »

En Grande-Bretagne, enfin, l'Affaire a soulevé « une vive émotion » et donné lieu, dans la presse, « à des excès de langage inouïs », voire à une « folie furieuse ». L'ambassadeur reçoit, au moment du procès de Rennes, des lettres d'injures qui indiquent une très grande excitation de l'esprit public. Un meeting de protestation est mis sur pied pour dénoncer le verdict du deuxième conseil de guerre. Le gouvernement britannique promet de déployer 3 000 agents de police, de faire son possible pour que le drapeau français ne subisse aucune insulte, d'éviter que la manifestation ne prenne un tour outrageant « pour un pays ami ».

La Russie manifeste moins d'hostilité à l'encontre de la justice française. Un général russe dit au consul général à Varsovie que « ce n'est pas le sort de Dreyfus qui nous émeut. Chez nous, on l'eût envoyé en Sibérie ou fusillé sans bruit ! »

Non, ce qui inquiète le brave militaire, c'est la campagne entreprise contre l'armée française, étant entendu, d'après lui, qu'elle provient d'une « catégorie de gens pour lesquels on a peu de sympathie en Russie », c'est-à-dire des Juifs qui tâchent de gouverner la France, « et s'ils arrivaient à leurs fins, ce serait à se demander dans quelles conditions se poursuivrait notre accord avec la France ».

Malgré tout, même en Russie, l'Affaire provoque une évolution des esprits. À Odessa, par exemple, la presse de l'été 1898 subit l'influence des journaux allemands et accorde son soutien à Zola, donc à Dreyfus. Des brochures sont distribuées à profusion dans certaines villes. Dans ce pays qui contrôle la presse si volontiers et avec une telle rigueur, « rien de ce qui a rapport à l'affaire Dreyfus n'est plus exposé aux sévérités de la censure ; dépêches télégraphiques, articles de fond, correspondances, brochures, tout est publié sans entraves, à l'heure actuelle ; outre les écrits, des bijoux variés, broches, boutons de manchettes, de chemise, papier à cigarette, boîtes et enveloppes diverses représentant Dreyfus, Zola et maître Labori sont répandus et vendus à vil prix ». À Saint-Pétersbourg, les journaux gouvernementaux sont infiniment plus modérés dans leurs attaques contre la justice française. Il n'empêche que les dernières péripéties de l'Affaire, surtout le procès de Rennes, sont suivies avec la plus grande attention : dans ces conditions, que deviendra l'alliance franco-russe ?

Restent les contrées lointaines, celles qui, en principe, suivent avec distraction la vie politique de l'Europe occidentale. Elles sont néanmoins présentes dans le débat, en particulier les États-Unis où courent les rumeurs d'un complot destiné à faire évader Dreyfus de l'île du Diable. Comme en Angleterre, les meetings de protestation inquiètent les diplomates français, notamment à Chicago. Il faut préciser que, dans la métropole du Middle West, les journaux ont eu soin de recourir aux services de correspondants spéciaux, aux articles de Bernard Lazare et de Georges Clemenceau. Les généraux français sont attaqués, ridiculisés, vilipendés.

Le procès de Rennes envenime encore l'atmosphère. La presse exprime toutes sortes de menaces dont le boycott de l'Exposition universelle qui doit se tenir à Paris en 1900. La France est représentée comme « la vraie condamnée devant le monde civilisé ». Certains journalistes souhaitent « son extermination par l'armée allemande ». Dans l'Indiana, des manifestants ont brûlé le drapeau tricolore. Des peintres de nationalité française ont été chassés de l'entreprise dans laquelle ils travaillaient. Au théâtre, d'autres incidents ont révélé la force de la francophobie. Des tableaux vivants illustrent sur la scène les pays d'Europe, que des actrices incarnent. « Pour ce qui est de la France, des sifflets soutenus et quelques rares applaudissements furent le triste résultat que j'eus à constater. On m'a assuré d'ailleurs que, dans un autre théâtre de la ville, on faisait paraître tous les soirs sur la scène un soldat français sur lequel on tirait des coups de fusil au triste accompagnement des sifflets de la salle. »

Au Canada, l'impression d'ensemble n'est guère plus favorable. En Australie, la condamnation de Zola en février 1898 provoque des « appréciations [...] particulièrement désobligeantes ». Le verdict de Rennes suscite « un mouvement de protestation d'une intensité surprenante ». Au Brésil, l'Affaire est à l'ordre du jour dès le mois de décembre 1897. Les télégrammes, les articles de journaux déferlent et donnent aux événements de Paris « un retentissement bien regrettable »...

Bien entendu, si les diplomates rapportent ces réactions extrêmement défavorables à la France, ils ne manquent pas de souligner qu'ils font aussi de gros efforts pour y faire face et rétablir une image positive de leur pays. L'arme qu'ils utilisent le plus volontiers, celle qu'ils mentionnent à longueur de dépêches, c'est la dénonciation du complot juif. À lire leur prose, les Juifs sont partout, tout-puissants, acharnés à détruire le prestige de la France et à défendre leur coreligionnaire français, si justement condamné. La pièce de théâtre qui raconte les malheurs de Dreyfus et inquiète si fort le consul général à Amsterdam, c'est « un spectacle [...] destiné surtout à la masse de la population israélite [...] pour qui doit être consacrée à tout prix la légende de l'innocence de Dreyfus ».

Le complot pour faire évader le prisonnier de l'île du Diable est mis sur pied aux États-Unis par « de riches Israélites ». Un sabre d'honneur est-il envoyé de Budapest au lieutenant-colonel Picquart ? « Le bijoutier chez lequel j'ai été voir ce présent, *révèle l'ambassadeur de France à Vienne*, m'a dit qu'il coûtait deux mille florins souscrits en partie par des Israélites. » Quant à la presse viennoise, elle est entre les mains des Juifs. Les journaux de Hambourg sont suspects « d'obéir à des influences de race et de religion », tout comme leurs confrères de Breslau. Ceux d'Odessa sont prisonniers eux aussi des Juifs « qui pullulent, comme on sait, tout le long des frontières allemande et autrichienne ». On ne sait pas si les diplomates français croient à ce qu'ils écrivent ou s'ils cherchent à faire plaisir aux destinataires de leurs rapports, c'est-à-dire à leurs chefs du Quai d'Orsay. Leurs explications démontrent toutefois, s'il en était besoin, la gravité de l'accès d'antisémitisme qui touche alors la France. Et ce n'est pas un hasard si Theodor Herzl rédige à Paris, en pleine affaire Dreyfus, son *État des Juifs*, qui jette les bases du sionisme politique[3].

Les diplomates français tentent également d'obtenir l'interdiction des pièces de théâtre qui leur déplaisent et réclament des gouvernements un contrôle plus étroit de la presse. Peine perdue ! Partout, ils reçoivent la même réponse, fondée sur une bonne foi à géométrie variable. Non, leur dit-on, on ne peut rien interdire. La presse publie ce qu'elle veut. Dans certains cas, par exemple aux États-Unis, les réclamations de tel ou tel d'entre eux font le plus mauvais effet. Ni le monde du théâtre ni les journalistes ne sauraient subir la censure des pouvoirs publics. De temps à autre, ambassadeurs et consuls agitent donc quelques vagues menaces. La France pourrait exercer, par exemple, des représailles commerciales envers la Suisse. Au total, le dossier, bien difficile à défendre, sape le prestige du pays. Lorsque surgit, en septembre 1898, l'affaire de Fachoda, la France est isolée ; son autorité internationale est considérablement affaiblie.

Est-ce à dire que le gouvernement français tient compte de l'hostilité de l'étranger pour déterminer son attitude vis-à-vis de l'affaire Dreyfus ? Rien n'est moins sûr. Jean-Denis Bredin rapporte les manifestations hostiles qui accueillent à l'étranger le verdict de Rennes et ajoute : « La police intervient pour protéger les ambassades de France. On dénonce le déshonneur de la France, le crime collectif auprès duquel pâlissaient tous les autres crimes de l'histoire de France. On appelle à la révolte de la conscience universelle. Ce ne sont pas ces clameurs, vite retombées, parfois suspectes, qui inquiètent Waldeck-Rousseau[4]. » Il a sans doute raison : on n'a trouvé nulle trace des réactions étrangères sur l'action du gouvernement français. Mais on sait que le ministère des Affaires étrangères n'a jamais manifesté un enthousiasme excessif pour soutenir les verdicts des deux conseils de guerre, quel que fût le ministre, Gabriel Hanotaux comme Théophile Delcassé.

Il est vrai qu'en ces années troublées, de Fachoda à l'Afrique du Sud, dans les Antilles, sans parler de l'Europe, Paris a d'autres chats à fouetter. L'affaire Dreyfus demeure, pour l'essentiel, une affaire franco-française. Un signe de nombrilisme, sans doute, qui sous-estime les répercussions de l'événement, profondes et inquiétantes, dans le reste du monde. D'ailleurs, à peine le président de la République a-t-il accordé sa grâce au condamné, les passions retombent. Le consul de France à Chicago exprime le point de vue de tous ses collègues, quand il écrit, le 3 octobre 1899 : « Il n'est plus guère question qu'incidemment dans la presse de Chicago de l'affaire Dreyfus, et le ton passionné qui a caractérisé toutes les polémiques a fait place généralement à une modération relative. » Le silence succède bientôt au bruit et à la fureur.

Notes

1. Paris, Les Productions de Paris, 1959, 287 p.

2. Les archives du ministère des Affaires étrangères possèdent sept registres qui ont pour titre *Affaire Dreyfus*. Ils sont classés dans la série *Allemagne Politique étrangère, Relations avec la France* et portent sur la période du 7 septembre 1896 au 8 janvier 1901. Je tiens à adresser mes plus vifs remerciements pour l'aide qu'ils m'ont apportée à François Renouard, directeur des archives et de la documentation, à Isabelle Richefort, conservateur en chef du patrimoine, et à Pierre Fournié, conservateur au ministère des Affaires étrangères.

3. Cf. son *Journal 1895-1904* avec une excellente préface de Catherine Nicault, Paris, Calmann-Lévy, 1990.

4. Cf. Jean-Denis Bredin, *L'Affaire*, Paris, Julliard, 1983, p. 396.

L'évasion de Dreyfus

Au cours de l'été 1896, une rumeur se répand aux États-Unis : Dreyfus serait sur le point de s'évader – à moins qu'il n'ait déjà réussi à fausser compagnie à ses gardiens. Le 9 septembre, le vice-consul de France à Newport (Rhode Island) adresse un rapport au ministre des Affaires étrangères. Deux Français sont venus le voir, dont l'un écrit dans *La Libre Parole*. Ces journalistes ont lu un télégramme qu'a publié le *South Wales Argus*, un journal de Newport, et que la presse de Londres vient de reproduire : le capitaine Dreyfus aurait pris la fuite. Le vice-consul sait que le gouverneur de la Guyane, relayé par le gouvernement français, a démenti cette extraordinaire nouvelle. Les journalistes ne sont pas convaincus. Paris a déclaré que « rien n'est changé dans la situation de Dreyfus ». Qu'est-ce que cela veut dire ? Ils insistent, demandent si Dreyfus ne s'est pas évadé il y a six mois. Le vice-consul réaffirme les termes du communiqué et met fin à l'entrevue.

L'année suivante, le 7 décembre 1897, le ministre des Colonies, André Lebon, manifeste de nouvelles inquiétudes. Un journaliste aurait préparé, pour le compte du *New York World*, l'évasion du prisonnier. Un bateau baleinier aurait été acheté, avec capitaine et équipage, pour assurer le transport de Dreyfus. Le gouvernement américain aurait mis le holà à cette équipée, mais le même journaliste serait parti pour la Louisiane, aurait embarqué des canons et une centaine d'hommes et, sous le prétexte d'aider les Cubains, ferait route vers la Guyane. Sur la suggestion du consul général de New York, Lebon demande à l'Espagne de surveiller attentivement les côtes américaines et les mouvements de navires.

Le 27 janvier 1898, Jules Cambon, l'ambassadeur de France à Washington, expédie à son ministre un télégramme « très confidentiel ». Une demoiselle Augusta Thomas lui a rendu visite. Elle est « évidemment d'origine juive » et déclare que des Israélites riches ont offert dix mille dollars à un certain Ludwig Wendell pour faire évader Dreyfus ; s'il réussit, il recevra une prime de cinquante mille dollars. Il devrait quitter San Francisco et franchir le cap Horn pour atteindre les eaux guyanaises. Avant de partir, il attend un signal de Lucie Dreyfus qui serait transmis par un officier français. L'affaire prend des proportions inquiétantes lorsque le consul de France à Cuba signale qu'un yacht américain, appartenant à un journal de New York, vient de quitter le port de La Havane. Puis, le silence retombe. Lebon inter-

→

roge le consul général à La Havane. Réponse : « Aucun renseignement. Je veillerai. »

Quel crédit faut-il accorder à toutes ces rumeurs ? On sait aujourd'hui que Mathieu Dreyfus, réduit au désespoir dans les premiers mois de 1896, a payé les services d'une agence londonienne qui lui a conseillé, pour attirer l'attention sur le sort du condamné, d'annoncer l'évasion prochaine de son frère. Le 3 septembre, la nouvelle paraît dans le *Daily Chronicle*. Le soir même, elle a traversé la Manche. Conséquence : on décide de prendre à l'égard de Dreyfus des mesures draconiennes, et d'autant plus cruelles qu'elles sont parfaitement inutiles. Chaque nuit, le prisonnier sera enfermé dans sa case, avec une « double boucle », c'est-à-dire des bracelets aux chevilles qui sont fixés sur la barre inférieure du lit.

Mais la manœuvre de Mathieu Dreyfus n'explique pas tout. Il faut ajouter que le 21 mai, soit quatre mois auparavant, le secrétaire d'État allemand aux Affaires étrangères fait part au chef de l'état-major général d'une nouvelle qu'il ne peut pas encore confirmer. Le général Zurlinden, qui a succédé au ministère de la Guerre au général Mercier, aurait « tenté tout le possible pour la libération de Dreyfus qu'on croit innocent. On a songé à une évasion ; elle aurait coûté cher, et on ne pouvait risquer un tel scandale »...

Ce qui demeure, c'est que la possibilité d'une évasion semble à de nombreux défenseurs du prisonnier la seule solution. Elle entraîne des reportages, contradictoires, sur les conditions de survie de Dreyfus. « Les dernières nouvelles, *observe le secrétaire d'État allemand*, représentent le prisonnier comme mourant de fièvre et de dysenterie dans une cabane qui ressemble à la cage d'un fauve dans les jardins zoologiques. » Et le 8 septembre, *Le Figaro* publie un témoignage qui apporte une attristante confirmation. *La Libre Parole* fait paraître sans tarder un démenti et assure ses lecteurs que Dreyfus « s'empiffre, mange, boit ». À partir de ces bruits d'évasion qui, dans les faits, ne correspondent à aucune réalité, une campagne d'opinion prend donc racine, qui revêtira des dimensions autrement plus considérables dans les années 1898-1899.

A. K.

Georges Sorel : itinéraire d'un dreyfusard antisémite

Christophe Prochasson

Parmi tous les intellectuels qui prirent parti dans la grande bataille dreyfusienne, Georges Sorel (1847-1922) figure sans doute comme l'un des plus paradoxaux. Son cas révèle à quel point il est difficile, dans l'histoire des idées comme dans l'histoire tout court, de distinguer nettement les « bons » des « méchants ». Polygraphe et philosophe aux marges de l'université, provocateur non conformiste, tout à la fois théoricien du syndicalisme révolutionnaire et rentier vivant chichement des rentrées de quelques emprunts russes, Sorel fut aussi un dreyfusard de plume enragé. Il connut ensuite une période antisémite et flirta avec l'Action française, non sans avoir auparavant défendu les militants ouvriers de la CGT en butte à la répression clemenciste des années 1906-1909[1]. Il fut enfin, aux dernières heures de sa vie, un opposant irréductible à la Première Guerre mondiale : attiré par Lénine, auquel il rendit hommage, sceptique en revanche face à Mussolini.

Cet Alceste du socialisme n'a pourtant guère laissé, dans les mémoires, que le souvenir de son rapprochement avec l'Action française et de sa récupération tardive par Mussolini. Rien de cela d'ailleurs n'est contestable. Dans le désarroi postdreyfusard qui affecta une partie de l'extrême gauche au cours des années 1910, certains intellectuels, parmi lesquels Georges Sorel, crurent un temps pouvoir s'unir aux royalistes pour vilipender la République. Cette alliance tourna court. Que Mussolini ou des intellectuels d'extrême droite aient cru discerner dans les écrits de Sorel la théorie susceptible de fonder une alliance des anticapitalistes de droite et de gauche n'autorise pas pour autant à comparer celui-ci à ceux qui pensèrent les racismes, les formes autoritaires de l'État, les exclusions ou les exterminations.

Il convient cependant de s'interroger, à son propos, sur toutes les contradictions, les à-coups et les retournements propres à certains intellectuels non conformistes. Au-delà des cultures politiques, il est des tempéraments portés aux excès, peu aptes à admettre l'opinion commune et que bouleversent les idées reçues, au risque de se perdre. C'est le cas de l'auteur des *Réflexions sur la violence.*

Car Georges Sorel se compte bien parmi les dreyfusards les plus acharnés. L'Affaire fut le seul moment d'une vie austère, faite de longs séjours à la Bibliothèque nationale ou au Musée social, où l'on peut reconnaître comme les traces d'un engagement public. Ce penseur, qui s'afficha comme le « serviteur désintéressé du prolétariat », n'aimait guère les tréteaux ni les tribunes. Homme de l'écrit, il préférait aux meetings le calme de son appartement de Boulogne. Il fallut le tumulte de la crise dreyfusienne pour changer ces habitudes de vie et de pensée. Le pur théoricien qu'il était signa alors l'une des nombreuses pétitions qui circulaient dans les milieux politiques et intellectuels, collabora à des périodiques dreyfusards, comme *Le Mouvement socialiste* ou *Pages libres*, et prit position dans les revues italiennes *Rivista critica del Socialismo* et *Rivista popolare di politica.* Il ne marchanda jamais son soutien à la cause. Lui qui allait bientôt passer pour le théoricien du syndicalisme révolutionnaire[2] et qui, en mars-avril 1898, s'en prenait aux intellectuels dans un article publié, en pleine Affaire, au sein d'un journal anarchiste, *L'Humanité nouvelle*, s'attachait pour l'heure à la défense de la démocratie, la considérant comme menacée par les cohortes nationalistes de l'antidreyfusisme. Il sut même rendre hommage à l'action de Jaurès, dont il fit ensuite l'une de ses cibles préférées : « La conduite admirable de Jaurès est la plus belle preuve qu'il y a une éthique socialiste. »

Cet engagement dreyfusard n'allait pourtant pas de soi. Ni son milieu d'origine, ni sa formation, ni même ses œuvres inaugurales ne prédisposaient Georges Sorel à un tel ralliement. Polytechnicien, ingénieur des Ponts et Chaussées, fonctionnaire consciencieux décoré de la Légion d'honneur, il avait rompu brutalement, en 1892, avec une carrière toute tracée pour ne plus se consacrer qu'à la vie des idées. Plutôt conservateur, il avait déjà en 1889 publié deux ouvrages : *Le Procès de Socrate* et *Contribution à l'étude profane de la Bible*. Dans le premier, il accusait le philosophe athénien d'avoir ébranlé les fondements d'une société légitime au nom d'un individualisme immoral. Singulière anticipation de l'Affaire : le sort d'un individu devait-il primer sur les intérêts de la Cité ? Sorel répondait alors par la négative.

Ce n'est qu'au cours de l'année 1893 que Sorel se mit à lire l'œuvre de Marx. Il en devint l'un des meilleurs connaisseurs et surtout l'un des plus efficaces commentateurs. Il collabora alors à *L'Ère nouvelle* puis au *Devenir social*, deux revues confidentielles qui tentaient de répandre les idées du philosophe allemand et de les mieux faire comprendre. Il fréquenta les milieux guesdistes, représentants politiques du marxisme dans le mouvement socialiste français. Or Jules Guesde, aussitôt après avoir reconnu à Zola le mérite d'être l'auteur du « plus grand acte révolutionnaire du siècle » en ayant publié « J'accuse », se réfugia dans une attitude de non-intervention. L'affaire Dreyfus passait à ses yeux pour une aventure politique qui ne concernait pas le prolétariat. Pour Sorel, au contraire, l'Affaire était « le plus grand événement de *[son]* époque », comme il l'écrivit en 1910, fidèle à ce qu'il constatait dès juillet 1898 : « L'affaire Dreyfus a autant bouleversé les esprits qu'aurait pu le faire une grande crise commerciale. » Étrange constat pour un marxiste. Marginal dans sa propre famille, Sorel cultivait, non sans une certaine volupté, la figure romantique du penseur maudit.

En devenant dreyfusard, Sorel entrait donc en dissidence : dissidence avec ses origines sociales, dissidence avec ses amis politiques, dissidence enfin avec un autre lui-même, jusqu'alors théoricien peu sensible à l'héritage politique de la Révolution française. Comment rendre compte de ce ralliement paradoxal, qui anticipe le retournement final qu'il opéra contre ses anciens amis dreyfusards, une fois ceux-ci arrivés au pouvoir ?

L'ossature sur laquelle cet étrange philosophe construisit ses analyses et ses engagements est constituée d'un double attachement au droit et à la morale. Elle se fonde aussi sur un goût pour les causes perdues – on oublie trop souvent que l'Affaire en fut une très longtemps. Cette fascination pour la marginalité, cet intérêt pour les paradoxes, la complexité et les contradictions, conjugués avec une morale de l'héroïsme, le poussèrent à préférer les minoritaires du dreyfusisme aux lourds bataillons d'antidreyfusards auxquels faisait écho la grande majorité de la presse.

La psychologie ne suffit pourtant pas à expliquer l'adhésion de Sorel au dreyfusisme. Le précoce engagement des socialistes allemanistes[3] dans la cause dreyfusarde joua aussi son rôle dans cette prise de position. Sorel croyait, en effet, pouvoir déceler, dans cette fraction du socialisme français, une authenticité ouvrière et révolutionnaire d'où tout calcul politicien semblait absent. Or, à l'instar d'une bonne partie de l'intelligentsia, il ne se satisfaisait pas du fonctionnement de la démocratie. La République, à ses yeux, trahissait les principes de citoyenneté qui l'avaient fondée. Les arrangements, les compromis, qui sonnaient comme autant de compromissions, la démagogie et la vulgarité de certains hommes politiques, suscitaient chez lui la méfiance. Que les ouvriers allemanistes fussent parmi les premiers à se lancer dans la lutte dreyfusarde le rassurait sur l'honnêteté du mouvement.

On peut affirmer également, sans pour autant reconnaître à Sorel une cohérence que les spécialistes lui dénient souvent, que toutes les valeurs qu'il défendit durant l'Affaire étaient présentes, dès les années 1890, dans nombre de ses écrits. Le dreyfusisme fonctionna donc pour lui comme un laboratoire.

Priorité à la morale et au droit, affirmait depuis longtemps, haut et fort, ce révisionniste d'un marxisme théorique pour qui l'économisme avait rongé la dimension proprement politique des idées de Marx : il s'agissait de savoir si les deux fondements de la démocratie libérale que sont la morale et le droit devaient être réduits à l'état de « simples fantômes » et s'il convenait de réserver ses forces à la seule défense des intérêts matériels du prolétariat. Non, répondit

Sorel en ralliant le dreyfusisme, tout en précisant qu'il existait morale et morale. Il importait que celle qui se trouvait en jeu dans le dreyfusisme accédât à plus haut rang qu'une « simple ardeur judiciaire ».

À partir de cet engagement singulier, au-delà des limites étroites de leur cause, les partisans du capitaine avaient le devoir de s'élever à une conscience de la justice suffisamment noble pour prendre en charge l'intérêt général. Le prolétariat, en cette occasion, devait mettre en avant son désintéressement. Sorel prônait en effet l'avènement d'une nouvelle morale issue de la classe ouvrière, qui, en combattant pour la justice, sans tenir compte de l'origine sociale de Dreyfus, atteindrait à une dimension universelle. Le caractère prétendument bourgeois de l'Affaire permettait précisément au mouvement ouvrier de faire la preuve qu'il était autre chose qu'un simple corporatisme ne se chargeant que de la défense des ventres creux. Dans ses articles publiés dans *La Petite République*, et réunis en septembre 1898 en un recueil intitulé *Les Preuves*, Jaurès ne disait pas autre chose.

Le droit se trouvait aussi au cœur des débats nés de l'Affaire. Or, depuis plusieurs années, contre les marxistes orthodoxes, Sorel n'avait cessé de défendre l'importance du juridique dans les luttes de classe. Durant les conflits du travail, en défendant leurs droits, les ouvriers étaient, selon lui, à l'origine d'une législation nouvelle. Cette conscience juridique de Sorel répond en fait à son vieux fond conservateur et à son souci de préserver la cohérence d'un ordre social. À ses yeux, une société est un ensemble de places, juridiquement définies, assignées chacune à un individu. Or, l'Affaire venait mettre au jour de graves dysfonctionnements : une justice injuste, le droit foulé au nom de la raison d'État par « l'immense majorité des officiers et des prêtres qui concevaient toujours la justice à la manière de l'Ancien Régime », la démocratie abîmée par des pratiques allant à l'encontre de ses principes fondateurs.

Que Dreyfus fût Juif ne semble guère avoir attiré l'attention d'un auteur qui cultiva pourtant une veine antisémite par ailleurs très répandue dans les milieux intellectuels et politiques français de la fin du XIXe siècle. Charles Péguy, qui considéra longtemps Sorel comme l'un de ses « maîtres », fut l'un des rares à ignorer ce sentiment. Sorel s'exprima peu sur le sujet durant toute l'Affaire. Deux articles seulement y font allusion durant cette période : l'un publié en Italie, en décembre 1899, dans la *Rivista popolare di politica*, l'autre en France, en octobre 1901, dans la *Revue socialiste*.

Dans le premier, Sorel tente de comprendre les raisons de l'antisémitisme. À ses yeux, elles sont surtout d'ordre politique : les catholiques, à juste titre selon lui, attribuent aux Juifs la responsabilité de la politique scolaire de la République[4]. Tout en critiquant vertement Édouard Drumont, à qui il reproche de n'avoir développé qu'une philosophie sommaire à l'usage de bourgeois satisfaits, il lui reconnaît, cependant, le mérite d'avoir tenté « quelque chose de génial ». Sorel antisémite ? Pas plus qu'un autre, en un temps où ces clichés envahissaient toute la presse. Ne prêtait-on pas au lieutenant-colonel Picquart, d'ailleurs peut-être à tort, des propos antisémites, et Bernard Lazare n'avait-il pas publié, l'année même de la condamnation de Dreyfus, *L'Antisémitisme, son histoire et ses causes*, un pamphlet dans lequel l'antisémitisme était bien présent ? Clemenceau lui-même, dans plusieurs articles, n'avait pas évité ce tropisme fin de siècle. Sorel en disait alors beaucoup moins contre les Juifs ; dans son second article d'octobre 1901, il alla jusqu'à dénoncer l'antisémitisme dont avaient joué les milieux conservateurs au moment de l'Affaire.

Ce ne fut que dans sa période postdreyfusienne (1902-1910), durant laquelle il s'en prit aux dreyfusards vainqueurs, que Sorel fit preuve d'un antisémitisme obsessionnel. Il lui arriva alors de sombrer dans la plus basse vulgarité. « Circoncis » et « youpins » devinrent des termes récurrents sous sa plume, tandis qu'il dénonçait le « complot juif » sous toutes ses formes : « Je crois que les Juifs ont juré de me boycotter », écrit-il en 1909 à son ami Édouard Berth, lui-même à l'origine d'une littérature aux tons identiques. Il convient pourtant de distinguer cet antisémitisme conjoncturel de l'antisémitisme théorique et mythologique de Drumont. Ce qui naturellement ne l'excuse en rien mais contredit l'idée qui ferait de Sorel l'un des pères de l'antisémitisme moderne, aux connotations biologiques et raciales.

Comme Péguy ou Bernard Lazare, Georges Sorel estimait que l'Affaire avait été une bonne affaire pour certains hommes politiques ou certains universitaires désireux d'accélérer le rythme de leur carrière. Beaucoup, constatait-il, étaient des Juifs. Ce propos est à replacer dans le courant de critique postdreyfusienne, initié par nombre d'intellectuels, souvent parmi les premiers à s'être engagés dans le combat dreyfusard, et qui s'étaient sentis floués par leurs anciens amis. Péguy et le milieu des *Cahiers de la quinzaine* étaient de ceux-là. Sorel était l'un de ces déçus du dreyfusisme. Son attachement à la cause des moins nombreux et des plus faibles joua à front renversé après la victoire politique des dreyfusards. Charles Péguy dénonçait de la même façon la dégradation de la mystique dreyfusarde en triviale politique agitée par de petites ambitions : un grand idéal avait sombré.

Plusieurs événements avaient heurté les anciens combattants du dreyfusisme. L'arrivée à la présidence du Conseil du dreyfusard Waldeck-Rousseau, en juin 1899, avait ouvert la voie à la revanche de leur camp. La loi d'amnistie, votée par le Sénat le 24 décembre 1900[5], amorça l'éloignement du dreyfusisme officiel des premiers combattants, plus préoccupés de morale que de pragmatisme politique. Dès le début de l'année, la condamnation par la Haute Cour de Paul Déroulède et d'André Buffet à dix années de détention pour complot contre la sûreté de l'État, sur la base d'un dossier que Sorel jugeait trop fragile, l'avait inquiété[6].

Le tournant fut définitivement pris en 1902, après plus de deux années d'exercice du pouvoir par les dreyfusards. Les pratiques du général André, ministre de la Guerre, et du président du Conseil, Émile Combes, qui avait succédé à Waldeck-Rousseau cette même année, l'un et l'autre accusés par Sorel, lors de l'affaire des fiches, d'avoir « organisé un système régulier de délation »[7] ; la répression parfois meurtrière des grèves durant les trois années (1906-1909) de gouvernement Clemenceau ; surtout, l'épilogue de l'Affaire en 1906, qui vit la cassation sans renvoi, juridiquement très douteuse[8], du jugement prononcé par le conseil de guerre de Rennes, ne pouvaient pas laisser sans réaction les dreyfusards qui s'étaient naguère mobilisés au nom du droit et de la justice.

Dans les *Réflexions sur la violence* (1908), Sorel revient sur cet amer épisode de sa vie : « L'expérience nous a toujours montré jusqu'ici que nos révolutionnaires arguent de la raison d'État, dès qu'ils sont parvenus au pouvoir, qu'ils emploient alors les procédés de police, et qu'ils regardent la justice comme une arme dont ils peuvent abuser contre leurs ennemis. » La morale condamnait certains usages, même s'ils étaient destinés à favoriser la démocratie. Il ne faut donc pas voir dans le postdreyfusisme de Sorel une nouvelle manifestation de la versatilité dont on ne cessa de l'accabler. Qu'il soit revenu alors sur certaines des analyses qu'il avait exposées au temps héroïque de l'Affaire n'est pas contestable, et lui-même l'admit aisément. Que la nouvelle appréciation qu'il porta sur le dreyfusisme à partir des années 1901-1902 soit en contradiction avec ses positions antérieures, c'est ce que l'on ne saurait sérieusement soutenir.

Peu de textes traduisent mieux l'amertume de Sorel que *La Révolution dreyfusienne* (1909). Trompé par ses frères d'armes, c'est un homme blessé qui parle. Interprétant l'Affaire à partir de la grande *Histoire de l'affaire Dreyfus* de Joseph Reinach, il s'y livre à une démystification radicale de ceux qui avaient fait le dreyfusisme : tous, selon lui, étaient de médiocres personnages. Cette interprétation de la « révolution dreyfusienne » connut une certaine fortune : le dreyfusisme n'aurait été rien d'autre que l'instrument utilisé par une bourgeoisie éclairée pour accéder à la direction de l'État. Sorel stigmatise ainsi successivement la vanité d'Anatole France, qui ne s'était rallié au dreyfusisme qu'après de nombreuses hésitations et sous la pression des « relations mondaines que tout le monde connaît », la « débilité intellectuelle » du colonel Picquart, l'étroitesse d'esprit de Zola, la « nullité militaire » d'André, la « conduite louche » de Millerand dans le processus qui permit à Dreyfus d'obtenir sa grâce, la rhétorique creuse de Jaurès, « converti par les discours de Jaurès ». L'Affaire n'avait été, au bout du compte, qu'une « bouffonnerie » assez dérisoire.

Le cas de Sorel offre ainsi le paradoxe d'un intellectuel sortant de l'affaire Dreyfus armé d'une critique de la démocratie et de ses principaux agents, les clercs, auxquels il reproche, comme aux Juifs, des interventions occultes, arc-boutées sur des réseaux de fidélité et des clientèles. Ces pratiques-là n'appartenaient pas à la démocratie telle que Sorel l'entendait : l'affaire Dreyfus avait favorisé la confusion entre « l'utopie philosophique de la démocratie qui a enivré l'âme de nos pères » et « la réalité du régime démocratique, qui est un gouvernement de démagogues ».

L'intelligentsia était la première responsable de cette dénaturation. Elle était en outre en train de détourner le mouvement socialiste de ses propres fins : « La liquidation de la révolution dreyfusienne devait me conduire à reconnaître que le socialisme prolétarien, ou syndicalisme, ne réalise pleinement sa nature que s'il est volontairement un mouvement dirigé contre les démagogues. » Ce prétendu « préfasciste » s'en prenait enfin, avec insistance, à l'irrépressible goût pour l'État dont les dreyfusards de naguère semblaient faire preuve sous ses yeux. Il est une race d'intellectuels de gauche qui supporte mal l'accession au pouvoir de ses amis politiques.

Notes

1. Président du Conseil d'octobre 1906 à juillet 1909, Georges Clemenceau réprima avec violence les mouvements d'agitation sociale (crise viticole du Midi au printemps 1907, incidents de Draveil et de Villeneuve-Saint-Georges en mai et juillet 1908).

2. Cette doctrine syndicale qui se développa au début du siècle plaidait pour l'action autonome des syndicats. Elle préconisait « l'action directe » (et notamment la grève générale) comme seul moyen d'assurer l'émancipation ouvrière.

3. Jean Allemane, ouvrier typographe, avait fondé en 1890 le Parti ouvrier socialiste révolutionnaire, dont les membres étaient surtout des ouvriers. Les « allemanistes », qui cultivaient une grande méfiance à l'encontre des intellectuels et des parlementaires, furent cependant parmi les premiers, dans les rangs socialistes, à s'engager aux côtés des défenseurs de Dreyfus.

4. En 1880-1881, Jules Ferry, avec Camille Sée et Ferdinand Buisson, imposa les principales mesures de réforme de l'enseignement public : laïcité, gratuité, caractère obligatoire de l'enseignement primaire, extension de l'enseignement secondaire d'État aux filles.

5. Cette loi amnistiait tous les condamnés « politiques », dreyfusards et antidreyfusards, jugés pendant l'Affaire.

6. Paul Déroulède, poète et homme politique, héraut de la « revanche » contre l'Allemagne, fervent soutien du général Boulanger, tenta vainement un coup d'État contre le régime parlementaire le 23 février 1899. Condamné par la Haute Cour à dix ans de bannissement, il fut finalement gracié en 1905.

7. L'« affaire des fiches » qui éclata en octobre 1904 et qui provoqua la démission du ministère Combes révéla l'organisation, sous la houlette du général André, alors ministre de la Guerre, d'un système occulte de renseignements sur les opinions politiques et religieuses des officiers. Ces fiches lui étaient fournies par les organisations maçonniques du Grand Orient de France.

8. La Cour de cassation ne casse un jugement pour vice de forme que pour renvoyer l'affaire en cours devant une nouvelle juridiction.

Le jour où Theodor Herzl devint sioniste

Alain Dieckhoff

« Le procès Dreyfus fit de moi un sioniste », écrit Theodor Herzl en 1899, alors qu'il se consacre depuis quatre ans à la cause qui le rendra célèbre – la création d'un État juif en Palestine. On a souvent pris à la lettre cette déclaration péremptoire. Or, ce constat mérite d'être doublement nuancé. D'une part, Herzl n'a pas attendu son séjour en France pour découvrir l'antisémitisme. D'autre part, le procès d'Alfred Dreyfus n'eut pas sur le coup l'importance décisive que Herzl lui attribuera lorsqu'il s'attachera à construire sa propre légende.

En fait, les trente-cinq années qui précèdent son engagement définitif, en 1895, sont des années de maturation, de réflexion, de confrontation, dont l'Affaire ne sera que le couronnement – l'aboutissement d'une trajectoire qui s'ordonne autour de trois lieux : Budapest, Vienne et Paris.

Né en 1860 à Pest, Herzl passe son enfance dans la capitale hongroise. Ses parents, dont les ancêtres sont venus des pays tchèques, se sont détachés des pratiques religieuses. Seul son grand-père paternel, Simon Loeb Herzl (1805-1879), est fidèle à la tradition juive. Il habite la ville serbe de Semlin, où la famille est établie depuis 1739. Or cette ville a pour particularité d'abriter un rabbin hors du commun, Yéhouda Alkalaï, qui émet, en 1845, une idée totalement inédite : constituer une assemblée des Anciens ayant pour tâche d'organiser le retour collectif des Juifs en Palestine. Alkalaï défend son projet dans de nombreux ouvrages, entreprend de fréquents voyages « de propagande » dans les communautés juives d'Europe et finit par s'établir à Jérusalem en 1874. Nul doute que ce parcours, tout à fait inhabituel à l'époque, ait été évoqué par le grand-père de Theodor lorsqu'il se rendait à Budapest pour visiter ses enfants…

Deuxième facteur qui peut expliquer la naissance de l'idée sioniste chez Herzl : le sort réservé aux Juifs dans la Hongrie de l'époque. Leur émancipation totale en 1867, date de l'instauration de l'Empire austro-hongrois, entraîne une migration interne qui bouleverse complètement la physionomie du judaïsme dans cette région d'Europe. L'installation du père de Herzl à Pest, en 1856, est symptomatique du mouvement général de désertion des campagnes qui touche les Juifs de l'empire. Du coup, la capitale hongroise connaît une progression très rapide de la population juive, qui passe de 44 000 personnes en 1869 à 71 000 en 1880 (près de 20 % de la population totale). Si cet exode vers les villes contribue à développer fortement l'antisémitisme à Vienne, il a des effets nettement moins négatifs en Hongrie, où de nombreuses alliances (y compris matrimoniales) se sont nouées entre l'aristocratie magyare et les milieux d'affaires juifs.

Pour autant, la Hongrie n'est pas épargnée par l'antisémitisme, surtout après le krach de 1873 qui suit la faillite de la *Kreditanstalt*, propriété des Rothschild. Elle a même le douteux privilège d'abriter, en 1875, le premier mouvement politique ouvertement antisémite d'Europe. L'agitation antijuive atteint son apogée en 1882, lorsque le bedeau de la synagogue de Tisza-Eszlar (dans le Sud de la Hongrie) est accusé d'avoir perpétré un crime rituel sur un chrétien. Le jeune Tivadar Hercl (Theodor Herzl en magyar) n'est pas insensible à ce climat : il se souviendra plus tard qu'en 1875 il a quitté la *Realschule* (école secondaire orientée vers les sciences et techniques) en cours d'année, parce qu'un professeur a traité les Juifs de païens idolâtres.

Un troisième facteur a pu prédisposer Herzl à poursuivre avec acharnement la réalisation de l'idée sioniste : le *délibab*, ce don de l'improvisation dans lequel les Hongrois excellent à cette époque et qui les encourage à prendre leurs désirs (en l'occurrence, indépendance et grandeur nationales) pour des réalités[1]. Herzl témoignera tout au long de sa carrière de cette capacité à vivre et à célébrer le présent comme une utopie devenue réalité : il se comportera comme le véritable chef d'un État juif qui n'existe encore que dans son imagination.

En 1878, un terrible drame frappe la famille Herzl : la mort soudaine de Pauline, la sœur de Theodor, âgée de dix-neuf ans. Ils quittent alors Budapest et s'installent à Vienne qui, en pleine expansion, constitue un pôle d'attraction pour tous les Juifs de l'empire : de 6 200 en 1857, leur nombre passe à 72 000 en 1880. Pareil afflux ne va pas sans entretenir un antisémitisme virulent. Herzl se heurte de front à l'agitation antijuive à l'université où il suit des cours de droit. En 1881, il adhère à la fraternité d'étudiants « Albia », dont il accomplit scrupuleusement les rituels : beuveries, chansons grivoises et duels. Comme de nombreux Juifs élevés dans la culture allemande, il est fasciné par la figure de Bismarck et ne trouve rien à redire au nationalisme de sa corporation étudiante. Jusqu'à ce jour de mars 1883 où, lors d'une cérémonie en hommage à Richard Wagner qui vient de mourir, le représentant d'« Albia » exalte le pangermanisme aryen et loue l'antisémitisme wagnérien. Piqué au vif, Herzl propose aussitôt sa démission ; ses collègues préfèrent l'expulser. Depuis ce douloureux épisode, Herzl est hanté par le désir de voir respecter la dignité des Juifs. Le sionisme sera, pour lui, un moyen de leur rendre cet honneur perdu.

Ainsi, Herzl est très averti, dès cette époque, du péril antisémite. Il suffit pour s'en convaincre de se reporter au compte rendu du livre du philosophe et économiste allemand Eugen Dühring, *La Question juive comme question raciale, morale et culturelle*, publié en 1881, qu'il consigne dans son *Journal* en 1882. Dans son essai, Dühring condamne vigoureusement le libéralisme politique et économique qui, selon lui, sert seulement à renforcer la domination des Juifs. Sinistre augure, il propose d'exclure ceux-ci des emplois publics, du commerce, de la finance[2]… Herzl note que dans « ce livre infâme », écrit par un homme « empli d'une haine impuissante et d'un fiel répugnant », la seule solution offerte aux Juifs est le retour au ghetto, accompagné d'une « déjudaïsation » de la presse, des professions libérales et de l'usure. Il voit bien que l'antisémitisme racial réclame la marginalisation totale des Juifs.

Paradoxalement, Herzl choisit pourtant d'oublier et se

réfugie dans l'art. Devenu juriste en 1884, il abandonne en effet rapidement le droit pour entamer une carrière littéraire. Il écrit de nombreuses pièces de théâtre, surtout des vaudevilles, qui lui vaudront un certain succès. Mais c'est surtout sa maîtrise de l'art du feuilleton qui assoit sa réputation et qui, paradoxalement, le ramènera à la réalité politique. En effet, nommé correspondant à Paris du grand quotidien libéral *Neue Freie Presse* à l'automne 1891, il peut tout à loisir, quatre années durant, s'interroger sur la constance de l'antisémitisme et réfléchir aux solutions offertes aux Juifs.

Herzl ouvre son *Journal* (qu'il tiendra scrupuleusement jusqu'à la veille de sa mort) par cet aveu : « À Paris, je fus immédiatement plongé dans la politique, du moins en tant qu'observateur. Je pus voir comment le monde était gouverné. » Difficile, en effet, d'échapper à la passion politique, qui n'a guère épargné la France depuis l'instauration de la république. Difficile de ne pas plonger dans le tourbillon lorsqu'on passe des heures à la Chambre des députés pour fournir au lecteur viennois les derniers échos des débats parlementaires.

De son poste d'observation, Herzl voit qu'à peine sorti de la crise boulangiste, qui a rudement secoué le pays entre 1885 et 1889, la République opportuniste connaît des heures particulièrement troublées. Si ces années 1890-1895 sont marquées par un fait positif, le ralliement des catholiques à la république, elles connaissent une succession d'événements qui ne manquent pas d'entretenir l'inquiétude quant à la survie même du régime républicain : montée de la contestation sociale (grève de Carmaux en août 1892), attentats anarchistes (1892-1894), audience croissante du socialisme, scandale politico-financier de Panama (1892-1893), instabilité ministérielle chronique (dix ministères se succèdent entre 1890 et 1896).

De toute cette agitation, Herzl se fait fidèlement l'écho dans les articles qu'il envoie régulièrement à la *Neue Freie Presse*. Une transformation graduelle s'opère en lui. Arrivé à Paris en esthète dédaignant la politicaillerie, le voici de plus en plus envoûté par la chose publique, au point qu'au cours de l'hiver 1892 il confie à son ami, le dramaturge Arthur Schnitzler, qu'il ne veut plus entendre parler de carrière littéraire, qu'il a décidé de se consacrer uniquement à son métier de journaliste et qu'il aspire à être un juriste d'État. Aveu prémonitoire, car il laisse entrevoir le Herzl qui, quelques années plus tard, jettera, dans *L'État des Juifs*, les fondements du sionisme.

En attendant, Herzl fait l'apprentissage de la politique dans l'enceinte du Palais-Bourbon. De sa fréquentation assidue de la Chambre, il laisse des portraits savoureux, hauts en couleurs, d'hommes politiques de la IIIe République[3]. Ceux, par exemple, du président de la Chambre, Charles Dupuy, « un homme tranquille, qui prend son temps et sait mettre les rieurs de son côté » ; de l'élégant Paul Deschanel, « politicien de salon » entouré d'une volée de coquettes ; du radical Camille Pelletan, « ours hirsute et balourd », et de l'ancien président du Conseil, René Goblet, « l'incarnation la plus fine du politicien causeur, absolument médiocre en tant que politicien de l'action ».

Mais s'il est sensible à la comédie du pouvoir, Herzl perçoit aussi la dimension proprement tragique de la politique. Daniel Wilson, gendre du président de la République Jules Grévy, compromis dans des trafics d'influence, ou Joseph Reinach, éclaboussé par l'affaire de Panama, sont, pour lui, des personnages brisés par les scandales, mais aussi par l'acharnement haineux de leurs adversaires. Cependant, la Chambre des députés n'est pas seulement une scène où se déroulent comédies et tragédies, elle est aussi et surtout un lieu d'action. De cela, Herzl se convainc aisément en voyant Jean Jaurès à l'œuvre. Le véritable pouvoir, c'est celui que manifeste le député du Tarn : celui de commander les hommes et de les pousser à se mettre au service d'une cause.

Finalement, la politique mérite d'être prise au sérieux. Cet adage, Herzl le fait sien jusqu'à se prononcer contre la démocratie. Comme nombre de ses contemporains, il est persuadé que le système représentatif recèle un double vice : il organise la tromperie systématique du peuple, abusé par « l'espèce si détestable des politiciens professionnels » ; il suppose des « mœurs très simples » et « une vertu politique » dont les masses, « ouvertes à toutes les croyances les plus erronées et enclines à suivre les braillards »[4], sont tout à fait incapables. Aussi Herzl se déclare-t-il en faveur d'une république aristocratique, où le principe démocratique se trouve tempéré par une légitimité supra-populaire. Car il perçoit en France l'irruption d'un phénomène nouveau, qui ne cesse de l'inquiéter : l'intrusion des masses dans l'histoire.

La question sociale domine en effet les années 1890. L'agitation ouvrière persistante se traduit par de nombreuses grèves, qui s'achèvent parfois par des affrontements violents avec la troupe, comme à Fourmies le 1er mai 1891. Cette effervescence sociale reçoit une traduction politique lors des élections de 1893, qui enregistrent la première poussée notable des socialistes (quarante-cinq mandats, contre douze en 1889). Dans la progression électorale du socialisme, Herzl voit l'aube d'une nouvelle ère politique, celle des masses. Comme il craint la puissance dévastatrice de la foule, une telle perspective l'effraie. Mais il pense aussi que, si elle est habilement canalisée, cette énergie collective peut devenir une force politique incomparable. C'est cet enseignement-là qu'il mettra en pratique lorsqu'il cherchera à rallier les masses juives autour de l'organisation sioniste, contre les notables récalcitrants.

Paris n'est pas seulement le lieu où Herzl découvre la politique. Il y trouve aussi « une relation plus libre avec l'antisémitisme, en le comprenant et en l'excusant sur le plan historique ». Cet aveu, consigné dans les premières pages de son *Journal*, implique un triple constat. D'abord : l'antisémitisme s'est généralisé. Il a éclaté lors de l'affaire de Panama, lorsque Édouard Drumont, en dénonçant la corruption du monde politique, a insisté sur le rôle de trois intermédiaires juifs (le baron Jacques de Reinach et son factotum Arton, le Germano-Américain Cornélius Herz).

Deuxième constat de Herzl : la lutte contre l'antisémitisme est vaine. Dans une lettre adressée, en janvier 1893, au baron Leitenberger, associé à la baronne Bertha von Suttner lauréate du prix Nobel de la paix en 1905 et au maître de la valse Johann Strauss dans la Ligue de défense contre l'antisémitisme, fondée à Vienne en 1891, Herzl fait remarquer qu'une telle association, bien qu'inspirée par un objectif noble, s'avérera inefficace; ses actions (conférences, revues), visant à faire disparaître le préjugé antijuif, sont totalement inadaptées face à un antisémitisme devenu offensif et dynamique. Dès cette époque, la conviction de Herzl est acquise : il faut opposer à l'antisémitisme un mouvement qui en soit l'antithèse absolue – le socialisme lui paraît alors en mesure de remplir ce vide.

Mais Herzl ne s'arrête pas là. Confusément, il arrive à une troisième conclusion : l'antisémitisme peut être un instrument utile s'il parvient à rendre aux Juifs leur fierté. Une telle affirmation, *a priori* surprenante, voire scandaleuse, repose sur une démonstration logique : s'il existe bien, par-delà la représentation fantasmatique, une question juive, l'antisémitisme peut servir à la révéler et à obliger les Juifs à prendre en compte leur altérité, au lieu de la nier comme l'implique l'idéologie de l'assimilation. Cette « vertu » de l'antisémitisme, Herzl la reconnaîtra explicitement lorsqu'il confiera : « Je dois beaucoup de la liberté actuelle de mon opinion à Drumont, parce qu'il fut un artiste. »

En 1892-1893, Herzl esquisse les premières solutions à la « question juive ». Il caresse d'abord une idée hautement romantique, qui porte l'empreinte de sa vie estudiantine : provoquer les antisémites viennois (tel Schönerer ou Lüger) en duel afin de défendre l'honneur des Juifs et faciliter leur intégration sociale. Puis il envisage de procéder à la conversion collective des Juifs viennois, qui aurait lieu « le dimanche à midi, à la cathédrale Saint-Étienne, sous forme de procession et au son des cloches ». Il se voit déjà défendre cette assimilation religieuse devant l'archevêque de Vienne et le pape, et diffuser à travers le monde « le slogan du mélange des races ». Parallèlement, il se plaît à penser que l'instauration du socialisme, avec son idéologie égalitaire, mettra un terme définitif à la situation d'exception des Juifs.

Au fur et à mesure que Herzl approfondit sa réflexion historique, la dissolution du judaïsme lui apparaît cependant de plus en plus illusoire. À l'automne 1894, dans une conversation avec le critique dramatique Ludwig Speidel, il remarque que le confinement dans le ghetto a développé chez les Juifs des tendances asociales persistantes. Autrement dit, ils continuent, après leur émancipation, à former un corps séparé dans les différentes nations qui les ont accueillis en leur sein. Il leur faut maintenant briser le ghetto intérieur, invisible, dans lequel ils évoluent. Désormais,

Herzl est persuadé que la solution de la question juive incombe aux Juifs eux-mêmes. Il développe ce thème dans une pièce qu'il écrit en pleine exaltation, en octobre-novembre 1894, et qu'il intitule *Le Nouveau Ghetto*.

Lorsque l'arrestation du capitaine Dreyfus commence à être annoncée par la presse, Herzl n'est donc déjà plus le littérateur sans ambition politique arrivé dans la capitale française trois ans auparavant. Mais il lui reste encore à formuler l'idée selon laquelle les Juifs doivent être délivrés de la diaspora, c'est-à-dire sauvegarder leur spécificité dans un pays qui serait le leur. Cette ultime métamorphose aura lieu dans les premiers mois de 1895.

Contrairement au mythe que Herzl contribuera lui-même à forger après être devenu le leader du mouvement sioniste, l'affaire Dreyfus ne l'a pas bouleversé sur le moment. Au début, il croit même que Dreyfus a trahi. Dans ses correspondances régulières et factuelles à la *Neue Freie Presse*, il insiste sur l'attitude très digne du capitaine, mais celui-ci ne lui fait pas bonne impression. Après le verdict du 22 décembre, il écrit : « Tout porte à croire à la culpabilité. La famille cependant est certaine de son innocence. » Il n'évoque, de façon indirecte, la judéité de Dreyfus qu'à la fin du mois de décembre.

De la cérémonie de dégradation du 5 janvier 1895, lorsque la foule déchaînée vocifère « À mort ! Mort aux Juifs ! », Herzl fait un récit sobre, dans lequel perce de l'admiration pour l'officier résolu, clamant une ultime fois son innocence. La fierté blessée de Dreyfus trouble certainement Herzl, mais il n'exprime pas de doutes publiquement. Ses comptes rendus sont toutefois édulcorés, puisque les directeurs, juifs, du quotidien viennois remplacent « Mort aux Juifs ! » par une formule moins générale : « Mort au Judas ! »

En outre, si le procès Dreyfus avait effectivement constitué une étape décisive dans son évolution, Theodor Herzl en aurait parlé dans son *Journal* intime, commencé en mai 1895. Or le nom de Dreyfus n'y est quasiment pas évoqué. Enfin, dans le manifeste du sionisme politique qu'est *L'État des Juifs*, dont la première mouture est achevée à la mi-juin 1895, il n'y a pas la moindre référence à l'Affaire.

Ce silence va contre l'idée reçue selon laquelle l'injuste sort réservé au capitaine Dreyfus a seul décidé Herzl à s'engager à fond dans le sionisme.

Cependant Herzl se persuade peu à peu que Dreyfus est innocent : la trahison d'un Juif qui, en choisissant la carrière des armes, a manifesté sa volonté farouche de défendre la nation française, lui semble psychologiquement impossible. Sa sensibilité a été heurtée par les cris hostiles à tous les Juifs proférés par la foule lors de la dégradation et le déferlement de haine à travers la presse l'a confirmé dans ses sombres pronostics sur le climat antisémite général. Les 25 et 27 mai 1895, la discussion qui a lieu à la Chambre des députés, consacrée à « la prédominance des Juifs dans l'administration française et aux dangers de l'infiltration incessante de la race juive », ne peut que confirmer cette impression.

Débats étonnants, auxquels Herzl a dû assister médusé mais persuadé qu'il fallait agir vite. Tandis qu'Alfred Naquet fait un vibrant éloge du patriotisme des Juifs français, le député des Landes Théodore Denis s'insurge contre « cette race mystérieuse et étrange qui enserre la grande nation confiante qui l'a trop généreusement accueillie » et le vicomte d'Hugues déplore que « dans tous les scandales possibles et imaginables on retrouve la main des Juifs ». La proposition de loi du monarchiste Baudry d'Asson, annulant purement et simplement les décrets révolutionnaires, constitue le point d'orgue de cet hallali parlementaire antijuif.

Au début de ce même mois de mai 1895, Herzl écrit une lettre au baron Maurice de Hirsch, philanthrope juif finançant des établissements agricoles en Argentine, pour solliciter « un entretien politique à propos des Juifs ». Cette lettre, qui scelle définitivement son engagement sioniste, il ne l'enverra que deux semaines plus tard. Un événement inattendu l'a décidé à franchir le pas : l'élection, le 14 mai 1895, du chrétien-social Karl Lüger à la mairie de Vienne[5]. Qu'un antisémite notoire ait pu être porté à la tête de la capitale impériale prouve que l'antisémitisme est devenu un véritable mouvement politique.

Pour Herzl, cette élection marque la faillite définitive du libéralisme politique, dont les Juifs furent toujours d'ardents défenseurs. Désormais, il devient impérieux d'offrir à la question juive une véritable réponse politique. À partir de ce mois de mai 1895, il consacre le plus clair de son temps au sionisme. Et c'est alors seulement que l'Affaire prend pour lui toute sa signification. En 1899, il écrit : « L'affaire Dreyfus est plus qu'une erreur judiciaire : elle manifeste le désir de la grande majorité des Français de condamner un Juif et, à travers lui, tous les Juifs. *"Mort aux Juifs !"* hurlait la foule lorsqu'on arracha les décorations de l'uniforme du capitaine. Et depuis lors, "À bas les Juifs" est devenu un cri de guerre. Où ? En France ! Dans la France républicaine, moderne, civilisée, cent ans après la Déclaration des Droits de l'homme. »

L'affaire Dreyfus apparaît donc à Herzl, mais rétrospectivement, comme un moment symbolique, une preuve que l'assimilation est une impasse et que la véritable libération ne peut avoir lieu que collectivement, dans le cadre d'un État juif indépendant.

Notes

1. La part hongroise du tempérament de Herzl a été soulignée par William Johnston dans *L'Esprit viennois. Une histoire intellectuelle et sociale, 1848-1938*, PUF, 1985.

2. Dans d'autres écrits, Dühring, décidément précurseur en la matière, va jusqu'à envisager la solution de la question juive par… le massacre et l'extermination.

3. Certains articles seront rassemblés par les soins de Herzl lui-même dans *Das Palais-Bourbon*, Leipzig, Duncker et Humbold, 1895.

4. Théodore Herzl, *L'État des Juifs*, Paris, La Découverte, 1990, p. 100.

5. L'empereur a refusé de valider l'élection de Lüger, qui en est sorti renforcé, malgré les tentatives du gouvernement pour endiguer sa progression, en dissolvant le Conseil municipal à deux reprises. Finalement, Lüger devient maire de Vienne en avril 1897 et le restera jusqu'à sa mort en 1910.

Les historiens, la République et la question juive

Entretien avec Madeleine Rebérioux

Professeur émérite d'histoire contemporaine à l'université de Paris-VIII, Madeleine Rebérioux est présidente de la Société d'études jaurésiennes et aujourd'hui présidente d'honneur de la Ligue des Droits de l'homme. Elle a notamment publié *La République radicale ? 1898-1914* (Le Seuil, 1975), *Jaurès et la classe ouvrière* (Maspero, 1976), *Ils ont pensé les Droits de l'homme* (EDI-LDH, 1989) et, en 1994, *Jaurès, la parole et l'acte* (Gallimard, « Découvertes »).

L'HISTOIRE : *Madeleine Rebérioux, pouvez-vous nous rappeler quels ont été les principaux historiens de l'Affaire ?*

MADELEINE REBÉRIOUX : Je voudrais d'abord rappeler que l'histoire de l'Affaire est tout à fait originale dans l'histoire de France – si l'on excepte celle de la Révolution. Comme cette dernière, en effet, elle a commencé à être écrite alors que les événements n'étaient pas arrivés à leur terme. Dès le début du XXe siècle, avant même la réhabilitation, des ouvrages ont été publiés, qui dessinent déjà les deux grandes interprétations en présence – dreyfusarde et antidreyfusarde. Joseph Reinach, député républicain des Basses-Alpes, un des disciples de Gambetta, publie entre 1901 et 1908 son *Histoire de l'affaire Dreyfus* (six volumes plus, en 1911, un volume d'index) qui reste un monument.

Un peu plus tard, Henri Dutrait-Crozon, pseudonyme pour deux militants d'Action française, publie un *Précis de l'affaire Dreyfus*, une autre *Histoire* de l'Affaire, antidreyfusarde et antisémite celle-là, qui développe l'idée du complot des « étrangers » et des intellectuels contre l'armée et la nation. Évidemment, il s'agit dans les deux cas d'une histoire événementielle, agrémentée d'une galerie de portraits non illustrés bien sûr !

Il faut aussi, et d'abord, chronologiquement, mentionner la chronique publiée en feuilleton au cœur de l'été 1898 par Jaurès dans *La Petite République*, immédiatement réunie en un volume intitulé *Les Preuves*, où est démontrée avec force détails l'innocence de Dreyfus. Jaurès va jusqu'à donner la date de la fabrication du « faux Henry », avant même que le colonel ne passe aux aveux ! On observera au passage que ce livre sort des presses au moment où l'historien Charles Seignobos, autre grand dreyfusard, vient de publier, avec l'archiviste Langlois, sa célèbre *Introduction aux études historiques* sur la nécessité et les moyens de discerner le vrai du faux en histoire. *Les Preuves* n'attestent donc pas seulement la capacité intellectuelle de Jaurès à dominer des documents et à les interpréter, mais son insertion dans toute une problématique historique.

L'HISTOIRE : *Et après l'Affaire ?*

MADELEINE REBÉRIOUX : Il n'y aura pas de très grands travaux à proprement parler durant l'entre-deux-guerres, ni dans l'immédiat après-guerre. Retenons cependant, outre les *Carnets* de Schwarzkoppen, les *Souvenirs* de Léon Blum et le *Journal* de Maurice Paléologue, le livre de Marcel Thomas, *L'Affaire sans Dreyfus* (1961), qui critique certaines affirmations de Jaurès et réhabilite notamment, en partie, du Paty de Clam. D'une certaine manière, ce livre vient clore une période au cours de laquelle il s'est agi essentiellement d'établir les faits dans leur chronologie, de dresser des portraits et de définir des responsabilités.

L'HISTOIRE : *Aujourd'hui, comment écrit-on l'histoire de l'affaire Dreyfus ?*

MADELEINE REBÉRIOUX : Depuis une vingtaine d'années, d'une façon profondément renouvelée. Il faut d'abord noter le regard neuf porté sur les milieux mobilisés pendant les événements, singulièrement sur la presse (*cf.* Patrice Boussel, *L'Affaire Dreyfus et la presse*) et sur les intellectuels. Cette approche est à mettre en rapport avec la guerre d'Algérie et avec le rôle qu'y ont tenu les intellectuels, entre autres un Pierre Vidal-Naquet dont le combat se réfère explicitement au dreyfusisme. Les travaux de Christophe Charle, et notamment sa grande thèse qui a abouti, en 1990, à la publication de l'ouvrage intitulé *Naissance des intellectuels (1880-1900)*, montrent les conditions dans lesquelles ce milieu a émergé.

On voit également apparaître une série de portraits comme ceux de Péguy avec le livre de Géraldi Leroy, d'Octave Mirbeau avec l'étude de Pierre Michel, de Zola sur la figure duquel il convient de citer le beau livre d'Alain Pagès, de Bernard Lazare analysé par Nelly Wilson puis par Jean-Denis Bredin, enfin de Victor Basch qu'a fait revivre l'une de ses petites-filles, Françoise Basch, dans un ouvrage qui a vu le jour en 1994. Christophe Prochasson dans *Les Intellectuels, le Socialisme et la Guerre* (1993) a évoqué des portraits associés à des lieux divers et extrêmement individualisés. Moi-même, je me suis intéressée à plusieurs reprises à Jaurès et à d'autres socialistes.

À côté des individus, on a travaillé aussi sur les professions. En 1976, dans le numéro du centenaire de la *Revue historique*, j'ai souligné combien les historiens en tant que tels avaient été partie prenante dans l'Affaire. Par ailleurs, une thèse doit être soutenue par Vincent Duclert sur le rôle qu'y ont joué les savants. D'autres se sont attardés sur les milieux religieux, par exemple Pierre Sorlin dans *La Croix et les Juifs* ou Jean-Marie Mayeur à propos des catholiques, dont il relève qu'ils n'ont pas tous été antidreyfusards.

L'Histoire : *Y a-t-il d'autres points sur lesquels l'historiographie récente ait renouvelé notre approche de l'Affaire ?*

Madeleine Rebérioux : Un point surtout : à partir de la condamnation scandaleuse du capitaine, dans laquelle son appartenance au judaïsme a joué un rôle décisif, on a de plus en plus eu tendance à placer l'antisémitisme au centre de l'affaire Dreyfus. Et ce dès la publication de l'œuvre de Stephen Wilson, *Antisemitism in France at the Time of the Dreyfus Affair (L'Antisémitisme en France au temps de l'Affaire)*, publiée en 1982 et qui n'a encore jamais été traduite. Ont suivi les travaux de Pierre Birnbaum et de Michel Winock, et la superbe chronique de Jean-Denis Bredin. Il n'est pas indifférent de noter que cette polarisation sur l'antisémitisme est allée de pair avec la prise de conscience de plus en plus aiguë de la spécificité du génocide perpétré par les nazis.

En contrepartie, l'étude du nationalisme comme catalyseur dans l'Affaire a été moins poussée. Ne négligeons pas cependant, dans ce domaine, le livre de Jean-Pierre Rioux sur *La Ligue de la patrie française* et le très bel article que Janine Ponty a publié dans la *Revue d'histoire moderne et contemporaine* : il montre qu'une presse nationale et antidreyfusarde n'était pas forcément antisémite et qu'on ne peut attribuer à un journal de masse comme *Le Petit Journal*, qui tirait à plus d'un million d'exemplaires, la même sinistre inspiration que celle de *La Libre Parole* de Drumont ou de *La Croix*, le journal des Assomptionnistes.

L'Histoire : *Trouvez-vous qu'on a trop tendance aujourd'hui à lire l'Affaire à travers le prisme de l'antisémitisme ?*

Madeleine Rebérioux : Encore une fois, cette tendance est relativement récente. Il est vrai que, dès 1975 cependant, j'ai dit, dans un chapitre de mon volume sur *La République radicale*, que la place que nous accordons aujourd'hui à l'antisémitisme dans l'affaire Dreyfus ne correspond pas aux perceptions de l'époque. À la glorieuse exception de Zola, de Lazare et de Basch, je connais peu de dreyfusards qui se soient engagés au nom du seul refus de l'antisémitisme. Et d'autres motivations que la haine des Juifs ont animé nombre d'antidreyfusards – à commencer par le culte de l'armée –, même si l'on connaît la virulence de l'antisémitisme chez beaucoup. Il peut paraître nécessaire aujourd'hui de s'interroger sur d'autres aspects de l'Affaire. Les colloques et les ouvrages qui vont marquer cette année le centenaire du premier procès ne manqueront pas de les mettre en lumière.

L'Histoire : *Pour vous, quels sont donc les éléments déterminants dans la genèse de l'Affaire ?*

Madeleine Rebérioux : L'Affaire est d'abord née d'une crise majeure de la république. Après les grandes lois de liberté votées entre 1880 et 1884 (liberté municipale, liberté syndicale, liberté de la presse, laïcité de l'école), le régime semble avoir épuisé sa capacité réformatrice. Depuis ces années-là, malgré, ou à cause de la poussée du mouvement socialiste (cinquante députés élus en 1893), les gouvernements successifs renâclent à faire passer de grandes réformes sociales, à l'exception de la loi de 1892 sur l'inspection du travail. L'extrême gauche républicaine, autour des socialistes et de nombreux radicaux, considère à bon droit que la république ne joue plus son rôle. Ce qui va donner naissance au boulangisme de gauche, fort critique à l'égard des mécanismes parlementaires et du personnel républicain en place – tandis que la droite monarchiste voit là une occasion de s'attaquer à la « gueuse ».

L'Histoire : *En somme, une crise d'attachement à la république…*

Madeleine Rebérioux : D'autant plus pernicieuse que, lorsque l'Affaire éclate, une partie des catholiques viennent de rallier le régime ; de ce fait, les républicains du centre, s'appuyant sur eux, tiennent à l'écart tout le mouvement socialiste et radical-socialiste. À partir de 1893, le gouvernement passe peu à peu aux mains de gens que la gauche tient pour fort peu républicains, voire qu'elle exècre particulièrement, comme les présidents du Conseil Jules Méline ou Charles Dupuy. Et cette crise de confiance est exploitée par ceux qui entendent éviter à tout prix une dérive « sociale » du régime. À savoir par les « riches », par l'armée et par l'Église des bien-pensants et des notables. Comment évoluera la république ? Grande question dans un pays où celle-ci ne se réduit pas à un simple régime politique.

L'Histoire : *Y a-t-il un autre trait caractéristique de l'époque que l'Affaire mette en relief ?*

Madeleine Rebérioux : Le nationalisme, évidemment. Le nationalisme xénophobe, moyen d'expression d'une partie de la population. Au début des années 1880, la crise économique a frappé la France de plein fouet ; dans la boutique et l'atelier, naît un ressentiment grandissant à l'égard de l'étranger qui vient voler le travail des Français, qu'il soit issu d'un milieu populaire (le Belge dans le Nord, l'Italien dans le Midi) ou qu'il soit présenté comme un grand capitaliste vorace (le Juif « apatride » est, à ce titre, « le plus étranger des étrangers »). Au moment de l'Affaire, le nationaliste devient l'antidreyfusard. D'ailleurs, en 1902, le Bloc des gauches arrive au pouvoir en triomphant des antidreyfusards, qui se réclamaient expressément du nationalisme.

L'Histoire : *La Ligue des Droits de l'homme est née de l'affaire Dreyfus. Dans quelles circonstances ?*

Madeleine Rebérioux : L'idée de la Ligue est venue pendant le procès Zola, en février 1898, à Ludovic Trarieux, qui assistait aux audiences. Cet avocat, ancien ministre de la Justice, républicain convaincu mais grand ennemi des socialistes, des syndicats et des anarchistes, a acquis la conviction de la nécessité d'une campagne juridique pour démontrer que le procès de l'automne 1894 ne s'était pas déroulé dans des conditions conforme au droit le plus élémentaire. C'est par conséquent sur la défense du droit que se fonde Trarieux pour créer la Ligue. Mais il y a aussi, parmi les objectifs des premiers adhérents de la Ligue, la démonstration de l'innocence du capitaine, la volonté de combattre « les diffamations et les menaces » et d'affirmer l'égalité des droits de tous les citoyens. Le combat contre l'antisémitisme s'inscrit dans ces références plus vastes, qui fondent « l'unité de la patrie », des Droits de l'homme.

Ensuite, Trarieux a pris force contacts ; le meeting fondateur a eu lieu en juin 1898 dans la salle des Sociétés savantes, près de l'Odéon, qui a disparu aujourd'hui. Trarieux présidera la Ligue jusqu'en 1903 ; elle rassemble dans un premier temps des intellectuels et des hommes politiques, et se dotera en 1901 d'un comité central, émanation des diverses sections de Paris et de province.

L'Histoire : *Entre Trarieux, républicain modéré, et la gauche, n'est-ce pas alors la guerre, au sein même de la Ligue ?*

Madeleine Rebérioux : Les socialistes, il va sans dire, n'ont pas oublié l'ancien ministre de la Justice qui traquait les syndicats de verriers et de mineurs pendant les grèves de 1895, qui s'en prenait à Jaurès et faisait voter les lois anti-anarchistes. Tant que c'est lui qui se trouve à la tête de la Ligue et qui parle en son nom, il n'est pas question qu'ils y entrent en nombre. Il reste que des socialistes comme Victor Basch et Lucien Herr sont des adhérents de la première heure et que Jaurès a admiré la déposition de Trarieux le 5 septembre 1899 devant le conseil de guerre réuni à Rennes pour juger une seconde fois Dreyfus. Après tout, Trarieux a su se dépasser.

Enfin, la gauche a une vision militante différente de celle de Trarieux. Elle veut monter sur les planches, tenir des réunions publiques pour mettre en accusation l'armée et l'Église. Pour assurer la sécurité des meetings, elle doit se tourner vers les bourses du travail qui, à leur tour, viennent grossir les rangs de la Ligue par le biais des sections locales. Ainsi, peu à peu, aux côtés des universitaires, des politiques et des hommes de loi, apparaissent d'autres forces, des femmes comme Séverine ou l'avocate féministe Maria Vérone, ou des ouvriers, surtout des ouvriers à statut comme les cheminots. Et la Ligue s'engage dans le combat contre toutes les injustices. En 1903, Trarieux malade (il meurt cinq mois plus tard) abandonne la présidence, et c'est Francis de Pressensé, un protestant venu au socialisme par le dreyfusisme, qui lui succède.

L'Histoire : *On sait que l'Affaire a « inventé » les intellectuels. En quoi a-t-elle profondément modifié la vie politique française ?*

Madeleine Rebérioux : Je saisis l'occasion pour corriger une idée reçue : le terme « intellectuel » n'est pas né pendant l'Affaire. On le trouve au substantif dans un roman de Barbey d'Aurevilly, *Le Chevalier des Touches*, qui date de 1864, puis chez Maupassant en 1879 et Léon Bloy en 1886. Cela étant, il ne fait pas de doute que l'Affaire marque bien l'entrée des intellectuels, en tant que tels, dans la vie politique, leur volonté et leur capacité à y jouer un rôle spécifique. Lequel ? Cela reste à questionner. Comme l'écrit Jaurès, qu'est-ce que la « classe intellectuelle » ?

Pour en revenir à la crise de régime, elle se résorbe après les événements : on assiste à une redémocratisation de la république. C'est le gouvernement « républicain » de Waldeck-Rousseau puis, en 1902, la victoire du Bloc des gauches : Méline et Dupuy sont écartés ; les associations qui jouissent enfin d'une liberté totale se multiplient ; partout on discute, on vote des motions ; et le poids de l'Église recule, sinon celui de l'armée… L'antidreyfusisme n'est pas mort pour autant, ni l'antisémitisme évidemment. Mais, après l'Affaire, la gauche gomme de son vocabulaire les expressions antisémites en usage jusque-là dans tous les milieux – tout ce qui tourne autour de la « juiverie ».

L'HISTOIRE : *Les idéaux de la Ligue des Droits de l'homme sont-ils toujours les mêmes cent ans après ?*

MADELEINE REBÉRIOUX : Il me semble que oui, même si la Ligue a traversé bien des crises et si elle n'occupe plus la place centrale qui fut la sienne au début du XXe siècle. En fait, son visage se dessine nettement entre 1908 et 1909. C'est alors qu'elle affirme sa volonté de défendre les droits des syndicalistes de la CGT comme ceux des colonisés à Madagascar et en Tunisie. Véritable contre-pouvoir dans la république, elle est devenue aujourd'hui une « généraliste des droits ». En même temps, conformément à son titre initial, et sauvegardé, « Ligue pour la défense des Droits de l'homme et du citoyen », elle joue la carte de la vie civique, et cherche les voies les plus efficaces pour s'insérer dans la République à connotation sociale : tel est aujourd'hui le sens de son combat pour la « citoyenneté sociale », de sa réflexion sur les services publics. Ni parti, ni syndicat, ni organisation humanitaire, ni mouvement antiraciste, elle occupe, par sa vision des droits et de la citoyenneté et par son type de militantisme, une place originale dans la vie de ce pays.

(Propos recueillis par Daniel Bermond.)

La Ligue des Droits de l'homme

Ludovic Trarieux, ancien ministre de la Justice, est à l'origine de la fondation de la Ligue des Droits de l'homme. C'est au cours du procès Zola, en février 1898, que l'idée prend corps au domicile de Trarieux où se réunissent ces autres dreyfusards que sont le directeur de l'Institut Pasteur Émile Duclaux, le philologue Jean Psichari, l'historien Arthur Giry, le chimiste Édouard Grimaux, Louis Havet, le docteur J. Héricourt, le romaniste Paul Meyer, et le catholique Paul Viollet. La Ligue est fondée officiellement le 4 juin 1898. Elle se donne pour but la défense des principes énoncés par la Déclaration des Droits de l'homme et du citoyen de 1789. Son premier comité central compte sept hommes politiques, treize universitaires, cinq hommes de lettres et trois personnalités de différentes professions. Son objectif précis est d'apporter aide et assistance à toute personne « dont la liberté serait menacée ou dont le droit serait violé ».

Après Trarieux, et sous la présidence de Francis de Pressensé, la Ligue élabore un programme de réformes : séparation des Églises et de l'État, réforme de l'Assistance publique, suppression de la police des mœurs et des conseils de guerre, mise au point d'un statut des fonctionnaires... Le concept de justice s'étendait ainsi sans limitation : « À côté de la justice juridique, il y a la justice politique, la justice fiscale, la justice sociale. » La Ligue devait être non seulement un « super-ministère de la Justice », selon le mot de Trarieux, mais encore « ce commencement d'organisation de la conscience de la démocratie », selon l'expression de Pressensé.

Ses adhérents venaient surtout des milieux de l'enseignement, liés à des groupes amis (sociétés de libre pensée, loges maçonniques, bourses du travail, partis de gauche...). Parmi les premiers, outre les noms déjà cités, signalons l'essayiste Charles Andler, le médiéviste Joseph Bédier, l'auteur dramatique Tristan Bernard, le poète Fernand Gregh, les historiens Daniel et Élie Halévy, l'écrivain Jules Renard, le bibliothécaire de l'École normale supérieure Lucien Herr, le philosophe Émile Durkheim, l'historien Henry Hauser...

Un an après sa création, la Ligue rassemble 8 000 membres. En 1933, elle comptera 180 000 inscrits, 2 450 sections, soit une par canton, et 20 000 abonnés aux *Cahiers des Droits de l'homme*.

Continuité de l'antidreyfusisme

Marc Knobel

Le 11 juillet 1935, le lieutenant-colonel Alfred Dreyfus mourait à l'âge de soixante-seize ans, entouré de sa femme, Lucie, et de ses enfants, Madeleine et Pierre. Si l'affaire qui porte son nom avait déclenché, plus d'un quart de siècle auparavant, le premier événement « médiatique » de la France contemporaine, la mort de Dreyfus, en revanche, ne suscita que peu de réactions. Dans *L'Action française*, cependant, Charles Maurras rappelait à cette occasion que l'Affaire avait eu des conséquences non seulement « antimodérées, antipropriétaires, antihéréditaires, anticatholiques », mais aussi « antipatriotiques et antimilitaristes »[1].

Les disciples de Maurras, pour la plupart nés bien après les événements, et regroupés au sein de la rédaction du journal antisémite *Je suis partout*, firent paraître, au mois de février 1939, un numéro spécial intitulé « Les Juifs et la France ». La culpabilité de Dreyfus ne fait alors pas le moindre doute pour Lucien Rebatet, auteur d'un long article sur « L'Affaire » : « Dans le déluge de sottises de l'Affaire, Maurras écarte les mensonges, les sophismes, les jérémiades, les avocassiers, rappelle les Français au seul sentiment qui devrait les étreindre. Dreyfus victime ? Dreyfus la honte ? Non ! Dreyfus la calamité ! Pour tous les maux qui ont fondu sur notre pays en son nom[2]. »

Rebatet ajoute cependant : « On peut avoir été dreyfusard, le demeurer quant à la question de Dreyfus coupable ou non coupable, et compter parmi les antisémites les plus acharnés. » Car, au-delà de l'éventuelle culpabilité ou innocence de l'inculpé, l'Affaire se situe sur un autre plan. Ce qu'il convient de combattre, c'est ce « clan dreyfusard » triomphant, redoublant d'antimilitarisme et d'anticléricalisme, épurant l'armée, ce clan qui, après avoir chassé les congrégations, a établi la séparation des Églises et de l'État. Quant à la « juiverie », elle a accaparé la Ligue des Droits de l'homme…

Ces propos précèdent de peu l'instauration, en juillet 1940, du régime de Vichy. Les autorités, tout à leur objectif de Révolution nationale, font expurger le contenu des manuels scolaires. Les passages concernant l'innocence du capitaine Dreyfus seront parmi les premiers à être ainsi « oubliés »[3]. De même, quelques publications contemporaines se plaisent à citer – rarement, il est vrai – le nom de Dreyfus comme synonyme de félonie, de vilenie – autant de « qualités juives ». Et dans la bibliographie de travail que distribue à ses membres l'Institut national de formation légionnaire, sorte d'école des cadres de la Légion française des combattants, figurent notamment *Les Protocoles des Sages de Sion, La France juive* de Drumont et un *Précis de l'affaire Dreyfus* de Dutrait-Crozon.

Plus éclairant encore : à la fin de l'année 1943, Xavier Darquier de Pellepoix, le commissaire général aux Questions juives, est compromis dans une affaire de corruption. Il faut envisager de lui trouver un successeur. L'ambassade d'Allemagne et le *Sicherheitsdienst* (SD ou Gestapo) sont favorables à la nomination du comte Jacques Bouly de Lesdain, rédacteur politique à *L'Illustration*, organisateur des expositions de la France européenne[4], ou à celle de Louis Thomas, administrateur des éditions Calmann-Lévy, récemment aryannisées. Les autorités vichyssoises décident cependant d'écarter la candidature des deux journalistes. Finalement, le président du Conseil Laval et le général Dentz s'accordent sur le nom de du Paty de Clam. Car, comme le souligne *Le Cri du peuple* du 28 février 1944, « Du Paty est le fils d'un soldat qui sut, pendant l'affaire Dreyfus, n'obéir qu'à son devoir et à sa conscience. Il fut calomnié pour la droiture de son caractère et sa fermeté par les Juifs dont il eut à supporter la haine et les vengeances, ainsi que par tout ce qui constituait l'anti-France. »

En définitive, le poste sera attribué à Joseph Antignac, qui s'était distingué par son zèle policier à la tête de l'une des directions régionales du commissariat aux Questions juives.

Pratiquement au même moment, Madeleine Lévy, la petite-fille du capitaine Dreyfus, âgée de vingt-deux ans, meurt à Auschwitz…

Le mot de la fin revient à Charles Maurras. Le 27 janvier 1945, alors qu'il vient d'apprendre sa condamnation à la réclusion perpétuelle pour intelligences avec l'ennemi, il s'écrie à l'adresse des juges : « C'est la revanche de Dreyfus ! »

De 1945 jusqu'au milieu des années 1970, date à laquelle sera levée la censure officieuse sur les films et les documentaires, l'Affaire est considérée comme politiquement dangereuse et par conséquent peu mentionnée publiquement. Dans un entretien accordé cette année-là à *La Presse nouvelle hebdomadaire*, le réalisateur Jean Chérasse retrace les obstacles rencontrés pour la mise au point de son film, *Dreyfus ou l'intolérable vérité*[5]. Il s'élève notamment contre « la précensure au temps de Pompidou », qui l'a obligé à tourner clandestinement, avec un titre moins « sulfureux » : *La Belle Époque* ! Il raconte également que lors d'une conférence à la maison de la culture de Rennes, devant des professeurs et conseillers municipaux socialistes d'une municipalité alors de droite, il apprit que celle-ci avait refusé à deux reprises de donner le nom de Dreyfus au lycée finalement baptisé Émile-Zola.

C'est pourtant cette même municipalité de Rennes qui organisera quelques années plus tard une série de manifestations, rappelant sa place dans les péripéties de l'Affaire. En 1978, la rue parallèle au lycée Émile-Zola est rebaptisée Alfred-Dreyfus tandis qu'une exposition sur l'Affaire et les Droits de l'homme se tient à la Bibliothèque municipale : les Rennais peuvent y voir exposés des documents exceptionnels offerts à la ville par la famille du capitaine. *Ouest-France*, qui couvre l'événement, rapporte la stupéfaction d'une femme qui s'exclame : « Mais alors, il était innocent ! »

Quelques années plus tard, l'Affaire provoque toujours de vives réactions. « Une nouvelle affaire Dreyfus ? » s'interroge René Bernard dans *L'Express* du 9-15 août 1985, après la polémique qui s'est élevée lorsque l'on a envisagé d'élever une statue du capitaine. Quatre-vingts ans après la victoire des dreyfusards, le nom de l'officier est en effet inscrit sur la liste des personnages historiques auxquels François Mitterrand a décidé de rendre hommage. Sollicité par Jack Lang, ministre de la Culture, Louis Mitelberg, dessinateur éditorialiste de *L'Express*, peintre et sculpteur, connu sous le pseudonyme de Tim, réalise la sculpture. Coulée en bronze, elle représente le capitaine en pied, tenant son sabre brisé devant le visage. Tim propose de l'installer dans la cour de l'École militaire, à l'endroit même où Dreyfus fut dégradé. Jack Lang est d'accord mais il se heurte au refus de Charles Hernu. Le ministre de la Défense allègue que la cour de l'École n'est pas accessible au public, et propose les jardins de la montagne Sainte-Geneviève qui abritent les locaux de l'École polytechnique où Dreyfus fut étudiant.

Résultat de cette polémique : l'« Hommage au capitaine Dreyfus » réalisé par Tim reste dans la fonderie du sculpteur pendant deux ans. Finalement, le 9 juin 1988, le ministre de la Culture l'inaugure dans le Jardin des Tuileries, près de la terrasse dite du « bord de l'eau ». « L'honneur de l'officier injustement condamné est lavé dans le bronze dont on fait des statues ! » commente *Le Monde*[6]. Quelques jours plus tard, le lundi 20 juin, Charles Dreyfus, petit-fils du capitaine, révèle que la tombe de son grand-père, située au cimetière du Montparnasse, a été profanée au début du mois : on y a tracé à la peinture des croix gammées et inscrit différentes injures.

Au-delà de ces polémiques, des néo-antidreyfusards de tout acabit continuent à contester l'innocence du capitaine. Dans *Nationalisme, antisémitisme et fascisme en France*[7], l'historien Michel Winock raconte qu'au cours de l'année 1961-1962, alors qu'il enseignait au lycée de Montpellier, il découvrit la persévérance de l'antidreyfusisme dans certaines familles françaises lorsque, ayant consacré, en classe terminale, une leçon à l'affaire Dreyfus, il eut la surprise d'entendre un élève contester l'innocence du capitaine avec une assurance indémontable. Avait-il des arguments ? « Non, mais il savait. Il savait de son père, qui le tenait de son grand-père, que Dreyfus était un espion à la solde de l'Allemagne – quoi qu'on ait pu dire et écrire là-dessus depuis 1898. »

Qu'en est-il plus tard ? Dans un ouvrage qu'il a publié en 1975[8], Jean Chérasse rapporte les entretiens que lui ont accordés des personnalités représentatives des principaux courants idéologiques et politiques français. Chacun esquisse une interprétation singulière, tous tirent une leçon différente de l'Affaire. Pour Alain Krivine, le chef de file de l'ex-Ligue communiste, l'Affaire est un « scandale exemplaire » au sens où elle a été « une révélation de masse sur la pratique de l'État bourgeois ». François Mitterrand, alors premier secrétaire du parti socialiste et député de la Nièvre, dénonce l'antisémitisme et soutient avec force que l'Affaire a amené la droite « conservatrice » à aiguiser ses armes autour « de quelques thèmes simples dont le plus caractéristique a été cette prise de possession, illégitime, mais dès lors habituelle, de la patrie, de la "*revanche*", de l'esprit national ».

François Brigneau, rédacteur de l'hebdomadaire d'extrême droite *Minute*, déclare qu'il a lui-même côtoyé des « innocents du bagne » ; et de citer pêle-mêle le maréchal Pétain, Charles Maurras ou Robert Brasillach : dans ces conditions, l'innocence ou la culpabilité du capitaine Dreyfus le touchent assez peu. Ce qui le fascine, c'est le tumulte fait autour de l'Affaire et l'espèce de guerre civile qu'elle a provoquée, organisée « par la conjuration de la franc-maçonnerie ». Plus grave encore, poursuit-il, l'Affaire est à l'origine de l'interdiction « d'être antisémite. On peut être anticapitaliste, anticatholique, on peut être anti-allemand, on doit être antifasciste, mais on ne peut être antisémite sans risquer cinq mille francs d'amende et deux ans de prison ».

Depuis lors, l'extrême droite française s'est-elle enfin résolue à accepter la réhabilitation de Dreyfus ? La presse prétendument nationaliste semble ne plus faire de fixation particulière sur ces événements. Il lui arrive pourtant parfois d'opposer Dreyfus à Drumont, l'exemple même de la probité intellectuelle et du courage politique. Pour fêter son millième numéro, le quotidien d'extrême droite *Présent* n'hésite pas à publier un grand article sur Édouard Drumont, « témoin angoissé de l'effacement de la France ».

Enfin, la revue *Enquête sur l'histoire* dans son n° 6 du printemps 1993 consacre plusieurs pages à l'Affaire. On peut y lire le commentaire suivant : « L'Affaire, cette fois, est lancée, qui déchaîne un torrent de passions sans commune mesure avec le fond du débat. Hormis quelques naïfs, révoltés par le sentiment d'une injustice, les dreyfusards (même antisémites, tel Urbain Gohier) voient dans cette crise l'occasion d'humilier l'armée, considérée comme une citadelle de la réaction et du cléricalisme. Les antidreyfusards, eux, défendent en cette même année le symbole de la patrie, dont l'ébranlement ne peut que servir les desseins germaniques. »

Dernier exemple : on a vendu, lors de la fête du Front national, en 1990, l'ouvrage d'André Figueras *Ce canaille de D...reyfus*. Figueras soutient que l'Affaire ne fut ni réglée, ni classée, ni jugée, et affirme que la cassation sans renvoi de 1906, faussement présentée comme une « réhabilitation », a laissé le problème entier. L'Affaire fut une grande opération antinationale. Et de proclamer : « Toutes les vérités ne sont pas bonnes à taire. Et notamment celle-ci, que Dreyfus ne fut point innocent... »[9].

Notes

1. *L'Action française*, 14 juillet 1935. Voir également les numéros des 18-19, 25 et 29 juillet 1935. Le 19 juillet, dans un succinct commentaire, *Gringoire* écrit que l'homme était « sans ressort, on dirait aujourd'hui un mou » et dont le caractère « explique en partie son aventure ». Pour *Je suis partout* (20 juillet), Dreyfus gardait le silence, ce qui « est autant de preuves de sa culpabilité ». Le reste de la presse s'abstient généralement de considérations rétrospectives sur l'Affaire. Il s'agit le plus souvent d'entrefilets disparates qui correspondent plus à l'annonce d'un fait divers. *L'Humanité* du 13 juillet revient cependant sur l'événement et dénonce « les forces de la réaction militariste, cléricale, antisémite » qui tentèrent d'ensevelir le régime. Elle fait même un parallèle avec l'Affaire Prince : « Les réactionnaires, les fascistes d'aujourd'hui sont dignes de leurs aînés. La bataille pour les tenir en respect, pour les écarter à jamais n'est pas finie. » *Le Journal des Débats* plus circonspect note simplement que l'homme qui disparaît « discrètement » est « inconnu » des jeunes générations d'après guerre.

2. À la fin des années 30, d'autres pamphlétaires, écrivains et journalistes antisémites comme Henry Coston, Jean Drault, Léon Daudet ou Louis-Ferdinand Céline pourfendent violemment Dreyfus. Dans *Bagatelles pour un massacre*, par exemple, Céline écrit : « Le capitaine Dreyfus est bien plus grand que le capitaine Bonaparte. Il a conquis la France et l'a gardée » (Denoël, 1937, p. 199). Sur ce sujet, cf. Pierre Birnbaum, *La France aux Français*, Paris, Seuil, 1993, p. 214, et *La France de l'Affaire Dreyfus*, Paris, Gallimard, 1994, p. 510-511.

3. Cf. Claude Singer, *Vichy, l'Université et les Juifs*, Les Belles-Lettres, 1992, p. 8.

4. Organisées au Grand-Palais les 31 mai 1941 et 4 avril 1942. D'autres expositions ou commémorations sont à mentionner. En 1941, le capitaine Sézille, officier en retraite, directeur de l'Institut d'Étude des Questions juives (IEQJ) entreprend de

célébrer la mémoire d'Édouard Drumont. Avec l'approbation de Von Valtier, fonctionnaire du Service d'Information de l'ambassade d'Allemagne, Sézille organise le mercredi 24 septembre 1941, une « journée Drumont ». Parmi les invités (la veuve de Drumont ; Serpeille de Gobineau, petit-fils d'Arthur de Gobineau...) figurent également des représentants des autorités allemandes (Von Valtier...) et françaises (Charles Magny, préfet de la Seine ; l'amiral Bard, préfet de Police ; Xavier Vallat, commissaire général aux Questions juives...). L'IEQJ inaugure une plaque commémorative sur la maison où Drumont vécut, organise une cérémonie en son honneur à l'exposition du Palais Berlitz sur « Le Juif et la France » et offre une gerbe à sa veuve qui assiste à toutes les cérémonies prévues. Les célébrations en son honneur se poursuivront d'ailleurs pendant toute l'Occupation. Au mois d'avril 1942, par exemple, plusieurs fidèles, tous membres de l'Association des journalistes antijuifs, fondée en 1941, Lucien Pemjean, Pierre-Antoine Cousteau, Jacques Ploncard ou Henry Coston..., se réunissent pour un déjeuner d'amitié. Ils fêtent leur confrère Jean Drault et la publication de son *Histoire de l'antisémitisme*. Ils célèbrent surtout le cinquantième anniversaire de *La Libre Parole*. En octobre de la même année est inaugurée la « Maison des journalistes antijuifs » dont la veuve Drumont assure la présidence...

5. *La Presse nouvelle hebdomadaire*, 13 décembre 1974.

6. *Le Monde*, 11 juin 1988. Le 16 octobre 1994 et après une dizaine d'années d'atermoiements, l'« Hommage au Capitaine Dreyfus » est finalement élevé place Pierre-Lafue dans le VIe arrondissement de Paris. La statue demeurera définitivement à ce nouvel emplacement, à proximité immédiate de l'ancienne prison du Cherche-Midi ou Dreyfus fut incarcéré. Le maire de Paris, Jacques Chirac, et le ministre de la Culture et de la Francophonie, Jacques Toubon, président la cérémonie. Plusieurs personnalités dont Robert Badinter, président du Conseil Constitutionnel et Jean Kahn, président du Conseil représentatif des Institutions juives de France (CRIF), sont présents. Dans son allocution, Jacques Chirac parle de « triple scandale » et de nommer précisément « le scandale de l'injustice, le scandale de l'antisémitisme et de la xénophobie » et celui de la « division nationale. » Pour terminer, le maire de Paris pose trois leçons principales de l'Affaire. La première est une leçon de justice. La justice doit être « indépendante du pouvoir politique, éloignée des passions et qui traite également chaque

citoyen... ». La seconde leçon est « une leçon de vigilance » face à l'antisémitisme, la troisième est une leçon d'unité. L'unité « requiert la volonté politique de lutter sans relâche contre les ferments de la division en s'appuyant sur notre socle commun : les valeurs de la République ».

À noter qu'au mois de novembre 1995 la statue de Dreyfus sera couverte de nombreuses inscriptions à connotation antisémite et souillée à la peinture rouge. L'année suivante, elle sera à nouveau profanée. Elle avait déjà été l'objet d'actes de vandalisme à deux reprises.

7. Cf. *Nationalisme, antisémitisme et fascisme en France*, Le Seuil, 1982, p. 157.

8. Cf. Jean Chérasse, *Dreyfus ou l'intolérable vérité*, Éditions Pygmalion, 1975.

9. L'Affaire rebondira de façon inattendue à la suite de la parution dans une publication de l'armée, le *SIRPA Actualités,* du 31 janvier 1994, d'un article controversé et d'une analyse plus que tendancieuse sur l'Affaire Dreyfus, placée sous la responsabilité du colonel Paul Gaujac, chef du service historique de l'armée de terre (le SHAT). Dès parution de l'article, le ministre de la Défense, François Léotard, décide de mettre fin aux fonctions du colonel. Georges-Paul Wagner, l'un des avocats de Jean-Marie Le Pen, dans le quotidien d'extrême droite *Présent* (10 février 1994) s'insurge. Est-il convaincu de l'innocence de Dreyfus ? « Elle fut proclamée en 1906 par un arrêt de la Cour de cassation, cassant sans renvoi, contre toute la jurisprudence, le jugement de condamnation de Rennes », écrit l'avocat de Le Pen. Et d'ajouter aussitôt que cette innocence « ne suffit pas à la thèse officielle » car « elle doit également signifier, à peine de "faute lourde" comme l'a dit M. Léotard, la culpabilité de la France et de son armée. Un éternel *mea culpa* est donc nécessaire. Et nous sommes prévenus qu'il n'y aura pas d'absolution... ». Quelques années auparavant, le même Wagner, dans *Présent* (21 février 1990), se félicitait que, du temps de Dreyfus, Charles Maurras pût prendre « la défense de l'identité nationale, de la nation et même de la société, menacée de disparaître pour faire proclamer l'innocence du seul capitaine... ». La revue confidentielle *Lectures françaises*, quant à elle, fondée par Henry Coston, consacre à son tour un numéro, celui de mars 1994, pour parler de « l'Affaire » Gaujac. *Lectures françaises* reproduit l'article de Georges-Paul Wagner et souligne plus particulièrement que « L'Affaire a profondé-

ment divisé le pays et l'a considérablement affaibli à la veille de la Grande Guerre ».

L'extrême droite considère toujours la culpabilité de Dreyfus comme un dogme nécessaire comme l'attestent plusieurs textes. Cf. en particulier François Brigneau, *L'Interrogatoire,* Publications FB, 1993, et du même auteur *« Mon » Affaire Dreyfus*, Publications FB, 1993. Voir aussi deux autres ouvrages d'André Figueras, *L'Affaire Dreyfus revue et corrigée*, Publications André Figueras, 1989, et sa *Fable d'Auschwitz et d'Abraham*, Publications AF, 1996. L'auteur prétend que les Juifs montèrent une « opération anti-France et anti-Église, qui aboutit en particulier à la loi sur les Congrégations, et à la séparation de l'Église et de l'État ». Le dernier-né de Figueras plaît d'ailleurs beaucoup à Henry Coston, qui considère qu'il est « d'un très grand courage... ». Henry Coston, qui est lui aussi toujours aussi prolifique, présente à son tour son *Signé Drumont,* Publications HC, 1997. Il s'agit du plus délirant hommage que l'on puisse imaginer de l'auteur de *La France juive*. Ce *Signé Drumont* n'a pas non plus échappé à la lecture attentive de Jean Mabire qui lui consacre un très long article d'une page dans l'hebdomadaire proche du Front National, *National Hebdo*, du 10 au 16 avril 1997, ainsi qu'à l'hebdomadaire d'extrême droite *Minute* du 23 avril 1997. À noter enfin une dernière curiosité, celle d'un certain André Galabru, *Variations sur l'auteur*, Samizdat Auto-édité de 1997 et dont la diffusion est évidemment assurée par le réseau Coston de « Duquesne-Diffusion ». Galabru se plaît à dénoncer cette « puissance occulte et secrète » qui est « encore à l'œuvre pour abuser les esprits et en retirer profit... ». Tout un programme... je tiens à signaler que la plupart de ses publications étaient vendues à l'avant-dernière et toute dernière fête annuelle du Front National.

Le cinéma et l'affaire Dreyfus

Shlomo Sand

C'est en mars 1895, quelques mois après le premier procès de Dreyfus, que les frères Lumière déposèrent leur brevet : le cinématographe était né. Et lorsque, à partir de 1898, l'Affaire prit les dimensions d'une guerre civile « culturelle », le septième art était en train de déborder le cadre expérimental. L'occasion était inespérée pour les nouveaux réalisateurs : pour la première fois, le cinéma rencontrait l'histoire. Au procès de Rennes, en 1899, plusieurs équipes vinrent filmer le célèbre prisonnier. Mais leurs tentatives échouèrent : la pellicule n'a retenu de lui que la brève apparition d'une ombre vague – on a pu saisir en revanche sa femme et son avocat à la sortie de la prison, et la garde militaire en faction devant le tribunal[1].

Alors, la fiction est venue prendre le relais d'une réalité qui se dérobait. Dès le mois de septembre 1899, Georges Méliès réalisait le premier film sur l'Affaire, simplement intitulé *L'Affaire Dreyfus*. C'était le plus long métrage qu'il ait tourné jusque-là (quinze minutes), et le plus réaliste. Les acteurs furent choisis en fonction de leur ressemblance avec les personnages, et les décors conçus au plus près de la vérité. Une telle minutie dans la reconstitution avait l'avantage d'économiser les commentaires explicatifs des intertitres – les spectateurs de l'époque étaient en outre familiers de l'Affaire. Toutefois, plus qu'à informer, le film visait à distraire et surtout à inspirer de la sympathie envers le prisonnier encore incarcéré.

Le premier film sur l'affaire Dreyfus, à l'instar de tous ceux qui furent tournés sur le sujet par la suite, était en effet foncièrement dreyfusard. Convaincu par son cousin Adolphe, Méliès était devenu un fervent partisan du capitaine : le film s'attarde sur la description des pénibles conditions de détention du prisonnier à l'île du Diable ; et le suicide du colonel Henry, dans sa cellule, est présenté comme un aveu de culpabilité. Enfin, en dépit de l'immobilité de la caméra et d'une mise en scène théâtrale, la dernière scène de procès présente un véritable intérêt cinématographique. Dans une assez petite salle, Méliès a figuré un affrontement violent et mouvementé entre dreyfusards et antidreyfusards, où il parvient à rendre l'atmosphère passionnelle que l'Affaire avait soulevée. Quelques jours après l'achèvement de l'œuvre, les frères Pathé s'empressèrent de tourner à leur tour une *Affaire Dreyfus*. Ce second film, beaucoup plus court que le précédent, n'a pas été conservé dans son intégralité, mais nous savons qu'il donnait lui aussi des images du suicide d'Henry, de l'arrestation de Dreyfus et du procès[2].

Ce fut la réhabilitation totale de Dreyfus, en 1906, qui décida Pathé à porter à nouveau l'Affaire à l'écran. Le film fut réalisé l'année suivante par Lucien Nonguet, assistant et ami de Ferdinand Zecca (le réalisateur attitré de Pathé à cette époque). Cette fois, le film possédait un scénariste : le frère de Zecca, qui signait sous le pseudonyme de Z. Rollini. L'intrigue était plus détaillée et plus complète que celle de Méliès mais restait tout aussi dreyfusarde. Elle faisait de l'Affaire un drame d'espionnage : Esterhazy vole un document secret à l'état-major français et, avec l'aide d'une femme mystérieuse, le transmet à une ambassade étrangère. En outre, le colonel Henry sait qu'Esterhazy est le vrai coupable et le fait chanter… Après le suicide du colonel, le ton de la narration change et abandonne le style de la série noire. Le film s'achève sur la solennelle cérémonie de restitution des grades et de décoration du héros persécuté.

Or, malgré la parfaite adéquation entre les rebondissements de l'Affaire et la fiction cinématographique – on pourrait croire que son déroulement et son issue heureuse ont été écrits par un scénariste –, aucun film ne lui a été consacré entre 1907 et 1978, date à laquelle fut diffusé le téléfilm d'Armand Lanoux et de Stellio Lorenzi, *Zola ou la conscience humaine*. Est-ce à dire que les films de Méliès et de Nonguet avaient épuisé le sujet ? Ou bien l'Affaire était-elle devenue un thème trop rebattu pour permettre la réalisation d'un nouveau film à la fois palpitant et lucratif? Pourtant, avant même les années 1970, pas moins de quatre films sur l'Affaire furent réalisés à l'étranger. Il faut donc chercher ailleurs l'explication de l'indifférence française.

Les raisons pour lesquelles Dreyfus a disparu des écrans français tiennent à certains traits de l'histoire culturelle de ce pays au XXe siècle. On le sait, l'Affaire s'achève en 1906 par la réhabilitation. La littérature, qui s'adresse généralement aux élites cultivées, peut désormais débattre librement de l'innocence de Dreyfus et critiquer ses juges. Au cinéma, qui s'adresse dorénavant au grand public, cette liberté n'est en revanche pas de mise. En 1915, les films de Méliès et de Nonguet sont interdits – alors que la censure sur les films n'a eu force de loi qu'à partir de 1919 – car leur parti pris dreyfusard les rendait critiques à l'égard de l'armée française, et, pire encore, à l'égard de son commandement : si Dreyfus était innocent, c'est que l'état-major était composé de menteurs et de faussaires. En pleine guerre mondiale, cette présentation des faits devenait inadmissible. Mais on s'explique mal pourquoi cette interdiction s'est prolongée jusqu'aux années 1950.

Au début des années 1920, avec la fin des crises européennes soulevées par la Grande Guerre, l'antisémitisme a perdu du terrain et la vieille Affaire est presque tombée dans l'oubli. Il a fallu l'émergence du national-socialisme allemand à la fin de la décennie, et le réveil de la judéophobie dans les pays européens voisins, pour provoquer un regain d'intérêt pour Dreyfus dans le monde du cinéma. En 1930, la compagnie de production Paramount proposa à Sergueï Eisenstein de réaliser un *Procès Dreyfus*; mais le cinéaste soviétique refusa de se plier aux exigences des producteurs.

La même année, le cinéaste allemand Richard Oswald réussit à monter un *Dreyfus*, sur un scénario de Heinz Goldberg et Fritz Wendhausen. C'est le célèbre acteur viennois Fritz Kortner qui incarnait le capitaine dans ce film parlant de quatre-vingt-douze minutes. Comme on le faisait d'ordinaire à cette époque, en prévision de la diffusion du film à l'étranger, la bande sonore du film avait également été préparée en français. Pourtant, ce film dreyfusard ne fut jamais projeté en France : la censure refusa de lui accorder le visa d'exploitation par crainte d'« éventuelles émeutes »[3]. Un an plus tard le *Dreyfus* anglais, de F.W. Kraemer et Milton Rosmer, avec le grand acteur Cedric Hardwicke, était également interdit : les Français qui souhaitaient voir ces films devaient se rendre à Londres ou à Bruxelles.

La Vie d'Émile Zola est elle aussi au nombre de ces films « subversifs » censurés dans la France des années 1930. Centré sur le combat dreyfusard de l'écrivain, ce long métrage de cent seize minutes, réalisé par l'Allemand émigré aux États-Unis William Dieterle, opposait le monde du progrès français aux forces de l'ombre venues d'outre-Rhin. Il ne mentionne pas la question de l'antisémitisme – le code Hays de 1930 interdit d'utiliser le terme « juif » plus de trois fois par film –, mais n'en compte pas moins parmi les films les plus antimilitaristes et antichauvinistes qu'Hollywood ait produits durant ces années.

Dans les scènes de rue, Dieterle réussit à rendre l'atmosphère de terreur répandue par des foules galvanisées qui rappellent celles de l'Allemagne nazie, tandis que les émeutes parisiennes de la fin du siècle évoquent les manifestations des SA au début des années 1930. Les hommes de l'état-major sont stupides et méchants – à l'image du haut commandement allemand, qui avait encouragé l'ascension politique de Hitler ? Dans les entretiens qu'il accorda à la presse, lors de la sortie de son film, Dieterle déclara qu'il voulait rappeler aux spectateurs la situation historique actuelle, où de nombreux Dreyfus se trouvaient sans aucun Zola pour les défendre.

Dieterle présente Zola comme un intellectuel engagé, humain dans ses faiblesses, mais féroce envers ses adversaires. Paul Muni, qui l'interprète, parvient à fasciner les spectateurs malgré un texte long et trop didactique. Pourtant, à la surprise générale, l'Oscar du meilleur acteur fut attribué à Joseph Schildkraut, l'acteur allemand exilé qui incarnait Dreyfus. L'Oscar du meilleur film et celui du meilleur scénario achevèrent de couronner cette œuvre. Auréolée de ces prix, elle fut envoyée en Europe pour y être présentée. En 1936, sur la seule base du scénario, le projet avait déjà obtenu le visa d'exploitation en France. Mais le gouvernement Blum (juin 1936-juin 1937) fut renversé avant la sortie du film. Et sous le ministère Daladier (avril 1938-mars 1940), la précédente autorisation fut annulée sous prétexte que le film donnait d'Anatole France, de la femme de Zola, et d'autres personnages encore, une image grotesque. Et c'est à la demande de la France qu'il fut retiré de la sélection du festival de Venise en 1938, au motif, cette fois, qu'il portait atteinte à l'honneur de l'armée française.

Le combat des militaires contre le fantôme cinématographique de Dreyfus ne devait pas en rester là. En 1952, lors de la commémoration du cinquantenaire de la mort d'Émile Zola, le Studio 28, une salle « d'art et d'essai » de Montmartre, à Paris, envisagea de projeter pour quelques semaines le film de Dieterle. Cette fois, la censure autorisa la projection mais à plusieurs conditions : le film n'apparaîtrait que dans cette salle et dans sa version originale – on transformait ainsi un film destiné au grand public en un film plus difficile d'accès. De plus, vingt-sept minutes en étaient retranchées : les faux témoignages des chefs militaires au procès de Zola, ainsi qu'un discours trop radical placé dans la bouche d'Anatole France. Et un texte d'introduction signalait que le film « ne rend pas raison des motifs qui ont pu faire pencher les premiers juges du capitaine Dreyfus vers la thèse de la culpabilité. [...] On ne saurait, sans trahir l'histoire, parler de culpabilité déclarée *a priori* par les chefs de l'armée. Cette affaire n'était pas aussi simple que semble l'indiquer le film qu'on va voir[4]. » Ce n'est que sept ans plus tard, en 1959, que la censure française autorisa la projection intégrale d'un nouveau film américain sur l'Affaire : *J'accuse*, réalisé par l'acteur José Ferrer en 1957, se démarquait des films précédents car il mettait l'accent sur l'origine juive de l'accusé. Il ne suscita pourtant que peu de réactions – son ton restait très modéré.

Certes, le cas Dreyfus n'est pas une exception dans l'histoire de la censure cinématographique en France. *Le Cuirassé Potemkine* d'Eisenstein (1925), le film le plus célèbre de l'histoire du cinéma, demeura interdit jusqu'aux lendemains de la Seconde Guerre mondiale, car la mutinerie des marins russes ébranlait le respect que la discipline militaire devait inspirer aux spectateurs. *Nuit et brouillard* d'Alain Resnais s'était vu refuser le visa d'exploitation, en 1955, jusqu'à ce que soient coupées deux secondes pendant lesquelles on apercevait le képi d'un gendarme français au fond du camp de Pithiviers, où étaient rassemblés les convois partant pour l'Allemagne. En 1958, le film de Stanley Kubrick, *Les Sentiers de la gloire*, fut interdit parce qu'il ne représentait pas l'armée française pendant la Première Guerre mondiale de façon suffisamment élogieuse. Sans oublier les films sur la guerre d'Algérie bannis ou interdits dans les années 1950 et 1960 comme *Le Petit Soldat* de Jean-Luc Godard ou *La Bataille d'Alger* de Gilo Pontecorvo.

Mais pourquoi des réalisateurs n'ont-ils pas cherché à défier les contraintes politiques ? Comment en sont-ils venus à développer des attitudes d'autocensure pour éviter l'épreuve de force avec les autorités ? Pendant plus de soixante ans, aucun projet n'a été élaboré en France pour reconstituer l'affaire Dreyfus. Pourtant en 1978, Stellio Lorenzi avoua qu'il y pensait depuis vingt ans : « Mais jusqu'à présent, c'était un sujet jugé inopportun par les successives directions de la télévision. Aujourd'hui, ce n'est plus le cas[5]. »

Il fallut donc attendre les années 1970 pour que l'on puisse critiquer l'armée française au cinéma et à la télévision. C'est à ce changement de climat qu'il faut attribuer le retour de Dreyfus à l'écran. En 1965 déjà, Jean Vigne avait tourné, en marge de l'industrie et avec difficulté, un court documentaire de seize minutes sur l'Affaire, commenté par la voix de Laurent Terzieff et produit par Les Films Armorial. Et en 1974, Jean A. Chérasse achève un film documentaire de grande envergure intitulé *Dreyfus ou l'intolérable vérité*, une coproduction Films Marquise, Société générale de production.

Enfin, le 9 janvier 1977, quarante ans après son tournage, les Français pouvaient voir pour la première fois le film de Dieterle sur la troisième chaîne de télévision. Mais la réhabilitation totale de Dreyfus par les médias fut accomplie avec la diffusion des quatre épisodes du film *Zola* de Lorenzi sur Antenne 2, en 1978. Cet événement rompit définitivement le long silence du cinéma français sur cette vieille et dérangeante affaire qui, bien qu'étant née avec le cinéma, en avait été écartée pour raison d'État.

Faut-il conclure que la liberté d'opinion et d'expression chère à la démocratie française était essentiellement l'apanage d'une élite culturelle ? Ne faut-il pas voir, dans le champ culturel plus large auquel appartient le cinéma, la marque de règles rigides et de rapports de force ? Ces questions demeurent sans réponse. Vecteur culturel de masse, le cinéma reste l'un des lieux de mémoire du XXe siècle les plus problématiques et les moins défrichés. Raconter le parcours chaotique de l'affaire Dreyfus à l'écran, c'est aussi attirer l'attention sur une étrange lacune de l'historiographie.

Notes

1. Cf. Stephen Bottomore, « Dreyfus and Documentary », *Sight and Sound*, vol. 53, n° 4, 1984, p. 290.

2. Cf. Georges Sadoul, *Histoire générale du cinéma*, Paris, Denoël, 1948, tome II, p. 82.

3. Cf. Claude Gauteur, « De Dreyfus à Joanovici », *La Revue du cinéma* n° 404, avril 1985, p. 74.

4. Cité par Hervé Dumont, « William Dieterle », *L'Anthologie du cinéma*, X, n° 95, 1979, p. 136.

5. Cf. Pierre Paraf, *La France de l'affaire Dreyfus*, Paris, Éd. Droit et Liberté, 1978, p. 118.

Naissance du XXe siècle

Jean-Pierre Rioux

« L'affaire Dreyfus, comme l'*Amédée* de Ionesco, est un cadavre qui pousse », notait avec humour il y a plus de trente ans Jean-Pierre Peter dans un article pionnier[1]. En effet, par-delà sa réparation, l'injuste atteinte à l'honneur d'un capitaine n'a pas cessé à la fois d'encombrer nos mémoires d'hommes du XXe siècle et d'y entretenir une certaine idée de la modernité.

Ainsi le 14 juillet 1935, tandis qu'on conduisait au cimetière Montparnasse le corps du colonel Dreyfus, l'immense foule qui célébrait ce jour-là à Buffalo la naissance du Rassemblement populaire pour « le pain, la paix et la liberté » se dressa soudain, à l'appel de Victor Basch, président de la Ligue des Droits de l'homme. « Dans un silence qui saisissait le cœur, *nota Jean Guéhenno,* [...] il n'est pas un de nous qui, à la limite des larmes, n'ait senti qu'il se faisait dans ce moment, d'une génération à l'autre, comme une transmission, une tradition de la justice[2]. » Mais quelques heures auparavant était tombée la sentence vengeresse de Charles Maurras à la « une » de *L'Action française* : « Les conséquences de l'affaire Dreyfus ne furent pas seulement antimodérées, antipropriétaires, antihéréditaires, anticatholiques. Elles furent surtout antipatriotes et antimilitaristes. »

On pourrait suivre d'autres turgescences mémorables de l'Amédée de nos antagonismes nationaux. Sous l'Occupation, les hommes de Vichy exercèrent un antisémitisme que beaucoup avaient entretenu à l'école de l'antidreyfusisme. Jusqu'à cet instant de l'après-Libération où Maurras, toujours lui, récusa à l'issue de son procès la sentence qui le condamnait à la détention à vie et à l'indignité nationale en s'écriant : « C'est la revanche de Dreyfus ! ». Une décennie plus tard, en pleine guerre d'Algérie, des néo-dreyfusards s'exposèrent à leur tour – un Henri-Irénée Marrou, un Pierre Vidal-Naquet, maints étudiants et leurs « chers professeurs » – pour dénoncer la pratique de la torture, tandis que fleurissaient dans le camp de « l'Algérie française » une exaltation du nationalisme et une haine du « métèque » dont la virulence n'aurait pas déparé jadis *La Libre Parole*. Bref, l'Affaire fut et demeure constitutive de nos haines rabâchées et de nos affrontements épisodiques.

Il serait néanmoins très réducteur et, quoi qu'en ait dit une historiographie longtemps accrochée à la vindicte des uns ou à la bonne conscience des autres, historiquement faux de ne voir dans l'Affaire qu'un épisode singulier, constitutif et symbolique à la fois, de l'inusable « guerre franco-française ». Car c'est une nouvelle France qui s'ébroue à sa faveur. C'est un nouveau siècle, le nôtre, qui la détaille. C'est notre modernité, pour tout dire, qui la travaille. Voilà du moins ce qu'enseignent depuis une bonne vingtaine d'années toutes les recherches qui ont consenti à dépasser l'horizon du roman d'espionnage, de l'indignation prêcheuse et de la bataille de rue. À l'Affaire en effet, à condition de consentir à la voir comme un catalyseur, nous devons l'entrée en force des idéaux dans nos débats et, dès lors, la prégnance des idéologies dans nos affrontements du XXe siècle. La mise en accusation d'un innocent, l'usage brutal de la raison d'État, la révérence aveugle devant les institutions hiératiques, armée, magistrature ou Église, par le camp de l'ordre et de la chose jugée, ont exacerbé chez les dreyfusards l'individualisme des Droits de l'homme et conforté dans l'épreuve un civisme de vérité, de justice et de raison éclairées.

La meilleure part de cet antagonisme sera certes canalisée dans l'habituel affrontement gauche-droite. Le dénouement même de la crise, de 1899 à 1902, sera gouvernemental et électoral, négocié dans le strict respect des règles de la représentation, « politicien » même, au grand dam de quelques-uns des dreyfusards les plus « mystiques », un Péguy par exemple. Mais comment ne pas remarquer qu'à chaque crise ultérieure, qu'à chaque rebondissement de la question de l'identité française et de la citoyenneté, en 1934, en 1940, en

1947, en 1958-1962, en 1968 et sans doute même dans nos inquiétudes actuelles, le choc des valeurs antagonistes a pris le pas pour un temps sur l'ancien clivage politique, que l'affirmation de celles-ci a d'abord chauffé à blanc l'inquiétude avant de donner d'un coup tout son sens au débat, comme on plonge le métal forgé dans l'eau froide ?

Et qu'une version française de l'empoignade idéologique, aussi fortes qu'aient été les contaminations d'autres idéologies importées, comme le communisme ou le fascisme, a ainsi perduré en colorant l'assaut sur une palette que n'auraient désavouée ni Barrès ou Zola, ni Trarieux ou Maurras ? Cette ponctuation indélébile de l'enjeu intestin par l'idée fondatrice, tracée au temps de Dreyfus, est restée une singularité très française. Tout s'est passé comme s'il avait fallu attendre l'Affaire pour que se dévoilent enfin les vrais enjeux de la construction démocratique lancée depuis 1789 et sans cesse remise sur l'établi ; comme si la France idéale était née deux fois, en prenant la Bastille puis en se déchirant autour de Dreyfus.

Si cette musique fut si riche d'avenir, c'est sans doute parce que son orchestration avait su prendre dès l'origine des formes modernes durables. Car tout s'emboîta et se conjugua alors à merveille, le principe et son moteur, l'idée et son combat. C'est à la rencontre d'idéaux en effervescence et de troupes disposées à en découdre pour les servir que l'on découvre la modernité politique de l'Affaire et le secret de sa fortune idéologique posthume. Deux forces nouvelles, aussi hétérogènes mais aussi déterminées l'une que l'autre dès l'origine, ont surgi, armées, redistribuant la « donne » et toujours prêtes depuis lors à prendre leur revanche : les « intellectuels » et le populisme.

D'un côté, l'intelligence éclairée, dreyfusarde, brandissant le droit, protégeant l'individu : ces intellectuels, dont l'honneur tiendra dans leur refus de devenir trop respectueux de l'organisation mère ou de la cause fétichisée. Christophe Charle a bien montré combien ces vertus idéalistes n'auraient jamais pris valeur démonstrative si, dans le même temps et à la faveur du combat lui-même, un corps des intellectuels ne s'était pas constitué, n'avait pas trouvé une force démonstrative en puisant plus profond dans la société française, de l'université au lycée, du milieu parisien prestigieux à l'artisanat plus provincial de la pensée et aux professions libérales en pleine expansion : en baignant son élitisme dans les eaux moyennes de la création, de l'érudition ou de l'activité tertiaire ; en usant habilement de tous les moyens nouveaux de médiation, la pétition en rafales, l'édition à bon marché et la presse à gros tirages.

Dans le camp d'en face, la construction puis l'affirmation, théorisées par Maurice Barrès ou Charles Maurras, d'un corps de doctrine du nationalisme de réaction politique et de conservation sociale, auraient vraisemblablement achoppé si un populisme ne lui avait pas donné une marge de manœuvre, un élan numérique et un certificat d'authenticité. L'essentiel n'est peut-être donc pas qu'une droite nationale ait pris date, mais plutôt qu'elle ait pu devenir une force socialement diversifiée.

Une forme de rassemblement populaire lui sembla particulièrement adaptée aux enjeux du moment : la ligue, capable d'accueillir des volontés en effervescence, d'ameuter des troupes rassemblées par la soif d'idéal ou l'intérêt immédiat, de canaliser vers des objectifs précis des ardeurs désordonnées.

Et ce n'est pas un hasard si le phénomène ligueur, à l'exception notoire de la Ligue des Droits de l'homme fondée en juin 1898 et qui galvanisa le camp dreyfusiste, a surtout pris ses aises dans l'antidreyfusisme. De la très conservatrice Ligue de la patrie française, lancée contre la Ligue des Droits de l'homme, peuplée d'éminences sociales et d'hommes d'ordre à cravate soignée, jusqu'à la très populacière Ligue antisémitique où les garçons bouchers de La Villette côtoyaient les jeunes gens des beaux quartiers, tout l'éventail de la mobilisation et du militantisme modernes fut ouvert, du meeting à discours fleuris au coup de poing dans la rue, de la pétition massive au putsch manqué, du défilé grandiloquent à l'endoctrinement dans le groupe d'étude ou l'officine discrète, avec assaut des mots et des symboles, parades et drapeaux au vent. Mieux encore : les anciens réseaux de sociabilité et d'associationnisme, loges maçonniques, sociétés de pensée, bourses du travail et syndicats, salons ou cercles, furent ragaillardis et humèrent l'odeur de la poudre. Tant et si bien qu'à la faveur de cette mobilisation, comme nous l'a fait comprendre Zeev Sternhell, la protestation civique a pu prendre de la rondeur et de la verdeur sociale, gagner les couches moyennes et une partie du peuple, trouver des renforts chez les déclassés et les instables du bureau, de la boutique ou de l'échoppe, de l'épargne ou de la rente, chez les mécontents au statut précaire comme chez les râleurs de rang modeste à la pensée aussi courte qu'abrupte.

Une France des gueulards et des inquiets a pris soudainement un poids politique au vif de l'Affaire, après la répétition générale du boulangisme dix ans auparavant. Un populisme, pour tout dire, s'est affiché, instable et éphémère, inquiétant et confus, vantant les mérites des « petits » face aux « gros » et ceux du « pouvoir populaire » face à celui des élites et des cléricatures, cherchant vainement l'homme fort qui magnifierait les humbles aux abois, mais assez puissant pour modifier en profondeur les formes d'expression du mécontentement en France. De l'agitation des années 1930 à celle du Front national aujourd'hui, en passant par le poujadisme des années 1950, tous les extrémismes y trouveront leur pâture et tous les politiques en place devront tenter de prendre en charge ce harcèlement pour calmer sa vindicte vengeresse.

Cette impétuosité populiste n'est qu'un aspect d'une plus vaste question qui agite la France fin de siècle à la faveur des malheurs de Dreyfus, et qui hantera tout le XXe siècle : comment faire participer pleinement les masses impatientes, désormais mobilisables sous des bannières jusqu'alors inconnues, au jeu de la démocratie inscrit dans le cadre républicain hérité de 1789 ? Cette quête d'une politique moderne devait d'abord trouver sa cohérence formelle. La loi sur les associations de 1901 donna une première réponse : la république concédait, en encadrant souplement son usage, la dernière liberté publique qu'elle avait tant tardé à reconnaître. Une seconde réponse, tout aussi riche d'avenir, consista à équilibrer la toute-puissance des Assemblées élues et de leurs groupes parlementaires par l'affirmation de partis politiques capables de trouver une cohérence organisationnelle, d'irriguer la société civile tout en maîtrisant mieux le mécanisme de la désignation des candidats à l'élection : en 1901, le passage des comités électoraux informels au parti chez les radicaux, ancrés désormais en clés de voûte des majorités républicaines, sonna le branle, concrétisa l'enjeu et favorisa la mutation d'où sortiront nos partis actuels.

Toutefois, ces solutions formelles ne pouvaient suffire. Il fallait, pour qu'elles fussent viables, que tous les acteurs, au parlement, au gouvernement, dans les partis comme au café du Commerce, des sommets de la prise de décision jusqu'à l'urne électorale, aient intériorisé puis traduit civiquement les révolutions de l'éducation et de la communication, les progrès culturels et les changements mentaux dont l'Affaire avait révélé l'ampleur et la fécondité.

L'école de Jules Ferry, par exemple, était loin de s'être tenue à l'écart du conflit, par ses instituteurs, ses pions, ses professeurs, ses potaches et ses étudiants. C'est l'influence d'un professeur du lycée de Nancy, Paul Bouteiller, que Barrès met en accusation dans *Les Déracinés* (1897). Et l'Université, qui a trouvé alors sa structure matérielle et intellectuelle rénovée, avait été l'un des protagonistes du trouble national. Un enseignement plongé dans l'enjeu de société et contribuant à lui donner du sens en instruisant tant de jeunes esprits : cette révélation surprit les républicains, qui avaient bâti l'école comme un lieu idéal et clos ; mais la force de cet engagement contribua, bon gré mal gré, à faire avancer la réflexion politique et la « république des professeurs », peuplée de boursiers heureux, ne triompha après la Grande Guerre qu'à proportion de l'apport à la méritocratie républicaine que l'Affaire avait révélé et nourri.

On pourrait faire une analyse similaire à propos de la presse, premier médium moderne, qui a mobilisé les foules et leur a fait vivre si intensément le conflit. Il est banal de souligner combien le cours même de l'Affaire fut scandé et relancé par des « coups » de presse dont la force persuasive de dramatisation secoua l'opinion, depuis la note anodine parue dans l'antisémite *Libre Parole* en 1894 lors de l'arrestation de Dreyfus jusqu'au tapage du « J'accuse » de Zola dans *L'Aurore* en 1898. Il est plus intéressant de rappeler qu'à chaque épisode le même processus (trop peu étudié encore par les historiens) fut observable : l'enquête, l'écho indiscret, la provocation ou l'apostrophe sont concoctés et instillés en suivant les règles anciennes d'un journalisme encore très littéraire et fort individualiste ; puis l'agence Havas les reprend et les grands journaux à un sou transforment l'indiscrétion en « scoop » et démultiplient la révélation. Cette médiatisation à épisodes non seulement a transformé en profondeur le métier de journaliste, mais a érigé la presse en organe de la conscience des masses, au risque de déformer le réel et de manipuler des millions de lecteurs. Cette pratique inédite, drapée dans les idéaux de l'information à tout prix, n'a pas manqué de postérités dans l'histoire de la démocratie.

La combinaison de médiations diverses mais neuves, d'engagements idéalistes et intellectuels, d'émois si populistes, entretint ce qu'on nomma si longtemps une « opinion publique », chauffée à blanc et socialement très variée. La meilleure révélation de l'Affaire fut cependant que cette opinion, dont le poids devenait décisif dans le débat civique, n'était ni une fiction temporaire, ni un concept infiniment manipulable par les puissants, ni même le miroir fidèle de l'état d'une société. Tout au contraire : c'est le mouvement d'opinion, médiatisé, lesté d'idéaux, enrégimenté dans des camps mieux constitués, érigé en référence permanente et en juge suprême, qui a révélé une réalité sociale en pleine recomposition au tournant du siècle. Racisme, mystique du sol et du sang, révérences à l'universalisme et au progrès, tentations de guerre civile, rapports de l'élite aux masses et des avant-gardes à la novation culturelle, tout est débattu devant elle, jaugé, testé et jugé par elle ; tout transite désormais par elle.

Tant et si bien que cette « opinion », depuis l'Affaire, n'a pas cessé d'être sondée, car ses émotions photographient le mouvement social, ses mouvements antagonistes sont les révélateurs de l'inquiétude et de la tension sociales, ses démonstrations de masse catalysent, miment et au bout du compte apaisent la bataille sociale. C'est dire que l'Affaire n'a pas magnifié la « lutte de classe ». Tout au contraire : elle a défraîchi ses règles, dérouté ses acteurs et troublé le sens de leur combat dès lors que tout l'affrontement autour de Dreyfus montrait que la fidélisation des classes moyennes était désormais l'enjeu central et le sésame pour faire signer aux Français une nouvelle adhésion au contrat républicain. Voici le médian érigé en arbitre électoral – ce que les radicaux comprirent longtemps si bien, avant d'être relayés par les gaullistes –, régularisant les tensions qui traversent le pays, épousant tous les progrès culturels de la médiation.

Médian-média : la France depuis le temps de Dreyfus se modernisera à proportion d'un accouplement heureux de ces deux termes et se divisera à la stricte mesure de leur divorce. Pour avoir dit si conflictuellement, si douloureusement et si fortement cette vérité moderne, l'Affaire fut et demeure, disait Péguy, *Notre Jeunesse*.

Notes

1. Cf. « Pour en savoir plus », p. 295-305.
2. Jean Guéhenno, *Entre le passé et l'avenir*, Paris, Grasset, 1979, p. 275.

Bibliographie thématique

Sources

Archives

On ne possède qu'une partie des documents officiels relatifs à l'affaire Dreyfus, mais il existe un certain nombre de sources de substitution. L'original du fameux bordereau a disparu depuis longtemps.

- Enquête et procès de 1894 : documents transmis à la Cour de cassation. Le dossier secret a cependant été restitué au ministère de la Guerre et se trouve au service historique de l'armée de terre à Vincennes.
- Procès Zola : les archives du procès Zola devant la cour d'assises de la Seine devraient réglementairement se trouver dans la série DU (justice) des Archives départementales de Paris. Elles n'y ont pas été versées et l'on ne dispose que de quelques épaves dans le fonds de la Cour de cassation. Fort heureusement, le grand éditeur dreyfusard Stock a fait réaliser et éditer le compte rendu sténographique complet des débats ; ce document est fiable et a d'ailleurs été utilisé par la Cour de cassation elle-même pour la seconde révision.
- Procédures de révision devant la Cour de cassation : le fonds de la Cour de cassation se trouve aux Archives nationales. Dans les articles BB19 68 à 191, sont conservés les dossiers des juridictions militaires, les archives des deux procédures de révision (qui ont été éditées *in extenso*), quelques épaves du procès Zola et les documents saisis au domicile de Dreyfus.
- Procès de Rennes : comme pour le procès Zola, Stock a publié le compte rendu intégral des débats.
- Aspects politiques de l'affaire : la police a surveillé activement les divers groupes et ligues hostiles ou favorables à Dreyfus. Les dossiers sur les personnages, les comités et les divers événements (comme par exemple les troubles pendant le procès Zola) établis par la Sûreté générale sont conservés aux Archives nationales (sous-série, F7 et Mi) ; ceux de la préfecture de police se trouvent dans la série Ba du service d'archives de la préfecture.

En province, la surveillance politique incombe aux commissaires spéciaux des chemins de fer, sous l'autorité du préfet ; on en trouve la trace dans les séries M des archives départementales. Les archives privées et la presse, foisonnante à l'époque et jouant un rôle essentiel dans l'Affaire, complètent utilement ces documents.

- Archives privées : plusieurs des acteurs de l'affaire Dreyfus ont laissé des archives parfois fort intéressantes et renfermant (illégalement) des archives publiques. Citons, aux Archives nationales, les fonds de deux membres de la Cour de cassation, ainsi que les papiers de maître Demange, avocat de Dreyfus, de Deschanel, Félix Faure, Loubet, Millerand, etc.
  Au cabinet des manuscrits de la Bibliothèque nationale, sont conservés les fonds Mathieu Dreyfus, Esterhazy, Gaston Paris, Paul Meyer, Raymond Poincaré (partiellement), Joseph Reinach, le journal de Scheurer-Kestner, des documents d'Émile Zola, etc. La bibliothèque de l'Institut possède le très riche fonds Waldeck-Rousseau et le ministère des Affaires étrangères a conservé quelques documents de Casimir-Perier et le fonds Hanotaux. Le fonds du général Billot est au service historique de l'armée de terre, à Vincennes, comme les dossiers de carrière de tous les officiers.
  Enfin, certains fonds se trouvent chez des particuliers (Godefroy Cavaignac, par exemple).
- Archives du ministère des Affaires étrangères portant le titre *Affaire Dreyfus*, classés dans *Allemagne, Politique étrangère, Relations avec l'Allemagne* (7 septembre 1896-8 janvier 1901).
- M. Beaumont, *Aux sources de l'Affaire. L'affaire Dreyfus d'après les sources diplomatiques*, Paris, Les Productions de Paris, 1959.
- J. Billig, *L'Institut d'Étude des Questions Juives*, CDJC, volume n° 3, 1974.
- Fonds Arconati-Visconti à la bibliothèque Victor-Cousin.
- Fonds Dreyfus de la Bibliothèque historique de la Ville de Paris.
- *L'Univers israélite*, 16 janvier 1894, 16 janvier 1895, 9 septembre 1898, *Archives israélites*, 1er novembre 1894. *L'Univers israélite*, 16 juin 1893, 16 février 1900, 1er février 1895.
- *Note au sujet des mesures à prendre à la mobilisation contre les étrangers et les suspects*, décembre 1895, A.G. Vincennes, 7N674.
- Service historique des Armées, Vincennes, 3e série, 582, dossier Bloch.

Bibliographies

- P. Desachy, *Bibliographie de l'affaire Dreyfus*, Cornély, Paris, 1905.

• L. Lipschutz, *Une Bibliographie dreyfusienne. Essai de bibliographie thématique et analytique de l'affaire Dreyfus*, Fasquelle, Paris, 1970.

Filmographie

• *L'Affaire Dreyfus*, de Georges Méliès, 1899.
• *L'Affaire Dreyfus*, 1899 (producteur Pathé, acteur principal : Liezer).
• *L'Affaire Dreyfus*, de Lucien Nonguet, 1907 (scénariste : Z. Rollini).
• *Dreyfus*, de Richard Oswald, 1930 (scénaristes : Heinz Goldberg et Fritz Wendhausen ; acteur principal : Fritz Kortner).
• *Dreyfus*, de Kraemer et de Milton Rosmer, 1931 (acteur principal : Cedric Hardwicke).
• *La Vie d'Émile Zola*, de William Dieterle, 1937 (acteurs principaux : Paul Muni, Joseph Schildkraut ; producteur : Warner Bros).
• *J'accuse*, de José Ferrer, 1958 (producteur : Loew's International Corp.).
• *Zola ou la conscience humaine*, de Stellio Lorenzi, 1978 (scénaristes : Armand Lanoux, S. Lorenzi ; acteur principal : Jean Topart).
• M. Knobel, « L'événement médiatique et militant : L'Affaire Dreyfus d'Yves Boisset », *Société Internationale d'Histoire de l'Affaire Dreyfus,* bulletin n° 2, automne 1996.

Ouvrages généraux

• J.-D. Bredin, *L'Affaire*, Paris, Julliard, 1983 ; rééd. Fayard, 1993.
• F. Brunetière, *Après le Procès*, Paris, Perrin et Cie, 1898.
• E. Cahm, *L'Affaire Dreyfus*, Livre de Poche, 1994.
• A. Charpentier, *Les Côtés mystérieux de l'affaire Dreyfus*, Rieder, 1937.
• G. Clemenceau, *L'Iniquité*, 1899 ; *Vers la Révision*, Paris, 1900.
• M. Denis, M. Lagrée et J.-Y. Veillard (dir.), *L'Affaire Dreyfus et l'opinion publique en France et à l'étranger*, Presses universitaires de Rennes, 1995.
• M. Drouin, *L'Affaire Dreyfus de A à Z*, Paris, Flammarion, 1994.
• V. Duclert, *L'Affaire Dreyfus*, La Découverte, 1994.
• H. Dutrait-Crozon, *Précis de l'affaire Dreyfus*, Paris, Nouvelle Librairie nationale, rééd. 1924.
• H. Guillemin, *L'Énigme Esterhazy*, Paris, Gallimard, 1962.
• J. Jaurès, *Les Preuves*, 1898, rééd. M. Rebérioux (dir.), Le Signe, 1981.
• M. Knobel, « En cette année 1994… L'affaire Dreyfus », *Les cahiers naturalistes*, n° 69, 1995.

- M. Knobel, « Les derniers antidreyfusards ou l'antidreyfusisme de 1906 à nos jours », in *L'Affaire Dreyfus et l'opinion publique en France et à l'étranger,* sous la direction de Michel Denis, Michel Lagrée et Jean-Yves Veillard, Presses universitaires de Rennes, 1996.
- B. Lazare, *Une erreur judiciaire. L'affaire Dreyfus*, édition établie par Ph. Oriol, Paris, Allia, 1993.
- M. de Lombarès, *L'Affaire Dreyfus, la clé du mystère*, Paris, Laffont, 1970.
- P. Miquel, *L'Affaire Dreyfus*, Paris, PUF, « Que sais-je ? », 7e éd., 1985.
- M. Rebérioux, « Histoire, historiens, dreyfusisme », *Revue historique*, avril-juin 1976.
- J. Reinach, *Histoire de l'affaire Dreyfus*, 1901-1911, 7 volumes, Paris, Éditions La Revue Blanche.
- M. Thomas, *L'Affaire sans Dreyfus*, Paris, Fayard, 1961.
- M. Thomas, *Esterhazy ou l'envers de l'affaire Dreyfus*, Paris, Vernal/Ph. Lebaud, 1989.
- M. Winock, « L'affaire Dreyfus », dans *La Fièvre hexagonale. Les grandes crises politiques 1871-1968*, Paris, Calmann-Lévy, 1986, rééd. Points-Histoire, 1987.
- M. Winock, « L'affaire Dreyfus », dans S. Berstein et O. Rudelle (dir.), *Le Modèle républicain*, Paris, PUF, 1992.
- M. Winock, « Une question de principe », dans *La France de l'Affaire Dreyfus*, P. Birnbaum (dir.), Paris, Gallimard, 1994.
- M. Winock, « Les affaires Dreyfus », *Vingtième siècle, Revue d'histoire* n° 5.
- « L'Affaire Dreyfus. La République en question », *Textes et documents pour la classe*, mai 1994.
- « Le centenaire de l'Affaire (1894-1995) », *Jean Jaurès*, avril-juin 1995, n° 136 ; « L'affaire Dreyfus. Histoire », juillet-septembre 1995, n° 137 ; « Jaurès, les socialistes et l'affaire Dreyfus, Actes du colloque de Montreuil », octobre-décembre 1995, n° 138 ; « Questions de justice de l'affaire Dreyfus à la guerre d'Algérie », juillet-septembre, n° 141.
- *L'Affaire Dreyfus et le tournant du siècle (1894-1910)*, sous la direction de Laurent Gervereau et Christophe Prochasson, Musée d'histoire contemporaine, BDIC (dir.), 1994.
- *Une tragédie de la Belle Époque : l'affaire Dreyfus*, sous la direction de Béatrice Philippe, Comité du centenaire de l'affaire Dreyfus, 1994.

Thèmes spécifiques

Antisémitisme

- P. Birnbaum, *Un Mythe politique : la « République juive »*, Paris, Fayard, 1988.
- P. Birnbaum, *Les Fous de la république. Histoire des Juifs d'État, de Gambetta à Vichy*, Paris, Fayard, 1992, rééd. Points-Histoire, 1994.
- P. Birnbaum, « Affaire Dreyfus, culture catholique et antisémitisme », dans *Histoire de l'extrême droite*, Paris, Le Seuil, 1993.
- T. Herzl, *L'État des Juifs, suivi de Essai sur le sionisme : de l'État des Juifs à l'État d'Israël*, traduit par Cl. Klein, Paris, La Découverte, 1990.
- M. Knobel, « C.M.V. du Paty de Clam, Commissaire général aux Questions Juives », *Le Monde Juif*, n° 117, janvier 1985.
- M. Knobel, « Un événement bien parisien en 1941 : une cérémonie à la mémoire d'Édouard Drumont », *Yod*, n° 19, 1984.
- B. Lazare, *Juifs et Antisémites*, Paris, Éd. Allia, 1992.
- A. Leroy-Beaulieu, *Israël parmi les nations*, 1893, rééd. Calmann-Lévy, 1983.
- A. Mitchell, « La mentalité xénophobe : le contre-espionnage en France et les racines de l'affaire Dreyfus », *Revue d'histoire moderne et contemporaine*, juil.-sept. 1982.
- Ph. Oriol, *Bernard Lazare, Juif et antisémite*, Éd. Allia, 1992.
- P. Pierrard, *Juifs et catholiques français, de Drumont à Jules Isaac, 1886-1945*, Paris, Fayard, 1970, rééd. Le Cerf, 1997.
- P. Quillard, *Le Monument Henry*, Paris, Stock, 1899.
- P. Sorlin, *« La Croix » et les Juifs, 1880-1899*, Paris, Grasset, 1967.
- P.-A. Taguieff, *Les Protocoles des Sages de Sion*, TI, Berg International, 1992.
- S. Wilson, « Le monument Henry. La structure de l'antisémitisme en France. 1898-1899 », *Annales* n° 2.
- S. Wilson, *Antisemitism in France at the Time of the Dreyfus affair*, Madison, London, Toronto, University Press, 1982.

Armée

- F. Bédarida, « L'Armée et la république », *Revue historique*, juil.-sept. 1964.
- J. Challéat, *L'Artillerie de terre en France pendant un siècle. Histoire technique (1816-1919)*, deux volumes, Paris, Lavauzelle, 1933-1935.
- J. Doise, *Un Secret bien gardé. L'histoire militaire de l'affaire Dreyfus*, Paris, Le Seuil, 1994.

- J. Hélie, « L'arche sainte fracturée » dans P. Birnbaum (éd.), *La France de l'affaire Dreyfus*, Paris, Gallimard, 1994.
- R. Girardet, *La Société militaire dans la France contemporaine, 1815-1939*, Paris, Plon, 1953.
- P. Nord (pseudonyme du colonel André Brouillard), *L'Intoxication, arme absolue de la guerre subversive*, Paris, Fayard, 1971.
- G. Pedroncini (dir.), *Histoire militaire de la France*, t. III, Paris, PUF, 1982.
- D. Porch, *The March to the Marne*, Cambridge University Press, 1982.
- G. Rouanet, « L'agitation militaire et religieuse », *La Revue socialiste*, mars 1898.
- W. Serman, *Les Officiers français dans la nation, 1848-1914*, Paris, Aubier, 1982.
- W. Serman, « L'armée française », dans M. Drouin, *L'Affaire Dreyfus de A à Z*, Paris, Flammarion, 1994, pp. 309-315.

Biographies

- F. Basch, *Victor Basch, de l'affaire Dreyfus au crime de la milice*, Paris, Plon, 1994.
- F. Brown, *Zola. Une vie*, Paris, Belfond, 1996.
- A. Bruneau, *A l'ombre d'un grand cœur*, Paris, Fasquelle, 1932, rééd., Genève, Slatkine, 1980.
- M. Burns, *Histoire d'une famille française, les Dreyfus*, Paris, Fayard, 1994.
- A. Compagnon, *Connaissez-vous Brunetière ? Enquête sur un antidreyfusard et ses amis*, Paris, Le Seuil, 1997.
- A. Darlu, *M. Brunetière et l'individualisme*, Paris, A. Colin, 1898.
- H. Duchêne (éd.), *Salomon Reinach. Cultes, mythes et religions*, Paris, Robert Laffont, coll. « Bouquins », 1996.
- J.-B. Duroselle, *Clemenceau*, Paris, Fayard, 1988.
- M. Gallo, *Le Grand Jaurès*, Paris, R. Laffont, 1984.
- H. Goldberg, *Jean Jaurès*, Paris, Fayard, 1970.
- N. Wilson, *Bernard Lazare*, Paris, Albin Michel, nouvelle éd. 1985.

Catholiques

- J. Brugerette (sous le pseudonyme de H. de Saint-Poli), *L'Affaire Dreyfus et la mentalité catholique en France*.
- L. Capéran, *L'Anticléricalisme et l'affaire Dreyfus 1897-1899*, Toulouse, 1948.
- G. Cholvy, Y.-M. Hilaire, *Histoire religieuse de la France*. T. II, *1880-1920*, Toulouse, Privat, 1986.
- U. Gohier, *Les Prétoriens et la congrégation*, Éditions de la Revue Blanche, 1900.

• A. Latreille, *Histoire du catholicisme en France*, t. III, Paris, Spes, 1962.
• J. Le Goff, R. Rémond (dir.) *Histoire de la France religieuse*, t. IV, *XX*[e] *siècle* : les contributions de Ph. Levillain et F. Raphaël, Paris, Le Seuil, 1992.
• Ph. Levillain, « Les catholiques », dans P. Birnbaum, *La France au temps de l'affaire Dreyfus*, Paris, 1994.
• J.-M. Mayeur, « Les catholiques dreyfusards », *Revue Historique*, avril-juin 1979.
• Pichot (abbé), *La Conscience chrétienne et l'affaire Dreyfus*, 1898.
• R. Rémond, *Les Deux Congrès ecclésiastiques de Reims et Bourges, 1896 et 1900*, Paris, Sirey, 1964 ; *L'Anticléricalisme en France de 1815 à nos jours*, Paris, Complexe, 1985.

Contexte politique

• C.-A. Ageron, *Histoire de l'Algérie contemporaine*, t. II, *1871-1954*, Paris, PUF, 1979.
• M. Agulhon, *La République 1880-1932*, t. I, Paris, Hachette coll. « Pluriel », 1990.
• A. Billy, *L'Époque*, Paris, Taillandier, 1951.
• P. Birnbaum (éd.), *La France de l'affaire Dreyfus*, Paris, Gallimard, 1994.
• J. Bouvier, *Le Krach de l'Union générale*, Paris, 1960.
• T. Herzl, *Das Palais-Bourbon*, Leipzig, Duncker et Humbold, 1895.
• P. Paraf, *La France de l'affaire Dreyfus*, Paris, éd. Droit et Liberté, 1978.
• C. Prochasson, *Les Années électriques (1880-1910)*, Paris, La Découverte, 1991.
• M. Rebérioux, *La République radicale*, t. 11 de *La Nouvelle histoire de la France contemporaine*, Paris, Le Seuil, « Points-Histoire », 1975.
• J.-P. Rioux, *Chronique d'une fin de siècle. France 1889-1900*, Paris, Le Seuil, 1991.

Duels

• C.-J. Letainturier-Fradin, *Les joueurs d'épée à travers les siècles*, Paris, Flammarion, 1905.
• M. Monestier, *Duels. Les Combats singuliers des origines à nos jours*, Paris, Sand, 1991.
• Baron de Vaux, *Les Tireurs au pistolet*, Paris, Marpon, 1883.
• Baron de Vaux, *Les Duels célèbres*, Rouveyre, 1884.

Graphologie

- S. Bertillon, *Vie d'Alphonse Bertillon*, Paris, 1941.
- B. Joly, *L'École des Chartes et l'affaire Dreyfus*, Bibliothèque de l'École des Chartes t. 147, 1989.
- E. Locard, *L'affaire Dreyfus et l'expertise des documents*, Paris, 1937.
- H.T. Rhodes, *Alphonse Bertillon*, Londres, 1956.

Idées politiques

- M. Barrès, *Scènes et doctrines du nationalisme*, 2 vol., Paris, Plon, 1925.
- J.-P. Rioux, *Nationalisme et conservatisme : la Ligue de la patrie française*, Beauchesne, 1977.
- Z. Sternhell, *La Droite révolutionnaire*, Paris, Le Seuil, 1984.
- M. Winock, *Édouard Drumont et Cie, Antifascisme et fascisme en France*, Paris, Le Seuil, 1982.
- M. Winock, *Nationalisme, antisémitisme et fascisme en France*, Paris, Le Seuil, 1990.
- M. Winock (dir.), *Histoire de l'extrême droite en France*, Paris, Le Seuil, 1993.

Intellectuels, analyses de leur position

- « Comment sont-ils devenus dreyfusards ou antidreyfusards ? », *Mil neuf cent. Revue d'histoire intellectuelle*, n° 11, 1993.
- C. Becker, « Zola et l'affaire Dreyfus », *Zola. L'affaire Dreyfus. La vérité en marche*, Paris, Garnier-Flammarion, 1969.
- Ch. Charle, *La Naissance des intellectuels (1880-1900)*, Paris, éd. de Minuit, 1990.
- A. Daspre, *Roger Martin du Gard romancier d'après Jean Barois*, thèse de doctorat d'État de l'université de Paris-III, 1976.
- C. Delhorbe, *L'Affaire Dreyfus et les écrivains français*, Paris, éd. Victor Attinger, 1932.
- W. Johnson, *L'Esprit viennois. Une histoire intellectuelle et sociale, 1848-1938*, PUF, 1985.
- G. Leroy, *Péguy entre l'ordre et la révolution*, Paris, Presses de la FNSP, 1981.
- *Les Écrivains et l'affaire Dreyfus*, Actes du colloque d'Orléans, octobre 1981, textes réunis par Géraldi Leroy, Paris, PUF, 1983.
- P. Michel et J.-F. Nivet, *Octave Mirbeau, l'imprécateur au cœur fidèle*, Paris, Séguier, 1990.
- H. Mitterand, *Zola journaliste : de l'affaire Manet à l'affaire Dreyfus*, Paris, A. Colin, 1962.
- H. Mitterand, *Zola, l'histoire et la fiction*, Paris, PUF, 1990.
- A. Pagès, *Émile Zola, un intellectuel dans l'affaire Dreyfus*, Paris, Séguier, 1991.

• M. Winock, *Le Siècle des intellectuels*, Paris, Le Seuil, 1997.

Presse

• P. Boussel, *L'Affaire Dreyfus et la presse*, Paris, A. Colin, 1965.
• T. Ferenczi, *L'Invention du journalisme en France. Naissance de la presse moderne à la fin du* XXe *siècle*, Paris, Plon, 1993.
• J. Ponty, *La Presse devant l'affaire Dreyfus*, thèse de l'École pratique des hautes études, 1971, inédite.
• J. Ponty, « Le Petit Journal et l'affaire Dreyfus », *Revue d'histoire moderne et contemporaine*, 1977.

Salons

• G. Baal, « Un salon dreyfusard, des lendemains de l'Affaire à la Grande Guerre, la marquise Arconati-Visconti et ses amis », *Revue d'histoire moderne et contemporaine*, juillet-septembre 1981.
• V. du Bled, *La Société française depuis cent ans. Mme Aubernon et ses amis*, Paris, Bloud et Gay, 1924.
• E. de Gramont, *Au temps des équipages*, Paris, Grasset, 1929.
• M.-T. Guichard, *Les Égéries de la république*, Paris, Payot, 1991.
• P. Ory, « Le Salon », *Histoire des droites en France* (dir.), J.-F. Sirinelli, Paris, Gallimard, 1992.
• L. Rièse, *Les Salons littéraires parisiens, du Second Empire à nos jours*, Toulouse, Privat, 1962.

Souvenirs et Témoignages

• L. Blum, *Souvenirs sur l'Affaire*, Paris, Gallimard, 1935, rééd. 1981.
• F. Brunetière, *Lettre de Combat*, Paris, Perrin, 1912.
• A. Dreyfus, *Cinq années de ma vie*, 1901, Paris, rééd. 1962 et 1982, Maspéro, introduction de Pierre Vidal-Naquet, rééd. La Découverte, 1994.
• M. Dreyfus, *L'Affaire telle que je l'ai vécue*, Paris, Grasset, 1978.
• A. France, *Œuvres III*, Paris, Gallimard, « Bibliothèque de la Pléiade », 1984.
• *« Dreyfusards ! » Souvenirs de Mathieu Dreyfus et autres inédits présentés par Robert Gauthier*, Paris, Archives/ Julliard, 1965.
• P. Halévy, *Regards sur l'affaire Dreyfus*, Paris, E. de Fallois, 1994.
• T. Herzl, *Journal 1895-1904*, préface de Catherine Nicault, Paris, Calmann-Lévy, 1990.
• L'édition scientifique et critique de l'intégralité de la *Correspondance* et des *Journaux* intimes de Theodor Herzl est en cours de publication chez Ullstein à Berlin, et Propylaen à Vienne,

depuis 1983. Sont déjà disponibles les t. I, *Lettres, 1866-1895* ; t. II, *Journal, 1895-1899* ; t. III, *Journal, 1899-1904* ; t. IV, *Lettres, 1895-1898* ; t. V, *Lettres, 1898-1900*.
- M. Paléologue, *Journal de l'affaire Dreyfus*, Paris, Plon, 1955.
- Ch. Péguy, *Notre Jeunesse*, dans les *Œuvres en prose complète*, t. III, Paris, Gallimard, « Bibliothèque de la Pléiade », 1992.
- *Journal de Jules Renard. 1887-1910*, Paris, Gallimard, « Bibliothèque de la Pléiade ».
- A. Scheurer-Kestner, *Mémoires d'un sénateur dreyfusard*, Strasbourg, Bueb et Reumaux, 1988.
- M. von Schwarzkoppen, *Carnets*, Rieder, 1930.
- P.-V. Stock, *Mémorandum d'un éditeur*, t. III, *L'Affaire Dreyfus anecdotique*, Paris, Stock, Delamain et Boutelleau, 1938.
- E. Zola, *Correspondance*, 10 volumes, Éditions du CNRS et Presses de l'université de Montréal, 1978-1995.

Index des noms de personnes

Les auteurs

Gérard Baal, ancien élève de l'École normale supérieure, docteur ès lettres, professeur à l'université de Poitiers. Il est l'auteur d'une thèse sur « Le parti radical de 1901 à 1914 » et de *Histoire du radicalisme* (La Découverte, 1994).

Pierre Birnbaum, professeur à l'université de Paris-I et à l'Institut universitaire de France, est l'auteur notamment de *Un Mythe politique : « La république juive »* (Fayard, 1988), *Les Fous de la république. Histoire des Juifs d'État, de Gambetta à Vichy* (Fayard, 1992), *« La France aux Français ». Histoire des haines nationalistes* (Le Seuil, 1993), et a dirigé *La France de l'affaire Dreyfus* (Gallimard, 1994).

Jean-François Boulanger est professeur agrégé à l'université de Reims et coauteur à *L'Histoire du diocèse de Châlons-sur-Marne* (Beauchesne, 1989). Il prépare actuellement une thèse sur « Catholicisme et mémoire nationale dans le diocèse de Reims sous la IIIe République ».

Christian Delporte est maître de conférences en histoire contemporaine à l'université de Tours et à l'Institut d'études politiques de Paris. Il est spécialiste des médias et des images et cofondateur de la revue *L'image*. Il a notamment publié *Les crayons de la propagande* (CNRS-Éditions, 1993) et *Trois Républiques vues par Cabrol et Sennep*, avec Laurent Gervereau (BDIC, 1996).

Alain Dieckhoff, directeur de recherche au CNRS (CERI), il enseigne à l'Institut d'études politiques de Paris et à l'université de Paris-I-Sorbonne. Il a notamment publié *L'Invention d'une nation. Israël et la modernité politique* (Gallimard, 1993), *Israéliens et Palestiniens. Les défis de la paix* (La Documentation française, 1994) et *Israéliens et Palestiniens. L'épreuve de la paix* (Aubier, 1996). Il a collaboré activement au numéro spécial de *L'Histoire* consacré à Israël (n° 212, juillet-août 1997).

Jean Doise est ancien élève de l'École normale supérieure, agrégé d'histoire, diplômé d'état-major et spécialiste d'histoire militaire, il a publié, entre autres, en collaboration avec Maurice Vaïsse, *Diplomatie et outil militaire, 1871-1991* (Le Seuil, « Points-

Histoire », 1992) et *Un Secret bien gardé. L'histoire militaire de l'affaire Dreyfus* (Le Seuil, 1994).

Hervé Duchêne, ancien membre de l'École française d'Athènes, il enseigne l'histoire ancienne à l'université de Bourgogne. Il a publié *Salomon Reinach. Cultes, mythes et religions* dans la collection « Bouquins » (Robert Laffont, 1996).

Jean Garrigues, maître de conférences à l'université Paris-X-Nanterre et à l'Institut d'études politiques de Paris, a notamment publié *Le Général Boulanger* (Orban, 1991), *Le Boulangisme* (PUF, « Que sais-je ? », 1992), *La France de 1848 à 1870* (A. Colin, 1995) et *La République des hommes d'affaire* (Aubier, 1997).

Bertrand Joly est conservateur aux Archives nationales, il vient de soutenir une thèse sur Paul Déroulède.

André Kaspi est professeur à l'université de Paris-I où il enseigne l'histoire de l'Amérique du Nord. On lui doit notamment *Les Juifs pendant l'Occupation* (Le Seuil, 1991).

Marc Knobel est attaché de recherches au Centre Simon-Wiesental. Il consacre ses recherches à l'antisémitisme, de l'affaire Dreyfus à ses manifestations les plus récentes et a publié de nombreux travaux sur la question. Il est également l'un des cofondateurs en 1995 de la Société Internationale d'Histoire de l'Affaire Dreyfus.

Géraldi Leroy est ancien élève de l'ENS de Saint-Cloud et professeur à l'université d'Orléans. Il s'est spécialisé dans l'étude de la littérature politique à l'époque moderne. Il a notamment publié *Péguy entre l'ordre et la révolution* (PFNSP, 1981), *Les Écrivains et le Front populaire* (en collaboration avec Anne Roche, PFNSP, 1986) ainsi que l'édition annotée des *Œuvres politiques et historiques de Simone Weil* (Gallimard, 1988).

Henri Mitterand est professeur à l'université Columbia à New York, il a édité et commenté *Les Rougon-Macquart* (Gallimard, « La Pléiade ») et écrit plusieurs ouvrages d'histoire et d'analyse littéraire : *Zola journaliste* (A. Colin), *Le Discours du roman. Le Regard et le signe*, et *Zola, l'histoire et la fiction, L'Illusion réaliste* (PUF). Il a publié également les *Carnets d'enquêtes de Zola* (Plon, « Terre humaine ») et *Zola, la vérité en marche* (Gallimard, « Découvertes »).

Jean-Yves Mollier est professeur d'histoire contemporaine à l'université de Versailles-Saint-Quentin-en-Yvelines. Il a notamment publié *L'Argent et les Lettres. Histoire du capitalisme d'édition (1880-1920)* (Fayard, 1988), *Le Scandale de Panama* (Fayard,

1991), *La plus longue des Républiques (1870-1940)*, en collaboration avec Jocelyne George (Fayard, 1994) et a participé à *L'Histoire des droites en France* (Gallimard, 1992).

Pascal Ory est professeur d'histoire contemporaine à l'université de Versailles-Saint-Quentin-en-Yvelines, il est l'auteur de nombreux ouvrages, notamment, en rapport avec le thème de ce livre : *Les Intellectuels en France, de l'affaire Dreyfus à nos jours* (en collaboration avec Jean-François Sirinelli, Armand Colin, 1986, 4e éd. 1992) ; *La Revue Blanche* (avec Olivier Barrot, UGE, 1989, nouvelle éd. en 1994) ; *Rennes, intelligence d'une ville* (Ouest-France, 1992). Il a préfacé les deux dernières éditions des *Souvenirs sur l'Affaire* de Léon Blum (Gallimard).

Christophe Prochasson est maître de conférences à l'École des hautes études en sciences sociales, il est l'auteur de plusieurs ouvrages parmi lesquels *Les Intellectuels, le socialisme et la guerre, 1900-1938* (Le Seuil, 1993), *Au nom de la patrie : les intellectuels et la Première Guerre mondiale*, avec Anne Rasmussen (La Découverte, 1996) et *Les Intellectuels et le socialisme* (Plon, 1997).

Madeleine Rebérioux est professeur émérite d'histoire contemporaine à l'université de Paris-VIII. Elle est présidente de la Société d'études jaurésiennes et présidente d'honneur de la Ligue des Droits de l'homme. Elle a notamment publié *La République radicale ? 1898-1914* (Le Seuil, 1975), *Jaurès et la classe ouvrière* (Maspero, 1976), *Ils ont pensé les Droits de l'homme* (EDI-LDH, 1989) et *Jaurès, la parole et les actes* (Gallimard, « Découvertes », 1994).

René Rémond a occupé la première chaire consacrée à l'histoire de la France au XXe siècle. Parallèlement à ses ouvrages sur l'histoire politique, il a dirigé et publié de nombreux livres sur l'histoire religieuse contemporaine : *Forces religieuses et attitudes politiques dans la France contemporaine* (A. Colin, 1965), *L'Anticléricalisme en France de 1815 à nos jours* (rééd. Complexe, 1985), *Les Crises du catholicisme en France dans les années trente* (Cana, 1979). Il a partagé avec Jacques Le Goff la direction de la grande *Histoire de la France religieuse* (Le Seuil).

Jean-Pierre Rioux est inspecteur général de l'Éducation nationale. Il est l'auteur, notamment, de *Chronique d'une fin de siècle. France 1889-1900* (Le Seuil, 1991) et de *Fins d'empires* (Plon-Le Monde, 1992). Il a publié, avec Jean-François Sirinelli, *Pour une histoire culturelle*, et *Histoire culturelle de la France* (Le Seuil, 1997).

Shlomo Sand est un historien israélien, maître de conférences à l'université de Tel-Aviv et enseignant invité à l'École des hautes études en sciences sociales. Il a publié *L'Illusion du politique* (La Découverte, 1984) et, en collaboration avec Jacques Julliard, *Georges Sorel en son temps* (Le Seuil, 1985). Il prépare un *Bernard Lazare, intellectuel juif en fin de siècle*, à paraître chez Balland.

Maurice Vaïsse est professeur à l'université de Reims, il a notamment publié *Diplomatie et outil militaire, 1871-1991* (Le Seuil, 1992) en collaboration avec Jean Doise, et *La Guerre au XX*[e] *siècle* (Hachette, 1993) en collaboration avec Jean-Louis Dufour. Il est actuellement directeur du Centre d'études d'histoire de la Défense, mais il écrit là à titre personnel.

Michel Winock est professeur d'histoire contemporaine à l'Institut d'études politiques de Paris et membre du comité de rédaction de *L'Histoire*. Il a notamment publié *Nationalisme, antisémitisme et fascisme en France* (Le Seuil, 1990), *Le Socialisme en France et en Europe* (Le Seuil, 1992), *Le Siècle des intellectuels* (Le Seuil, 1997).

Table

Le présent volume reprend le numéro spécial de L'Histoire intitulé « L'affaire Dreyfus, vérités et mensonges » (n° 173, janvier 1994).

II. Dreyfusards et antidreyfusards

III. L'Affaire après l'Affaire

L'HISTOIRE

REVUE MENSUELLE ÉDITÉE
PAR LA SOCIÉTÉ D'ÉDITIONS SCIENTIFIQUES
57, RUE DE SEINE, 75280 PARIS CEDEX 06

DIRECTEUR GÉNÉRAL
Stéphane Khémis

ASSISTANTE DE DIRECTION
Christie Mazataud

RÉDACTION 01 53 73 79 79
DOCUMENTATION, RÉALISATION 01 53 73 79 79
PROMOTION 01 53 73 79 79
TÉLÉCOPIEUR 01 46 34 75 08
VENTES, ABONNEMENTS, COMPTABILITÉ 01 43 54 83 95
57, RUE DE SEINE, 75280 PARIS CEDEX 06
CCP PARIS 20288-35 L

DIRECTEUR DE LA RÉDACTION
Stéphane Khémis

CONSEILLERS DE LA DIRECTION
Michel Winock – Jean-Noël Jeanneney
Jean-Pierre Rioux – Jean-Michel Gaillard

DIRECTION ÉDITORIALE
Valérie Hannin

RÉDACTRICE EN CHEF ADJOINTE
Véronique Sales

SECRÉTAIRE DE RÉDACTION
Emmanuelle Thoumieux-Rioux

RÉDACTION
Huguette Meunier – Séverine Nikel
Cécile Rey

RÉALISATION : ATELIER GRAPHIQUE DES ÉDITIONS DE SEPTEMBRE, PARIS
IMPRESSION : MAURY-EUROLIVRES À MANCHECOURT
DÉPÔT LÉGAL : JANVIER 1998 – N° 32848 (97/11/61918)